KB235757

나눔의집 **사회복지사1급**

강의로 복습하는
기출회독

7영역

사회복지행정론

사회복지교육연구센터 편저

사회복지
전문출판 **나눔의집**

사회복지사1급, 이보다 완벽한 기출문제 분석은 없다!

1회 시험부터 함께해온 도서출판 나눔의집에서는 23회 시험까지의 기출문제를 모두 분석, 그동안 출제된 키워드를 정리하여 키워드별로 복습할 수 있도록 『기출회독』을 마련하였다.

최근 10년간 출제빈도를 중심으로 자주 출제된 키워드는 좀 더 집중력 있게 공부할 수 있도록 '빈출' 표시를 하였으며, 자주 출제되지는 않지만 언제든 출제될 가능성이 있는 키워드도 놓치지 않고 공부할 수 있도록 하였다.

10년간 출제되지 않았더라도 향후 출제가능성이 있다고 판단되거나 다른 키워드와 연계하여 봐둘 필요가 있다고 생각되는 경우에는 본 책에 포함하여 소개하였다.

기출문제를 풀어보는 것으로 그치는 것이 아니라 기출문제를 통해 24회 합격이 가능한 학습이 될 것이다.

키워드별 '3단계 복습'으로 효율적으로 공부하자!

『기출회독』은 키워드별 **3단계 복습 과정**을 제시하여 1회독만으로도 3회독의 효과를 누릴 수 있도록 구성하였다.

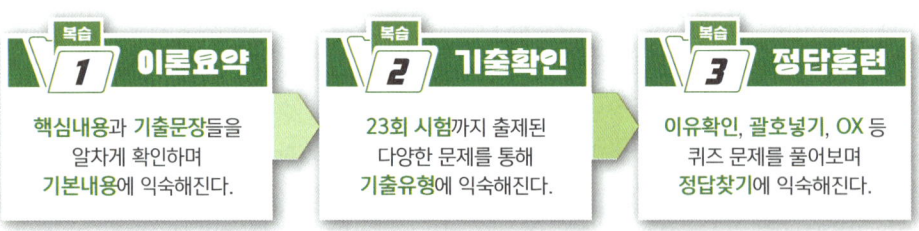

복습 1 이론요약
핵심내용과 기출문장들을 알차게 확인하며 **기본내용**에 익숙해진다.

복습 2 기출확인
23회 시험까지 출제된 다양한 문제를 통해 **기출유형**에 익숙해진다.

복습 3 정답훈련
이유확인, 괄호넣기, OX 등 퀴즈 문제를 풀어보며 **정답찾기**에 익숙해진다.

알림
- 이 책은 '나눔의집'에서 발간한 2026년 24회 대비 『기본개념』(2025년 3월 31일 펴냄)을 바탕으로 한다.
- 8회 이전 기출문제는 공개되지 않은 관계로 당시 응시생들의 기억을 바탕으로 검수 과정을 거쳐 기출문제를 복원하였다.
- <사회복지법제론>을 비롯해 법·제도의 변화와 관련된 기출문제의 경우 현재의 법·제도 내용이 반영될 수 있도록 수정하였다.
- 이 책에서 발생할 수 있는 오류 및 정정사항은 아임패스 내 '정오표' 게시판을 통해 확인할 수 있도록 게시할 예정이다.

강의로 복습하는 **기출회독** 사회복지행정론

10년간 데이터로 찾아낸 핵심키워드

여기에서 **94.4%** 출제

■ 빈출

장		키워드	출제문항수	23회 기출	3회독 체크
1장	189	사회복지행정의 특성	12	🏆	✓ ✓ ✓
	190	사회복지행정의 과정 및 기능	3		✓ ✓ ✓
2장	191	한국 사회복지행정의 역사	15	🏆	✓ ✓ ✓
	192	미국 사회복지행정의 역사	2	🏆	✓ ✓ ✓
3장	193	현대조직이론	13	🏆	✓ ✓ ✓
	194	조직환경이론	7	🏆	✓ ✓ ✓
	195	고전이론	7		✓ ✓ ✓
	196	인간관계이론	4		✓ ✓ ✓
	197	체계이론	1		✓ ✓ ✓
4장	198	조직의 구조적 요소	7	🏆	✓ ✓ ✓
	199	조직구조의 유형	5	🏆	✓ ✓ ✓
	200	사회복지조직의 유형	4	🏆	✓ ✓ ✓
5장	201	전달체계 구축의 원칙	10	🏆	✓ ✓ ✓
	202	전달체계의 구분 및 역할	9	🏆	✓ ✓ ✓
6장	203	기획 기법	7	🏆	✓ ✓ ✓
	204	기획의 특징 및 과정 등	6		✓ ✓ ✓
	205	의사결정	5	🏆	✓ ✓ ✓
7장	206	리더십 이론	11	🏆	✓ ✓ ✓
	207	리더십 유형	4		✓ ✓ ✓
8장	208	사회복지조직에서의 인적자원관리	16	🏆	✓ ✓ ✓
	209	동기부여이론	8	🏆	✓ ✓ ✓
	210	슈퍼비전	3	🏆	✓ ✓ ✓
9장	211	예산모형	6	🏆	✓ ✓ ✓
	212	사회복지조직에서의 재정관리	10	🏆	✓ ✓ ✓
10장	213	평가 유형 및 기준	11	🏆	✓ ✓ ✓
	214	논리모델	4		✓ ✓ ✓
	215	프로그램 설계 과정 등	4		✓ ✓ ✓
11장	216	사회복지 시설평가	5		✓ ✓ ✓
	217	사회복지조직의 책임성	3	🏆	✓ ✓ ✓
	218	성과관리	2		✓ ✓ ✓
12장	219	사회복지 마케팅의 특징 및 전략	9	🏆	✓ ✓ ✓
	220	마케팅 기법	5		✓ ✓ ✓
13장	221	환경변화의 흐름 및 대응	11	🏆	✓ ✓ ✓
	222	일반환경과 과업환경	4		✓ ✓ ✓
	223	사회복지조직의 정보관리	3	🏆	✓ ✓ ✓

기출회독 활용맵

들어가기 전에

이 장에서는
각 장마다 학습할 내용을 간략히 소개하였다.

10년간 출제분포도
이 책에서 키워드에 따라 분석한 기출문제 중 10년간 출제문항
수를 그래프로 구성하여 각 장의 출제비중이 얼마나 되는지,
어떻게 변화하고 있는지 등을 확인할 수 있다.

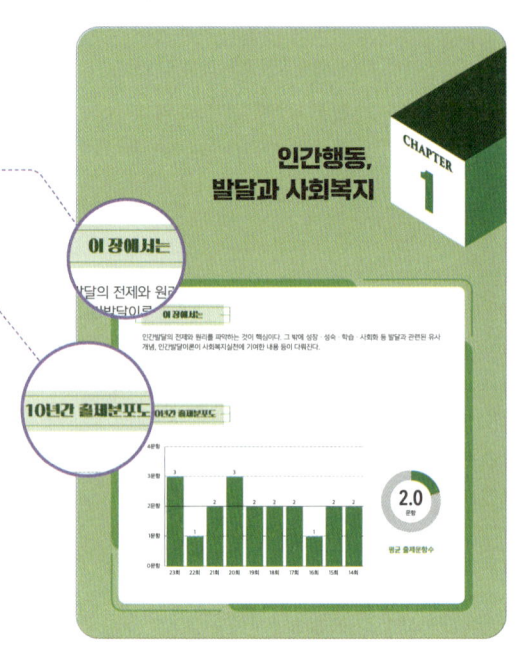

기출 키워드 확인

이 책은 기출 키워드에 따라 학습하도록 구성하였다. 특히 자
주 출제된 키워드나 앞으로도 출제 가능성이 높은 키워드는 따
로 '빈출' 표시를 하여 우선 배치하였다. 빈출 키워드는 전체 출
제율과 최근 10개년간의 출제율을 중심으로 하되 내용 자체의
어려움, 다른 과목과의 연계성 등을 고려하여 선정하였다.

강의 QR코드
모바일을 통해 해당 키워드의 동영상 강의를 바로 볼 수 있다.

10년간 출제문항수
각 키워드에서 최근 10년간 출제된 문항수를 안내하여 출제빈
도를 확인할 수 있도록 하였다.

5개년 기출회차
최근 5개년 기출회차를 표시하였다.

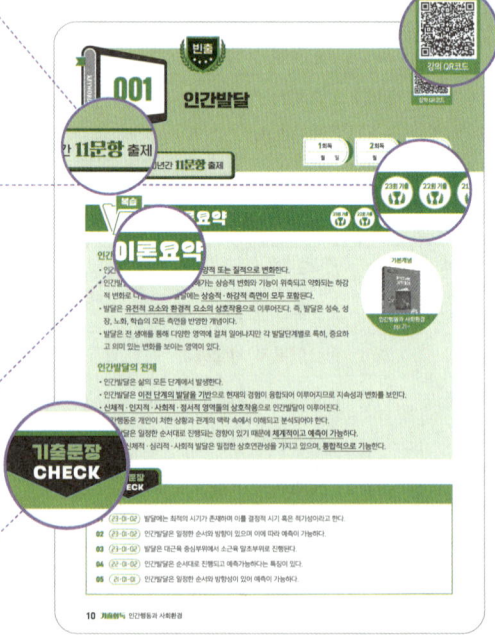

복습 1. 이론요약

요약 내용과 기출문장을 함께 담아 이론을 정답으로 연결하도
록 구성하였다.

이론요약
주요 내용을 간략히 정리하였으며 부족한 내용을 보충할 수 있
도록 기본개념서의 쪽수를 표시하였다.

기출문장 CHECK
그동안 출제되었던 기출문제의 문장들 중 꼭 알아두어야 할 문
장들을 선별하여 제시하였다.

바로 기출문제를 풀어보며 학습한 이론을 되짚어보도록 구성
하였다.

기출문제 풀기 ●
다양한 유형의 문제를 최대한 접해볼 수 있도록 선정하였다.

알짜확인 ●
해당 키워드에서 살펴봐야 할 내용들, 주의해야 할 사항들을
짚어주었다.

난이도 ●
정답률, 내용의 어려움, 출제빈도, 정답의 혼란 정도 등을 고려
하여 3단계로 구분하였다.

응시생들의 선택 ●
5개의 선택지에 대한 마킹률을 표시하여 응시생들이 어떤 선
택지들을 헷갈려했는지 등을 참고해볼 수 있도록 하였다.

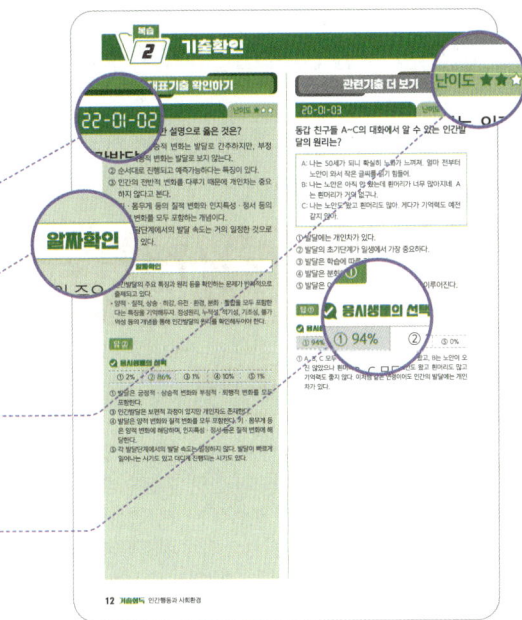

출제빈도와 난이도 등을 고려하여 정답찾기에
능숙해지도록 구성하였다.

이유확인 문제 ●
제시된 문장에서 잘못된 부분을 확인함으로써
헷갈릴 수 있는 부분들을 짚어준다.

괄호넣기 문제 ●
정답률이 낮게 나타나는 단답형 문제에 대비할
수 있다.

OX 문제 ●
제시된 문장이 옳은 내용인지, 틀린 내용인지를
빠르게 판단해보는 훈련이다.

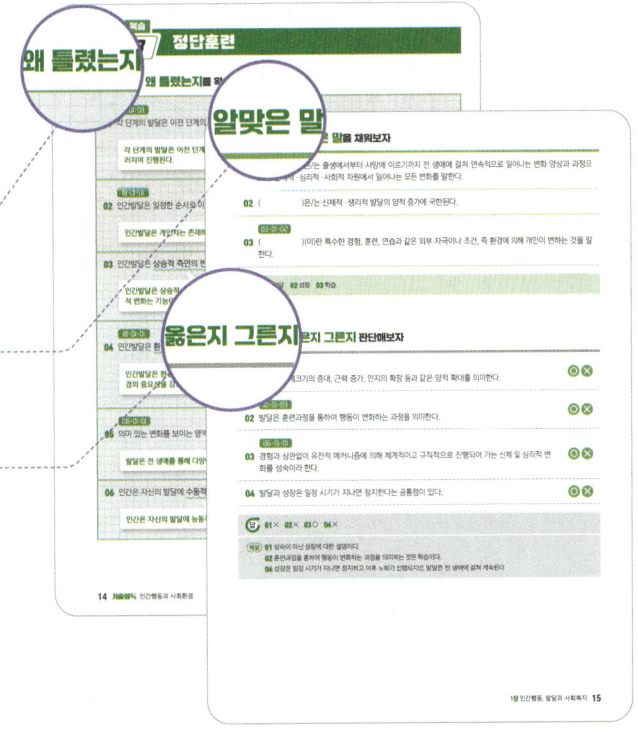

아임패스와 함께하는 4단계 합격전략

나눔의집은 '진심'을 다해 오직 사회복지사1급 시험만을 연구한다.
나눔의집의 온라인 강의 사이트인 아임패스를 통해 단계별로 전문적이고 체계적인 학습을 시작해 보자. 아임패스는 강의 제공뿐만 아니라 문제은행, 학습자료, 보충자료, 과목별 질문 등 사회복지사1급 시험에 관한 다양한 자료를 제공하고 있다.

1단계   기본개념 과정

강의로 쌓는 기본개념

다양한 유형의 문제에서 명확하게 답을 찾기 위해서는 기본개념이 탄탄하게 잡혀있어야 한다. 기본개념 학습은 말 그대로 1급 시험에 출제되는 총 8영역의 기본적인 개념들을 정리하는 학습이다. 즉, 1급 시험을 위해 가장 기초적이고 중요한 첫 단계로서 집을 짓기 위해 바닥을 단단하게 다지는 과정이다. 그만큼 학습해야 할 양도 많고 오랜 시간이 걸리는 과정이지만 바닥이 단단하지 않으면 그 위에 아무리 멋진 집을 쌓아도 무너질 수 있듯이 기본개념 학습은 반드시 탄탄하게 학습해야 한다.

핵심을 바로 체크하는 개념노트

개념노트 왼쪽 페이지에는 장별로 학습한 기본개념을 바로바로 확인할 수 있는 빈칸 넣기 퀴즈가 수록되어 있고, 오른쪽 페이지에는 학습한 내용을 정리할 수 있는 노트 형태로 구성되어 있다.
장별로 표시된 학습 중요도와 기출포인트를 통해 핵심요약집과 연계하여 학습할 수 있으며, QR코드를 통해 기출회독과도 연계하여 학습할 수 있다.

2단계   기출회독 과정

강의로 복습하는 기출회독

기출문제는 결국 또다시 기출문제가 된다. 따라서 기출문제를 분석하고 반복하여 풀어보는 것은 합격을 위한 가장 기본적이고 필수적인 과정이다. 기출회독은 1회 시험부터 가장 최근 시험까지 모든 기출문제를 분석하여 가장 출제가 많이 된 총 250개의 기출 키워드를 '1단계 이론요약 정리', '2단계 기출문제 풀이', '3단계 정답훈련 퀴즈 풀이'라는 3단계의 복습 시스템으로 학습한다. '데이터 기반 학습법'과 '3단계 복습 시스템'의 결합을 통해 기출 개념들을 힘들게 노력하여 외우지 않아도 저절로 이해할 수 있는 마법을 경험하게 된다.

기출문제 번호 보는 법

23 - 01 - 25

기출회차 영역 문제번호

'기출회차-영역-문제번호'의 순으로 기출문제의 번호 표기를 제시하여 어느 책에서든 쉽게 해당 문제를 찾아
볼 수 있도록 통일하였다.

3단계 핵심요약 과정

사회복지사1급 핵심요약집

반드시 출제되는 핵심내용을 '데이터 기반 학습전략'으로 공부한다.
최근 5개년 기출데이터 분석을 통해 8개 영역의 각 장을 목표 점수별로 구분(130점 목표 빨간색, 160점 목표 파란색,
200점 목표 초록색)하여 효율적이고 전략적으로 학습할 수 있다. QR코드를 통해 기출회독과 연계하여 학습할 수 있
으며, 아임패스의 다양한 문제와 퀴즈도 풀 수 있다.

4단계 실전대비 과정

강의로 잡는 장별 기출문제집

최근 5개년 기출문제를 기본개념
서에서 제시된 장별로 구성하였
다. 기출문제를 장별 내용에 따라
구성하였기 때문에 문제를 풀다
가 모르는 개념이 나오면 기본개
념서에서 바로 해당 장의 내용을
찾아서 보다 쉽게 다시 성리할 수
있다. 또한 모든 문제에 해당 기
출회독 키워드를 표
시하였기에 기출회
독과도 연계하여 학
습할 수 있다.

강의로 풀이하는 합격예상문제집

최근 시험에서는 새로운 유형의
문제가 출제되는 비중이 점점 높
아지고 있다. 따라서 기출문제를
기반으로 한 다양한 유형의 응용
문제를 풀어봄는 것이 매우 중요
하다. 최신 기출문제의 내용과 유
형을 분석하여 출제한 2,000개
의 예상문제를 풀어봄으로써 어
떠한 유형의 문제가
출제되어도 자신 있
게 해결할 수 있는
훈련을 한다.

강의로 완성하는 FINAL 모의고사

길고 길었던 학습을 마무리하면
서 자신의 실력을 최종 점검해 볼
수 있다. 모의고사는 총 3회분으
로 구성되어 있는데, 난이도를 구
분하여 1회가 가장 쉽고 3회가 가
장 어렵다. 실제 시험지 구성과 동
일하게 지직되었기 때문에 실전
처럼 시간을 정해놓고 함께 들어
있는 답안카드에 직
접 마킹을 해보면서
자신의 실력을 최종
적으로 확인할 수
있다.

아임패스 앱 출시

당신이 있는 곳이 바로 강의실입니다.

아임패스 앱을 지금 **다운로드** 받으세요.
※QR스캔 기능제공

합격자 수	합격률
9,980명	39.4%

23회 시험 결과

23회 필기시험의 합격률은 지난 22회 합격률 29.7%보다 10%가량 상승한 39.4%로 나타났다. 2교시 4영역 사회복지실천기술론의 난이도가 높게 출제되었으나, 많은 수험생들이 어려워하는 1교시 2영역 사회복지조사론과 3교시 8영역 사회복지법제론이 평이하게 출제되어 전반적인 점수가 상승하였고, 이로 인해 합격률이 높게 나타난 것으로 보인다.

23회 기출 분석 및 24회 합격 대책

23회 기출 분석

예년에 비해 난이도는 높지 않았지만, 출제분포에 있어서 그동안 출제빈도가 높았던 중심부 내용들보다는 다소 주변부의 내용에서 문제가 출제되는 모습을 보였다. 최근 시험에서 5문제까지도 출제되었던 3장 관리이론에서는 예년과 달리 2문제만 출제되었으며, 전반적으로 다소 지엽적인 내용의 문제들이 출제되었다. 또한 최근 12장 마케팅 영역에서 꾸준히 2문제씩 출제되고 있는데, 이는 현대 사회복지에서 비영리조직의 생존전략이 중요하다는 점을 시사하고 있다.

24회 합격 대책

3장의 관리이론, 7장의 리더십이론, 8장의 동기부여이론 등은 출제빈도가 높을 뿐만 아니라 학습 내용도 방대하기 때문에 각 장의 테마를 알고 그에 속한 이론들의 흐름을 정리한 다음 각 이론들을 비교하며 정리해 나가는 조직화된 학습이 요구된다. 또한 사회복지행정론은 보기와 선택지에 생소한 단어들이 많이 등장하기 때문에 성실한 용어정리가 선행되어야 문장을 이해하고 정답을 찾을 수 있다.

23회 출제 문항수 및 키워드

장	23회	키워드
1	1	사회복지행정의 개념
2	2	한국 사회복지행정의 역사, 신공공관리
3	2	사회복지조직 이론 비교(과학적 관리론, 관료제이론, 인간관계론, 상황이론), 패러슈라만 등의 서비스 질 구성 차원(SERVQUAL)
4	3	민간 비영리조직의 특성, 조직 분권화의 특성, 태스크포스의 특성
5	2	사회복지 전달체계 구축의 원칙, 사회복지 전달체계의 특성
6	2	기획에 활용되는 기법, 쓰레기통 모형의 특징
7	1	블레이크와 머튼의 관리격자모형에서 리더십 유형 분류
8	3	허즈버그의 동기-위생이론에 따른 동기유발 요인, 인적자원관리 체계, 사회복지조직의 슈퍼비전
9	3	예산 유형별 비교, 사회복지조직의 재무ㆍ회계, 사회복지시설 예산 편성 및 결정 절차
10	1	프로그램 평가의 유형별 비교
11	1	사회복지조직의 책임성
12	2	비영리조직의 마케팅, 사회복지마케팅 전략
13	2	사회복지조직의 정보관리, 사회복지행정의 환경변화

사회복지행정의
개념과 특성

이 장에서는

사회복지행정은 정책을 서비스로 전환하는 과정임을 이해하고, 사회복지행정이 갖는 가치판단적, 도덕적 가치
지향, 전문가에 대한 의존성, 목표의 모호성, 성과의 무형성, 기술의 불확실성 등의 특징을 파악해야 한다. 더불
어 사회복지행정의 과정(POSDCoRBE)을 통해 사회복지행정의 범위와 기능을 살펴본다.

10년간 출제분포도

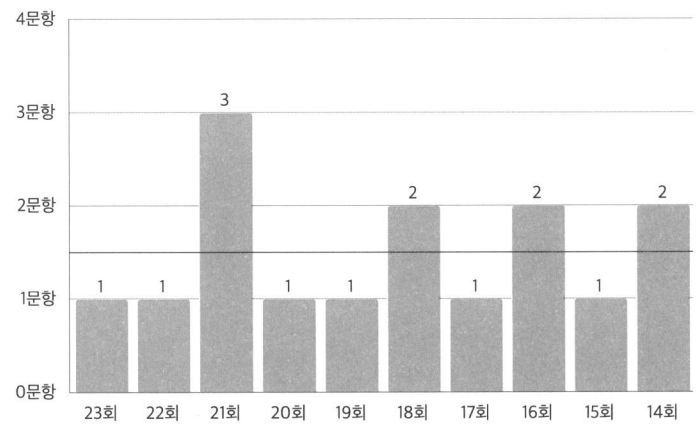

평균 출제문항수

KEYWORD

189

사회복지행정의 특성

강의 QR코드

| 1회독 | 2회독 | 3회독 |
| 월 일 | 월 일 | 월 일 |

최근 10년간 12문항 출제

 이론요약

 23회 기출 22회 기출 21회 기출 19회 기출

사회복지행정의 정의

- 사회복지조직을 중심으로 **정책이 서비스로 전환**되는 과정
- 사회복지조직의 **목표를 달성**하기 위해서 **인적, 물적 자원을 관리**하는 과정
- 관리자를 포함한 모든 조직구성원의 역동적인 협력활동
- 조직을 변화시키고 발전시키는 사회복지실천의 개입방법

기본개념

사회복지행정론
pp.20~

일반행정과 사회복지행정의 공통점

- 대안의 모색, 실행, 평가가 이루어지는 문제해결 과정
- 상호관련된 부분들이 모여진 체계로 구성됨
- 인적, 물적 자원을 동원하고 조직화함
- 공공의지(public will)의 실현과 관련됨
- 조력 과정이 요구됨
- 조직부서 간의 업무조정 및 직무평가가 이루어짐
- 관리자에 의해 기획, 의사결정, 평가 등의 과정이 이루어짐

휴먼서비스 조직의 특성(Hasenfeld)

- 휴먼서비스 조직의 **원료는 인간**이다.
- 휴먼서비스 조직의 **목표는 불확실**하며 애매모호하다.
- 휴먼서비스 조직이 활용하는 **기술은 불확실**하다.
- 휴먼서비스 조직의 핵심 활동은 **직원과 클라이언트의 관계**이다.
- 휴먼서비스 조직은 **직원의 전문성에 대한 의존도가 크다.**
- 휴먼서비스 조직의 **효과성을 측정할 척도가 부족**하다.

사회복지조직의 특수성

- **도덕적 가치 지향** → 사회복지행정은 **가치지향적, 가치판단적!** (가치중립적 아님)
- 사회복지사와 클라이언트의 사이의 상호작용
- **사회적 책임성**

- 기술의 불확실성 및 전문가의 중요성
- 목표의 모호성
- **성과의 무형성**
- 효과성, 효율성 척도의 부재
  - 효과성: 클라이언트에게 제공된 서비스가 욕구를 충족시키고 목표를 달성할 수 있어야 함
  - 효율성: 최소한의 자원으로 최대의 효과를 산출할 수 있어야 함

기출문장 CHECK

01 (23-07-01) 사회복지행정은 사회문제 해결과정에서 가치지향적이며 가치판단적이다.

02 (23-07-01) 사회복지행정은 사회복지정책을 서비스로 전환하는 과정이다.

03 (22-07-01) 사회복지조직은 사회복지사의 전문성과 자율성을 인정한다.

04 (22-07-01) 사회복지조직은 클라이언트와 사회복지사의 관계에 따라 서비스의 효과성이 좌우된다.

05 (22-07-01) 사회복지조직은 다양한 상황에서 윤리적 딜레마와 가치 선택에 직면한다.

06 (22-07-01) 사회복지조직은 조직의 목표가 명확하거나 구체적이기 어렵다.

07 (21-07-03) 사회복지행정은 서비스 성과를 평가하기 어렵다는 특징이 있다.

08 (21-07-07) 휴먼서비스 조직은 인간을 원료로 한다.

09 (21-07-07) 휴먼서비스 조직은 클라이언트와의 직접적 관계 속에서 활동한다.

10 (21-07-07) 휴먼서비스 조직은 조직의 목표가 불확실하며 모호해지기 쉽다.

11 (21-07-07) 휴먼서비스 조직은 조직의 업무과정에서 주로 전문가에 의존한다.

12 (19-07-01) 사회복지행정에서 효과성은 조직의 목표달성 정도를 파악하는 것이다.

13 (18-07-02) 사회복지행정은 사회복지정책을 개별적이고 구체적인 서비스로 전환시키는 과정이다.

14 (18-07-02) 사회복지행정은 관리자가 조직목표를 달성하기 위해서 수행하는 과정, 기능 그리고 활동이다.

15 (18-07-02) 사회복지행정은 사회복지 과업수행을 위해서 인적·물적 자원을 체계적으로 결합·운영하는 합리적인 행동이다.

16 (18-07-02) 사회복지행정은 사회복지제도와 정책을 서비스 급여, 프로그램으로 전환시키기 위한 전달체계이다.

17 (18-07-06) 사회복지행정은 조직들 간의 통합과 연계를 중시한다.

18 (18-07-06) 사회복지행정은 지역사회 욕구를 충족시키기 위한 조직관리 기술을 필요로 한다.

19 (18-07-06) 사회복지행정은 모든 구성원들이 조직운영 과정에 참여하여 일정 부분 영향을 미친다.

20 (18-07-06) 사회복지조직의 관리자는 조직의 운영을 지역사회와 연관시킬 책임이 있다.

21 (17-07-01) 사회복지조직에서는 성과를 객관적으로 증명하기가 쉽지 않다.

22 (16-07-05) 사회복지행정은 인적·물적자원을 활용하여 조직 목적과 목표를 달성한다.

23 (16-07-05) 사회복지행정은 지역사회의 욕구를 충족시키기 위한 활동이다.

24 (16-07-05) 사회복지조직이 제공하는 서비스는 전문적인 성격을 가지고 있다.

25 (16-07-05) 사회복지행정가는 조직운영에서 지역사회 협력의 중요성을 인식해야 한다.

26 (14-07-05) 사회복지행정을 통해 조직운영에서 책임성을 향상시킨다.

27 (14-07-05) 사회복지행정을 통해 서비스의 효과성을 높이고 일관성을 확보하며, 조직운영의 실패원인을 확인하여 실패를 줄일 수 있다.

28 (14-07-08) 사회복지조직은 도덕적 정당성에 민감하다.

29 (13-07-08) 사회복지행정의 특징: 환경에의 의존성, 대립적 가치의 상존성, 조직 간 연계의 중요성, 인본주의적 가치지향성

30 (12-07-21) 사회복지행정은 클라이언트의 욕구충족을 기본으로 하며, 인간의 가치와 관계성을 기반으로 한다.

31 (12-07-21) 사회복지행정은 일반행정과 달리 전문인력인 사회복지사에 대한 의존도가 높다.

32 (12-07-21) 사회복지행정은 일반행정과 달리 자원의 외부의존도가 높다.

33 (11-07-22) 사회복지행정은 대립적인 가치로 인한 갈등을 조정해야 한다.

34 (11-07-22) 사회복지행정은 조직 간 상호연계망을 구축해야 한다.

35 (11-07-22) 사회복지행정은 서비스 이용자와 제공자 간 공동생산(co-production)의 가치를 높여야 한다.

36 (10-07-01) 일선 사회복지사는 클라이언트에게 재량권을 행사할 수 있다.

37 (09-07-01) 사회복지행정과 일반행정의 공통점: 목표를 설정하고 목표달성을 위해서 인적·물적 자원을 동원한다. 관리자에 의해 수행되는 기획 및 의사결정과 평가과정을 거친다. 대안을 모색하고 실행하고 평가하는 문제해결과정이다. 조직부서간 업무의 조정이 요구되고 직무평가가 이루어진다.

38 (09-07-07) 사회복지행정은 사회의 가치 변화에 민감하게 반응하며, 인간의 문제를 전체적으로 접근하고 통합성을 추구한다.

39 (09-07-07) 사회복지행정은 목표를 구체화하기 어렵고 측정하기가 쉽지 않다.

40 (07-07-16) 사회복지행정은 일반행정과 달리 전문가에 대한 의존도가 높으며, 인간에 대한 가치와 도덕성을 강조한다.

41 (06-07-01) 사회복지행정은 인간을 원료로 하기 때문에 도덕적 가치에 민감하며, 조직 구성원과 클라이언트의 상호작용이 중요하다.

42 (05-07-02) 사회복지행정은 사회복지정책을 서비스로 전환시키는 과정이며, 사회복지실천의 한 방법이다.

43 (02-07-01) 사회복지행정은 지역사회와 밀접한 관계를 맺으며 인간을 원료로 한다.

대표기출 확인하기

23-07-01 난이도 ★★★

사회복지행정의 개념에 관한 설명으로 옳은 것은?

① 정부조직만을 대상으로 한다.
② 조직의 효과성보다 효율성이 중요하다.
③ 정부재정 외에 민간자원 활용은 배제한다.
④ 사회문제 해결과정에서 가치판단을 배제한다.
⑤ 사회복지정책을 서비스로 전환하는 과정이다.

 알짜확인

• 사회복지행정은 사람을 대상으로 하는 휴먼 서비스라는 점, 성과에 대한 기준이 명확하지 않을 수 있다는 점, 전문가에 따라 성과가 달라질 수 있다는 점, 이윤추구를 목적으로 하지 않는다는 점, 가치지향적·가치판단적 활동이라는 점 등이 자주 다뤄졌다.
• 공공의지(public will)의 실현이라는 일반행정과의 공통점도 기억해두자.

답 ⑤

✔ **응시생들의 선택**

① 1%	② 5%	③ 1%	④ 2%	⑤ 91%

① 사회복지행정은 정부조직만을 대상으로 하는 것이 아니라 공공 및 민간기관을 포함하여 모든 사회복지조직의 구성원들이 수행하는 총체적인 활동이다.
② 사회복지행정은 조직의 효과성과 효율성 모두 중요하다.
③ 사회복지행정은 정부재정 외에 민간의 자원동원 및 활용도 포함한다.
④ 사회복지행정은 인간을 대상으로 하고, 사회적 책임성과 도덕적 가치를 지향하므로 사회문제 해결과정에서 가치지향적이며 가치판단적이다.

관련기출 더 보기

22-07-01 난이도 ★★☆

사회복지조직의 특성에 관한 설명으로 옳지 않은 것은?

① 사회복지사의 전문성과 자율성을 인정한다.
② 클라이언트와 사회복지사의 관계에 따라 서비스의 효과성이 좌우된다.
③ 서비스의 효과성을 객관적으로 입증하기가 용이하다.
④ 다양한 상황에서 윤리적 딜레마와 가치 선택에 직면한다.
⑤ 조직의 목표가 명확하거나 구체적이기 어렵다.

답 ③

✔ **응시생들의 선택**

① 1%	② 2%	③ 77%	④ 0%	⑤ 20%

③ 사회복지서비스의 효과는 클라이언트의 변화, 문제해결, 욕구충족 등에 따라 판단할 수 있는데 그 효과가 항상 즉각적으로 나타나는 것도 아니며 클라이언트가 느끼는 기준도 다르기 때문에 효과성을 객관적으로 입증하기가 모호한 측면이 있다.

사회복지행정의 특징에 관한 설명으로 옳은 것은?

① 서비스 성과를 평가하기 어렵다.
② 사회복지행정가는 가치중립적이어야 한다.
③ 서비스 효율성은 고려하지 않는다.
④ 재정관리는 사회복지행정에 포함되지 않는다.
⑤ 직무환경에 관계없이 획일적으로 운영된다.

답 ①

✅ 응시생들의 선택

① 57%	② 38%	③ 3%	④ 1%	⑤ 1%

② 사회복지행정가는 인간적 가치와 도덕적 정당성을 바탕으로 기관의 목적을 고려하여 어떤 클라이언트에게 어떤 서비스를 제공할지를 판단해야 하기 때문에 가치중립적일 수 없다. 사회복지행정은 가치 판단적, 가치지향적 특징을 갖는다.
③ 자원은 한정되어 있기 때문에 사회복지조직도 서비스의 효율성을 주요 가치로 고려한다.
④ 예산, 결산, 회계 등의 재정관리는 사회복지행정에 포함된다.
⑤ 직무환경은 업무장소의 특징, 사용하는 도구, 근무시간, 직원복지, 분위기 등을 모두 포함한다. 조직이 추구하는 가치 및 사업의 성격에 따라 다르게 운영된다.

➕ 덧붙임

• 사회복지행정이 가치판단적 활동이라는 점은 자주 출제된 내용이다. 가치추구적, 가치지향적 등의 표현으로도 출제된 바 있는데 모두 같은 의미로 이해해도 된다.
• 전문가의 판단과 능력에 따라 클라이언트에 대한 문제규정과 개입범위, 자원확보 등이 달라질 수 있다. 이로 인해 사회복지행정은 전문가에 대한 의존도가 높다는 점도 중요하다.

하센펠트(Y. Hasenfeld)가 제시한 휴먼서비스 조직의 특성으로 옳지 않은 것은?

① 인간을 원료(raw material)로 한다.
② 클라이언트와의 직접적 관계 속에서 활동한다.
③ 조직의 목표가 불확실하며 모호해지기 쉽다.
④ 조직의 업무과정에서 주로 전문가에 의존한다.
⑤ 목표 달성을 위해 명확한 지식과 기술을 사용한다.

답 ⑤

✅ 응시생들의 선택

① 2%	② 3%	③ 27%	④ 46%	⑤ 22%

⑤ 사회복지조직은 클라이언트의 문제해결 및 욕구충족과 관계된 목표 달성을 위해 다양한 지식과 기술을 활용하게 된다. 그런데 지식과 기술은 근본적으로 완전할 수 없고, 클라이언트마다 가치와 성향을 반영하여 적용되어야 하며, 클라이언트에게 적용된 지식과 기술의 적합성과 효과성을 예측하여 확신하기도 어렵다.

사회복지행정의 특성으로 옳지 않은 것은?

① 인적·물적자원을 활용하여 조직 목적과 목표를 달성한다.
② 지역사회의 욕구를 충족시키기 위한 활동이다.
③ 사회복지행정가는 대안선택 시 가치중립적이어야 한다.
④ 사회복지조직이 제공하는 서비스는 전문적인 성격을 가지고 있다.
⑤ 사회복지행정가는 조직운영에서 지역사회 협력의 중요성을 인식해야 한다.

답 ③

✅ 응시생들의 선택

① 7%	② 15%	③ 73%	④ 3%	⑤ 2%

③ 조직을 둘러싼 환경적·기술적 조건과 조직이 추구하는 가치와 목표, 문제의 우선순위 등을 토대로 어떤 서비스를 만들 것인지, 또 어떤 사람에게 어떤 서비스를 제공할 것인지 등과 관련하여 가치판단적 결정을 내리게 된다.

사회복지조직의 특징으로 옳은 것은?

① 도덕적 정당성에 민감하다.
② 이해관계 집단의 구성이 단순하다.
③ 성과에 대한 평가가 용이하다.
④ 일선전문가의 재량을 인정하지 않는다.
⑤ 주된 기술이 단순하고 확실하다.

답 ①

응시생들의 선택

① 84%	② 2%	③ 11%	④ 2%	⑤ 1%

② 사회복지조직은 클라이언트 집단 및 그 가족, 이사회, 위원회, 후원자, 자원봉사자 등 이해관계 집단의 구성이 복잡하다.
③ 성과를 파악할 기준이 명확하지 않은 경우가 많아 성과를 평가하는 것도 쉽지 않다.
④ 서비스를 제공하는 일선전문가에 따라 서비스의 내용이 달라질 수 있다는 점에서 전문가의 역할에 대한 의존도가 높다.
⑤ 대상자에 따라 서비스가 달라질 수밖에 없기 때문에 기술이 고정적이거나 확정적이지 않고 복잡하게 나타난다.

사회복지에서 행정지식이 중요하게 된 이유가 아닌 것은?

① 사회문제 해결을 위한 일차집단(primary association)의 역할이 커졌다.
② 사회복지실천에서 조직적 과정의 중요성이 커졌다.
③ 사회복지조직이 세분화되면서 조직 간 통합과 조정의 필요성이 커졌다.
④ 사회복지조직에 대한 외부의 책임성 이행요구가 증가하였다.
⑤ 한정된 사회복지자원에 대한 효과적 관리의 필요성이 커졌다.

답 ①

응시생들의 선택

① 71%	② 5%	③ 2%	④ 19%	⑤ 3%

① 일차집단만으로는 사회문제 해결이 용이하지 않으므로 이차집단의 역할이 커졌다.

덧붙임

일차집단(원초집단)은 혈연과 지연이 바탕이 된 가정, 또래집단과 같이 자연적으로 형성된 집단을 말한다. 이차집단은 인위적으로 만들어진 집단을 말한다.

일반행정과 비교하여 사회복지행정의 특징이 아닌 것은?

① 클라이언트의 욕구충족을 기본으로 한다.
② 인간의 가치와 관계성을 기반으로 한다.
③ 자원의 외부의존도가 높다.
④ 전문인력인 사회복지사에 대한 의존도가 높다.
⑤ 실천표준기술의 확립으로 효과성 측정이 용이하다.

답 ⑤

응시생들의 선택

① 1%	② 2%	③ 7%	④ 3%	⑤ 87%

⑤ 사회복지조직에서 사용하게 되는 기술은 사회복지학의 범위를 넘어서게 되며, 클라이언트마다 다른 욕구와 문제를 겪고 있기 때문에 실천을 위한 기술을 표준화하기가 어렵다. 그렇기 때문에 서비스의 기술이나 정도는 서비스를 제공하는 사회복지사의 전문성에 따라 달라질 수밖에 없다.

사회복지행정에 관한 설명으로 옳지 않은 것은?

① 사회사업적 지식, 기술, 가치 등을 의도적으로 적용한다.
② 사회복지정책과 사회복지실천보다 상위의 개념이다.
③ 사회복지정책을 서비스로 전환시키는 과정이다.
④ 목표달성을 위한 내부적 조정과 협력과정이다.
⑤ 클라이언트와 조직에 대한 변화를 초래한다.

답 ②

응시생들의 선택

① 5%	② 79%	③ 6%	④ 5%	⑤ 6%

② 사회복지행정이란, 사회복지조직이 정해진 목표를 달성하기 위해 정책 목표들을 실천적인 서비스로 전환시키는 것으로, 상위의 개념이라기보다는 사회복지정책과 서비스를 연결시키는 매개 역할을 하는 것으로 이해하는 것이 더 적절하다.

다음 내용이 **왜 틀렸는지**를 확인해보자

`11-07-22`

01 사회복지행정은 **가치중립적 행정기술을 적용**해야 한다.

> 사회복지조직의 원료는 인간이기 때문에 도덕적 가치판단이 요구되며, 이로 인해 사회복지행정은 가치중립적이 아니라 가치지향적 특징을 갖는다.

02 사회복지행정은 동일한 문제에 대해 **동일한 서비스를 제공함으로써 일률적인 성과를 내는 데에 초점**을 둔다.

> 동일한 문제라 하더라도 그 문제를 둘러싼 요소들은 다르게 나타날 수 있으며, 그 문제를 받아들이는 클라이언트의 사고나 감정 역시 다를 수 있다. 따라서 동일한 문제라 하더라도 다른 서비스가 제공될 수 있다. 동일한 서비스를 제공했다 하더라도 효과나 만족감은 다를 수 있기 때문에 일률적인 성과를 만들어내는 것이 어렵다.

`06-07-01`

03 사회복지행정은 **측정 도구가 잘 개발되어 있어 성과 측정이 용이**하다.

> 사회복지서비스에 대한 성과는 클라이언트가 느끼는 만족도의 영향을 받기 때문에 객관적이고 과학적인 측정이 모호한 경우가 많다.

`09-07-01`

04 일선 직원과 클라이언트와의 관계가 조직 효과성을 좌우한다는 점은 **사회복지행정과 일반행정의 공통점**이다.

> 일선 직원과 클라이언트와의 관계가 조직 효과성을 좌우한다는 것은 사회복지행정에서만 나타나는 특징이다.

05 사회복지조직은 목표를 설정함에 있어 **여러 이해관계의 영향력을 배제해야** 한다.

> 사회복지조직은 정부의 정책 방향, 지역사회의 특성 및 지역주민의 성향, 후원자, 서비스 이용자 및 가족, 타 기관 및 전문가 등 여러 환경체계와 이해관계의 영향을 받게 되며 이를 배제할 수는 없다.

`07-07-16`

06 사회복지행정은 **실천기술이 표준화**되어 있다.

> 사회복지행정은 클라이언트, 즉 인간을 대상으로 하기 때문에 실천기술을 표준화하기 어렵다.

07 사회복지조직은 법률과 규칙에 의해 운영되므로 **전문성은 중요하지 않다.**

사회복지서비스는 무형적이며 클라이언트마다 문제나 욕구가 다르기 때문에 사회복지사의 전문성에 따라 제공되는 서비스 및 성과가 달라진다. 이로 인해 사회복지조직에서는 실무자의 재량이 크고 실무자에 대한 의존도가 높다.

08 사회복지행정은 인간을 대상으로 하는 **직접적인** 사회복지실천방법이다.

사회복지행정은 간접적인 사회복지실천방법이다.

09 사회복지조직은 **외부환경에 대한 의존성이 낮다.**

사회복지조직은 사회적, 경제적 변화와 같은 외부환경에 대한 의존성이 높다.

10 서비스 대상으로서 **인간을 가치중립적 존재로 가정**한다.

가치중립적이란 말은 어떤 특정 가치관에 치우치지 않는다는 것인데, 사회복지행정의 대상은 도덕적 가치를 갖는 인간이기 때문에 인간을 가치중립적 존재로 가정한다는 설명은 적절하지 않다.

11 사회복지행정은 **정형화된 문제에만 접근**한다.

클라이언트마다 겪는 문제나 욕구는 다 다르기 때문에 그 문제를 정형화하거나 유형화하기 어려우며, 개별화된 접근이 필요하다.

12 사회복지행정은 **일반행정과 달리** 공공의지(public will)를 실현하는 데에 관심을 둔다.

공공의지의 실현은 사회복지행정과 일반행정의 공통적인 특징이다. 공공의지에 대한 개념적 정의가 명확하진 않지만 공공의 이익 정도로 생각하면 된다.

다음 내용이 옳은지 그른지 판단해보자

18-07-06
01 사회복지행정에서는 조직들 간의 통합과 연계를 중요시한다. ◎ ⊗

10-07-06
02 사회복지행정은 사회복지정책 및 사회복지실천보다 상위의 개념이다. ◎ ⊗

22-07-01
03 사회복지조직에서는 서비스 효과성의 객관적 증명이 쉽지 않다. ◎ ⊗

17-07-01
04 사회복지조직을 기업조직과 비교할 때 대표적인 차별성은 효율성을 중요하게 여긴다는 점이다. ◎ ⊗

05 사회복지행정에서는 모든 구성원들이 조직운영 과정에 참여하는 민주적인 운영이 강조되고 있다. ◎ ⊗

18-07-02
06 사회복지행정은 사회복지제도와 정책을 서비스 급여, 프로그램으로 전환시키기 위한 전달체계이다. ◎ ⊗

07 사회복지조직에서는 일률적인 성과를 내기 위해 동일 문제에는 동일 서비스를 제공하는 것을 원칙으로 한다. ◎ ⊗

답 **01** ○ **02** × **03** ○ **04** × **05** ○ **06** ○ **07** ×

해설 **02** 사회복지행정은 사회복지정책을 사회복지실천으로 전환시키는 과정이다. 상위-하위의 관계에 있는 것은 아니다.
04 효율성은 사회복지조직, 일반 기업조직 등에서 모두 강조되는 요소이다.
07 사회복지서비스는 문제를 둘러싼 상황, 사업의 성격 등 다양한 요소가 고려되어야 하기 때문에 동일 문제에 동일 서비스를 제공한다는 것을 원칙으로 삼을 수 없다.

1회독	2회독	3회독
월 일	월 일	월 일

최근 10년간 **3문항** 출제

복습 **1**

이론요약

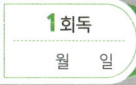 21회 기출 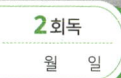 20회 기출

사회복지행정의 과정(POSDCoRBE)

사회복지행정의 기본 과정은 일반적으로 '기획(P) → 조직(O) → 인사(S) → 지시(D) → 조정(Co) → 보고(R) → 재정(B) → 평가(E)'로 정리할 수 있다.

- 기획(Planning): 목표의 설정과 목표를 달성하기 위한 과업 및 활동, 과업을 수행하기 위해 사용되는 방법을 결정하는 단계이다.
- 조직(Organizing): <u>조직구조를 설정</u>하는 과정으로, 과업이 할당·조정된다.
- 인사(Staffing): 직원의 채용과 해고, 직원의 훈련, 우호적인 근무조건의 유지 등이 포함되는 활동이다.
- 지시(Directing): 기관의 효과적인 목표달성을 위한 행정책임자의 관리·감독의 과정이다.
- 조정(Coordinating): <u>구성원 간의 의사소통</u>과 관련된 기능이다.
- 보고(Reporting): 사회복지행정가가 직원, 이사회, 지역사회, 행정기관, 후원자 등에게 조직에서 일어나는 상황을 알려주는 과정이다.
- 재정(Budgeting): 조직의 회계와 관련된 과정이다.
- 평가(Evaluating): 서비스의 적절성, 효과성, 효율성 등을 확인하는 기능이다.

기본개념

사회복지행정론
pp.25~

기출문장
CHECK

01 (21-07-02) 기획(Planning): 조직의 목적과 목표달성 방법을 설정하는 활동

02 (21-07-02) 평가(Evaluating): 설정된 목표에 따라 성과를 평가하는 활동

03 (21-07-02) 인사(Staffing): 직원 채용, 해고, 교육, 훈련 등의 활동

04 (16-07-02) 조직화 기능: 조직의 공식구조를 통해 업무를 규정한다. 조직목표와 과업 변화에 부응하여 조직구조를 확립한다.

05 (07-07-28) 조정 기능: 직원들 간에 효과적인 의사소통이 일어날 수 있도록 연결망을 만들어 활용한다.

06 (06-07-28) 사회복지행정 과정에서 조정 기능은 사회복지기관의 활동에 있어서 구성원들을 상호 연결시키는 기능이다.

대표기출 확인하기

21-07-02 난이도 ★★☆

사회복지행정의 기능에 관한 설명으로 옳은 것을 모두 고른 것은?

- ㄱ. 기획(planning): 조직의 목적과 목표달성 방법을 설정하는 활동
- ㄴ. 조직화(organizing): 조직의 활동을 이사회와 행정기관 등에 보고하는 활동
- ㄷ. 평가(evaluating): 설정된 목표에 따라 성과를 평가하는 활동
- ㄹ. 인사(staffing): 직원 채용, 해고, 교육, 훈련 등의 활동

① ㄱ, ㄴ ② ㄱ, ㄷ
③ ㄱ, ㄷ, ㄹ ④ ㄴ, ㄷ, ㄹ
⑤ ㄱ, ㄴ, ㄷ, ㄹ

 알짜확인

- 사회복지행정의 기능을 각 과정에 따라 이해해본다.

답 ③

응시생들의 선택

① 1%	② 5%	③ 80%	④ 2%	⑤ 12%

ㄴ. 조직의 활동을 이사회와 행정기관 등에 보고하는 활동은 보고 기능에 해당한다. 조직화는 조직의 구조를 설정하는 활동이다.

관련기출 더 보기

20-07-02 난이도 ★☆☆

사회복지행정의 실행 과정을 순서대로 나열한 것은?

- ㄱ. 과업 평가 ㄴ. 과업 촉진
- ㄷ. 과업 조직화 ㄹ. 과업 기획
- ㅁ. 환류

① ㄱ - ㄷ - ㄹ - ㅁ - ㄴ
② ㄷ - ㄱ - ㄹ - ㄴ - ㅁ
③ ㄷ - ㄹ - ㅁ - ㄴ - ㄱ
④ ㄹ - ㄴ - ㄷ - ㄱ - ㅁ
⑤ ㄹ - ㄷ - ㄴ - ㄱ - ㅁ

답 ⑤

응시생들의 선택

① 0%	② 2%	③ 8%	④ 8%	⑤ 82%

ㄹ. 기획을 통해 달성할 목표를 설정하고 이를 위한 활동 내용을 결정한다. → ㄷ. 구체적으로 정해진 활동들을 수행할 인력을 조직하여 역할과 책임을 부여한다. → ㄴ. 활동이 원활히 수행될 수 있도록 촉진한다. → ㄱ. 수행 결과를 평가한다. → ㅁ. 평가결과를 구성원들에게 공유하며 향후 문제점이 보완될 수 있도록 한다.

난이도 ★★☆

다음 설명에 해당하는 사회복지행정 기능은?

> • 조직의 공식구조를 통해 업무를 규정한다.
> • 조직목표와 과업 변화에 부응하여 조직구조를 확립한다.

① 조정(coordinating)
② 인사(staffing)
③ 지휘(directing)
④ 조직화(organizing)
⑤ 기획(planning)

답 ④

✔ 응시생들의 선택

① 12%	② 8%	③ 1%	④ 72%	⑤ 7%

• 조직화 과정은 조직의 전반적인 구조를 설정하고 업무의 배분이 이루어지는 단계이다.
• 조직화를 통해 부서가 나누어지게 되는데, 각 부서에서 이루어지는 일은 독립적인 경우도 있지만 타 부서와의 협업이나 합의가 필요한 경우도 많다. 이 경우 각 부서의 의견을 취합하고 의사결정이 이루어질 수 있도록 의사소통의 창구를 마련하는 것이 조정 기능이다.

➕ 덧붙임

조직, 인사, 조정의 차이를 물어보는 수험생들이 많았는데, 조직은 조직의 구조를 만들어가는 과정으로 부서를 어떻게 나눌 것인지, 어느 부서에서 어떤 업무를 담당할 것인지를 정하게 된다. 인사 과정은 직원의 채용 및 교육, 훈련 등에 관한 과정이다. 조정은 각 부서 간의 유기적인 연결을 위한 의사소통의 망을 구축하는 것과 관련된다.

다음 내용이 옳은지 그른지 판단해보자

01 사회복지행정의 기본적인 과정은 일반적으로 '기획 → 조직 → 인사 → 지시 → 조정 → 보고 → 재정 → 평가'로 정리할 수 있다.

07-07-28

02 사회복지행정의 기능 중 조직화 기능은 조직 활동에서 구성원들을 연결하기 위해 의사소통의 망을 구성하는 기능으로, 대표적으로 위원회 조직을 꼽을 수 있다.

03 사회복지행정의 과정 중 지시 단계에서는 이사회 및 후원자에게 조직의 활동 및 상황에 대한 보고가 이루어진다.

04 재정 과정에서는 조직 재정활동의 투명성을 확보하고, 중장기 계획에 대비할 수 있도록 해야 한다.

05 조직의 구조를 설정하기에 앞서 필요한 직원을 임용해야 한다.

 **답** **01** ○ **02** × **03** × **04** ○ **05** ×

해설 **02** 의사소통 망의 구성은 조정 기능에 해당한다.
03 이사회 및 후원자에게 조직의 활동 및 상황에 대한 보고를 진행하는 것은 보고 단계에 해당한다.
05 어떤 부서에서 어떤 업무를 수행할지를 고려하여 조직의 구조를 설정하는 것은 조직화 과정이며, 직원을 임용하는 것은 인사 과정이다. 조직화 이후에 인사 과정이 진행된다.

사회복지행정의 역사

이 장에서는

사회복지전문요원 및 사회복지전담공무원, 사회복지사 1급 시험 시행, 지역사회보장계획, 희망복지지원단, 사회보장정보시스템 등 우리나라 사회복지행정의 변화를 살펴본다. 이와 함께 미국 사회복지행정의 발달 흐름에 대해서도 학습한다.

10년간 출제분포도

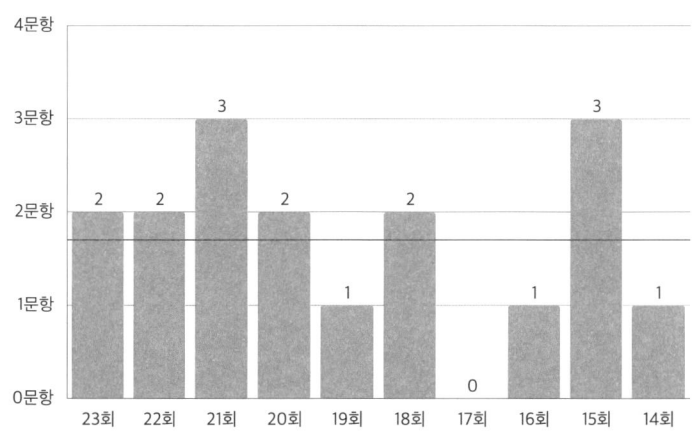

1.7
문항

평균 출제문항수

191 한국 사회복지행정의 역사

강의 QR코드

1회독	2회독	3회독
월 일	월 일	월 일

최근 10년간 **15문항** 출제

복습 1 이론요약

 23회 기출 22회 기출 21회 기출 20회 기출 19회 기출

사회복지전문활동의 시작(1900~1945년)

- 1906년 반열방 설립, 1921년 태화여자관 설립
- 1944년 조선구호령 제정

기본개념

사회복지행정론
pp.36~

외원기관의 활동과 사회복지행정의 출발(1946년~1970년대)

- 외국 원조기관들의 수용시설 위주의 긴급구호, 시설보호
- 1970년대 사회복지사업법 제정
- 사회복지행정 교과목 신설

사회복지행정의 체계화와 본격화(1980년대~1990년대)

- **1987년 사회복지전문요원** 제도 시행(공공복지행정의 체계 마련)
- **1992년 사회복지전담공무원** 및 복지사무전담기구의 법적 근거 마련(사회복지전담공무원으로 전환은 2000년부터)
- 1995년 보건복지사무소 시범운영
- 1997년 사회복지시설 평가 의무화(1999년 1기 평가)
- 1999년 사회복지행정학회 설립

사회복지행정의 확립(2000년대 이후)

- 2003년 제1회 사회복지사 1급 자격증 시험 시행
- 2004년 사회복지사무소 시범사업 운영
- **2005년 지역사회복지협의체** 운영, 지역사회복지계획 수립
- 2007년 동사무소를 동주민센터로 변경, 주민생활지원서비스 전달체계 실시
- **2010년 사회복지통합관리망 '행복e음'**
- **2012년 희망복지지원단**: 시·군·구 단위 설치, 통합 사례관리 업무
- **2013년 사회보장정보시스템** 개통
- **2015년** 「사회보장급여의 이용·제공 및 수급권자 발굴에 관한 법률」 시행(지역사회복지계획 → **지역사회보장계획**)
- **2016년 행정복지센터를 통한 읍·면·동 복지 허브화 추진** 발표
- 2017년 주민자치형 공공서비스 추진 계획 발표, 읍·면·동 찾아가는 보건복지팀을 통해 찾아가는 보건복지서비스 확대

- 2018년 '지역사회 통합돌봄 기본계획' 발표, 2019년 16개 지방자치단체를 선정하여 추진
- 2019년 사회서비스원 출범
- 2022년 차세대 사회보장정보시스템(운영: 한국사회보장정보원)으로 개편

기출문장 CHECK

01 (23-07-02) 1970년 사회복지사업법 제정으로 사회복지시설 운영에 관한 법적 근거가 마련되었다.

02 (23-07-02) 1997년 사회복지사업법 개정을 통해 사회복지시설 평가가 법제화되었다.

03 (22-07-02) 1980년대 후반부터 지역사회 이용시설 중심의 사회복지기관이 증가했다.

04 (22-07-02) 1980년대 후반부터 사회복지전문요원이 배치되기 시작했다.

05 (22-07-02) 1990년대 후반에 사회복지시설 설치기준이 허가제에서 신고제로 바뀌었다.

06 (21-07-01) 1950~1960년대 사회복지서비스는 주로 외국 원조단체들에 의해 제공되었다.

07 (21-07-01) 1970년 사회복지사업법 제정으로 사회복지시설에 대한 제도적 지원과 감독의 근거가 마련되었다.

08 (21-07-01) 1980년대에 사회복지전문요원제도가 도입되었다.(1987년)

09 (21-07-01) 1990년대에 사회복지시설 평가제도가 도입되었다.(1997년 사회복지사업법 개정)

10 (20-07-23) 지역사회복지협의체 설치: 2005년 (→ 2015년 지역사회보장협의체)

11 (20-07-23) 희망복지지원단 설치: 2012년

12 (20-07-23) 읍·면·동 복지허브화 사업 실행: 2016년

13 (19-07-17) 지역사회 통합돌봄: 2019년

14 (19-07-17) 읍·면·동 복지허브화: 2016년

15 (18-07-21) 희망복지지원단: 2012년

16 (18-07-21) 사회복지사무소 시범사업: 2004년

17 (18-07-21) 보건복지사무소 시범사업: 1995년

18 (18-07-21) 사회복지전문요원: 1987년

19 (16-07-18) 2016년에는 맞춤형 통합서비스를 목적으로 읍·면·동 복지 허브화 사업이 시작되었다.

20 (15-07-11) 사회복지통합관리망 구축, 사회보장정보시스템 구축 등은 2000년대 들어 이루어졌다.

21 (15-07-24) 희망복지지원단은 공공영역에서의 사례관리 기능을 담당한다.

22 (15-07-24) 사회복지시설평가제 도입은 자원의 효율적 운영에 대한 관심을 확대시키는 계기가 되었다.

23 (15-07-24) '읍·면·동 복지허브화' 전략은 맞춤형 통합서비스를 제공하기 위한 민·관 협력을 기반으로 한다.

24 (14-07-20) 1987년부터 사회복지전문요원이 배치되기 시작

25 (14-07-20) 1997년 사회복지시설의 설치가 허가제에서 신고제로 변경 결정

26 (14-07-20) 2000년대 사회서비스이용권(바우처) 사업이 등장

27 (13-07-02) 희망복지지원단은 시·군·구 단위에 설치되어 지역단위 복지서비스 통합제공의 컨트롤 타워 역할을 추진한다. 민·관 협력을 통한 맞춤형 사례관리를 지향한다.

28 (13-07-17) 2000년대에는 지역사회복지협의체를 설치하고 지역사회복지계획을 수립하기 시작하였다.

29 (10-07-10) 1960년대: 이용시설보다는 생활시설이 주를 이루었다.

30 (10-07-10) 1970년대: 외원기관의 원조가 감소하면서 민간사회복지시설은 시설운영에 필요한 자원이 부족하였다.

31 (10-07-10) 1990년대: 사회복지학과가 설치된 거의 모든 대학에서 사회복지행정을 필수과목으로 책정하였다.

32 (09-07-02) 2000년대 이후 지방자치단체의 사회복지서비스 기획 및 집행 기능이 강화되었다.

33 (09-07-02) 2000년대 이후 소비자 중심의 평가시스템이 강화되었다.

34 (06-07-05) 사회복지사 1급 시험은 2003년에 처음으로 시행되었다.

35 (05-07-03) 1960년대 사회복지행정 주체는 보건사회부와 외원기관이었다.

36 (04-07-03) 1990년대에는 한국사회복지행정학회가 창립되었다.(1999년)

37 (04-07-03) 1990년대에는 보건복지사무소 시범사업이 실시되었다.(1995년)

38 (02-07-03) 한국전쟁 이후 1970년대 초까지도 외원이 민간 사회복지시설의 주된 재원이었다.

대표기출 확인하기

한국 사회복지행정의 역사에 관한 설명으로 옳지 않은 것은?

① 6.25 전쟁 이후 외국원조기관을 중심으로 사회복지시설이 설립되었다.
② 1960년대 외국원조기관 철수 후 자생적 사회복지단체들이 성장했다.
③ 1980년대 후반부터 지역사회 이용시설 중심의 사회복지기관이 증가했다.
④ 1980년대 후반부터 사회복지전문요원이 배치되기 시작했다
⑤ 1990년대 후반에 사회복지시설 설치기준이 허가제에서 신고제로 바뀌었다.

> **알짜확인**
>
> • 대한민국 정부수립 전후부터 최근의 전달체계까지 사회복지행정의 발전 흐름을 파악해야 한다.
> • 특히 2000년대 이후 인터넷 발달로 구축된 사회복지 관련 시스템 및 지역사회 중심의 복지가 강조되면서 나타난 전달체계의 변화에 대해 정리해두어야 한다.

답 ②

응시생들의 선택

① 10%	② 36%	③ 20%	④ 12%	⑤ 22%

② 외국원조기관은 1970년대 후반부터 철수하기 시작했다. 1970년 사회복지사업법이 제정·시행되면서 민간 사회복지기관에 대한 지원 등에 관한 근거가 마련되었고 이후 다양한 사회복지 관련 법률이 제정 및 개정되면서 1980년대에 사회복지 관련 기관들이 급속도로 증가하게 되었다.

관련기출 더 보기

한국 사회복지행정 역사에 관한 설명으로 옳지 않은 것은?

① 1950년대에는 긴급구호와 생활(수용)시설에서의 보호가 주를 이루었다.
② 1970년 「사회복지사업법」 제정으로 사회복지시설 운영에 관한 법적 근거가 마련되었다.
③ 1997년 「사회복지사업법」 개정을 통해 사회복지시설 평가가 법제화되었다.
④ 1998년 사회복지공동모금회가 설립되었다.
⑤ 2008년 노인장기요양보험제도 도입으로 민간기관의 서비스 제공이 금지되었다.

답 ⑤

응시생들의 선택

① 1%	② 2%	③ 2%	④ 8%	⑤ 87%

⑤ 노인장기요양보험제도의 도입으로 공공기관뿐 아니라 민간기관도 서비스를 제공하도록 허용되었다. 시설과 인력 등 일정 기준을 충족하고 인증을 받으면 민간기관은 요양서비스를 제공할 수 있다. 이러한 장기요양보험제도는 인증을 통해 복지서비스의 질을 개선하고 공공성을 확보하며, 공공과 민간이 협력하는 구조로 이루어져 있다.

한국의 사회복지전달체계 개편 순서를 올바르게 나열한 것은?

> ㄱ. 주민생활지원서비스 전달체계
> ㄴ. 사회복지통합관리망(행복e음) 개통
> ㄷ. 읍·면·동 복지허브화
> ㄹ. 지역사회 통합돌봄

① ㄱ - ㄴ - ㄷ - ㄹ ② ㄱ - ㄴ - ㄹ - ㄷ
③ ㄱ - ㄷ - ㄴ - ㄹ ④ ㄴ - ㄱ - ㄷ - ㄹ
⑤ ㄴ - ㄷ - ㄱ - ㄹ

답 ①

✅ **응시생들의 선택**

① 45%	② 8%	③ 13%	④ 21%	⑤ 13%

ㄱ. 주민생활지원서비스 전달체계: 2007년
ㄴ. 사회복지통합관리망(행복e음) 개통: 2010년
ㄷ. 읍·면·동 복지허브화: 2016년
ㄹ. 지역사회 통합돌봄: 2019년

다음은 무엇에 대한 설명인가?

> • 현재 대부분의 시·군·구에 설치되어 있다.
> • 민·관협력을 통한 맞춤형 사례관리를 지향한다.
> • 지역단위 복지서비스 통합제공의 컨트롤 타워 역할을 의도한다.
> • 사회보장정보시스템을 활용한다.

① 사회복지사무소 ② 사회복지협의회
③ 희망복지지원단 ④ 보건복지콜센터
⑤ 지역사회보장협의체

답 ③

✅ **응시생들의 선택**

① 3%	② 6%	③ 14%	④ 2%	⑤ 76%

③ 희망복지지원단에 관한 설명이다.

우리나라 사회복지전달체계에 관한 설명으로 옳지 않은 것은?

① 최근 민·관 통합사례관리의 중요성이 높아지고 있다.
② 희망복지지원단을 시·군·구에 설치하였다.
③ 2016년에 맞춤형 통합서비스를 목적으로 읍·면·동 복지허브화사업을 시작했다.
④ 국민기초생활 보장법상 생계급여의 집행체계는 읍·면·동이다.
⑤ 희망복지지원단 설치 후 사회복지통합관리망(행복e음)을 구축하였다.

답 ⑤

✅ **응시생들의 선택**

① 2%	② 8%	③ 11%	④ 37%	⑤ 42%

⑤ 사회복지통합관리망(행복e음)은 2010년에 개통되었다. 희망복지지원단은 2012년에 출범하였다.

우리나라 사회복지행정의 역사에 관한 설명으로 옳지 않은 것은?

① 1960년대: 이용시설보다는 생활시설이 주를 이루었다.
② 1970년대: 외원기관의 원조가 감소하면서 민간사회복지시설은 시설운영에 필요한 자원이 부족하였다.
③ 1980년대: 사회복지전담공무원제도가 도입되면서, 공적전달체계 내에 사회복지독립조직이 설치되었다.
④ 1990년대: 사회복지학과가 설치된 거의 모든 대학에서 사회복지행정을 필수과목으로 책정하였다.
⑤ 2000년대: 시·군·구에 배치된 사회복지통합서비스 전문요원의 사례관리 역할이 강조되었다.

답 ③

✅ **응시생들의 선택**

① 5%	② 14%	③ 53%	④ 17%	⑤ 11%

③ 1992년 사회복지사업법을 개정하여 사회복지전담공무원 및 복지사무전담기구 도입에 관한 법적 근거가 마련되었다.

다음 내용이 왜 틀렸는지를 확인해보자

05-07-03

01 1950년대 국가중심의 빈민구제가 활성화되었다.

> 1950년대 빈민구제 활동은 외국 원조기관들의 긴급구호, 시설보호 등이 큰 부분을 차지한다.

02 1967년에 제정된 사회복지사업법은 사회복지기관에 대한 지원 및 지도·감독의 근거가 되었다.

> 사회복지사업법은 1970년에 제정되었다.

02-07-03

03 사회복지조직의 대규모 양적 팽창은 1970년대 말 이후부터 이루어졌다.

> 양적 팽창은 1980년대 후반 이후부터 본격적으로 이루어졌다.

11-07-08

04 1997년 사회복지사업법 개정에는 사회복지시설 설치의 신고제 변경, 사회복지 시설평가 도입, **사회복지공동모금회 설립** 등의 내용이 담겼다.

> 사회복지공동모금회 설립에 관한 규정은 사회복지공동모금회법에서 다룬다.

22-07-02

05 1990년대에 들어서면서 사회복지전문요원이 배치되기 시작하였다.

> 사회복지전문요원 제도를 도입한 것은 1987년이다.

20-07-23

06 1980년대에는 지역사회복지협의체의 설치가 의무화되었다.

> 지역사회복지협의체(현 지역사회보장협의체)는 2003년 사회복지사업법 개정으로 설치규정이 마련되어 2005년부터 운영되기 시작했다.

빈칸에 들어갈 알맞은 말을 채워보자

01 공공 부문에 사회복지 사업을 전담하는 인력이 처음 배치되기 시작한 것은 (　　　　　　)년 사회복지전문요원 임용부터이다.

02 사회복지사 1급 국가자격시험에 관한 법적 규정은 (①　　　　　　)년 사회복지사업법 개정에 따라 마련되었으며, (②　　　　　　)년에 제1회 시험이 시행되었다.

03 희망복지지원단은 (　　　　　　)년 복합적인 욕구를 가진 대상자에게 통합 사례관리를 실시하기 위해 설치되었다.

04 사회보장정보시스템은 전 부처에서 제공되는 복지사업 관련 정보를 연계하여 부정 및 중복 수급을 방지할 목적으로 (　　　　　　)년에 개통하였다.

05 보건복지사무소 시범사업은 (　　　　　　)년에 실시되었다.

06 사회복지사무소 시범사업은 (　　　　　　)년에 실시되었다.

07 지역사회복지협의체는 2014년 제정, (　　　　　　)년 시행된 「사회보장급여의 이용 · 제공 및 수급권자 발굴에 관한 법률」에 따라 지역사회보장협의체가 되었다.

08 사회복지 시설평가 제도의 도입은 (　　　　　　)년 사회복지사업법 개정으로 이루어졌다.

답 **01** 1987 **02** ① 1997 ② 2003 **03** 2012 **04** 2013 **05** 1995 **06** 2004 **07** 2015 **08** 1997

다음 내용이 옳은지 그른지 판단해보자

22-07-17
01 읍·면·동 복지허브화 사업 이후 읍·면·동사무소가 주민자치센터로 변경되었다.

22-07-17
02 지역사회복지협의체가 지역사회보장협의체로 명칭이 변경되었다.

22-07-17
03 사회복지전담공무원 제도 이후 사회복지전문요원 제도가 실시되었다.

21-07-01
04 1970년대 사회복지사업법 제정으로 사회복지시설에 대한 제도적 지원과 감독의 근거가 마련되었다.

21-07-01
05 2000년대에 사회복지관에 대한 정부 보조금 지원이 제도화 되었다.

17-07-02
06 최근 우리나라 사회복지행정은 이용시설보다 생활시설 중심의 보호가 강조되고 있다.

답 **01** ✕ **02** ◯ **03** ✕ **04** ◯ **05** ✕ **06** ✕

해설 **01** 2016년 읍·면·동 복지허브화 사업을 추진하면서 읍·면·동사무소를 행정복지센터로 변경하였다.
03 1987년 별정직 사회복지전문요원 제도가 도입되었고, 이후 2000년부터 일반직 사회복지전담공무원으로 전환되었다.
05 1970년 사회복지사업법 제정 당시부터 사회복지법인에 대한 국가 또는 지방자치단체의 보조금 지급에 관한 규정을 마련하고 있었다.
06 우리나라 사회복지의 발달은 한국전쟁을 겪으며 부모를 잃은 아동들을 위한 생활시설 위주로 발전하다가 최근에는 이용시설, 지역사회복지 중심의 서비스 제공이 강조되고 있다.

192 미국 사회복지행정의 역사

강의 QR코드

최근 10년간 **2문항** 출제

복습 1 이론요약

 23회 기출   21회 기출

사회복지행정의 발전(1930년대~1960년대)

- 1935년 사회보장법 제정으로 공공 사회복지행정의 확대
- 1961년 사회사업교육협의회에서 사회복지행정을 교과과정으로 인정하며 학문적으로 발전하는 계기가 됨
- **1964년 빈곤과의 전쟁을 선포**한 정부시책에 따라 민간기관에 대한 지원도 활발해짐

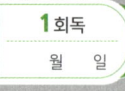
기본개념

사회복지행정론
pp.32~

사회복지행정의 확립(1970년대~1990년대)

- 국가적 복지지원에 따른 의존성 심화 및 효과성 부족에 대한 비판은 사례관리의 등장배경이 됨
- 1976년 사회복지행정에 관한 전문학술연구지 창간
- **1981년 출범한 레이건 정부는 '작은 정부'**를 내세워 사회복지 분야에서도 **공공 서비스의 민영화가 추진**되기 시작함
- 민간 기관에서는 자원획득, 경쟁력 확보 등을 위해 **기업경영 방식의 재정관리 및 마케팅 방식을 도입**하기 시작
- 민영화와 함께 공공 서비스의 민간 위탁을 비롯해 **민간과 공공의 구분이 모호한 혼합체계가 등장**

※ 민영화로 나타난 이론

- 신공공관리론: 미국의 레이건 정부, 영국의 대처 정부 등 신보수주의, 신자유주의에 따라 나타난 이론. 공공영역에 기업경영론 및 시장원리를 도입하여 성과, 고객, 경쟁 강조
- 신공공서비스론: 신공공관리론을 비판하며 등장. 공공행정은 효율성 외에 공평성, 책임성, 시민적 권리 등 공적 가치를 보존해야 함을 강조

기출문장 CHECK

01 (23-07-04) 신공공관리(New Public Management)는 공공부문 조직운영에 시장원리를 적용한다.

02 (12-07-11) 1990년대 이후 공공기관과 민간기관의 기능이 유사해졌다.

03 (09-07-04) 1980년대 민간 사회복지조직에서 재원조달의 문제와 책임성의 문제가 강조되었다.

04 (07-07-17) 1935년 사회보장법이 제정되면서 공공복지행정의 규모가 확대되었다.

대표기출 확인하기

10-07-13 난이도 ★★★

미국 사회복지행정의 발달과정에 관한 설명으로 옳은 것은?

① 개별사회사업의 지식과 실천의 발달은 사회복지행정의 기초 위에서 가능했다.
② 1930년대 초 경제대공황 이후 사회복지행정에 대한 관심이 이전보다 감소되었다.
③ 빈곤과의 전쟁시기 동안 사회복지행정의 발달이 가속화되었다.
④ 신보수주의의 등장으로 민간 사회복지기관들의 행정에 대한 관심이 증대되었다.
⑤ 민영화 이후 사회복지전달체계가 다원화되면서 공공과 민간조직의 구분이 명확해졌다.

▶ 알짜확인

• 미국의 역사에서는 1935년 사회보장법 제정, 1960년대에 일어난 다양한 민권운동, 1964년 빈곤과의 전쟁, 1980년대 신보수주의의 등장 및 민영화, 작은 정부 등의 역사적 상황이 사회복지행정의 발달에 어떤 영향을 끼쳤는지를 생각하면서 살펴봐야 한다.

답 ④

✔ 응시생들의 선택

① 9%	② 5%	③ 32%	④ 53%	⑤ 1%

① 개별사회사업의 지식과 실천이 발달하면서 보다 효율적인 민간자선활동에 대한 관심증가로 사회복지행정에 대한 요구가 증대하였다.
② 경제대공황으로 사회복지에 관한 관심이 확대되면서 사회복지행정에 대한 관심도 증가했다.
③ 빈곤과의 전쟁에서 사회복지기관들은 빈곤문제를 비롯한 여러 사회문제를 적절히 해결하는 역할을 수행하지 못해 많은 비판을 받았으며, 이로 인해 사회복지행정의 발달도 주춤했다.
⑤ 최근 민영화 추세로 인해 공공조직과 민간조직의 구분은 점차 모호해지고 있다.

관련기출 더 보기

23-07-04 난이도 ★★★

신공공관리(New Public Management)에 관한 설명으로 옳지 않은 것은?

① 공공부문 조직운영에 시장원리를 적용한다.
② 조직규모 확장과 중앙집권화를 지향한다.
③ 행정 효율성과 고객에 대한 대응성을 중시한다.
④ 규제완화와 조직원 참여를 중시한다.
⑤ 시민과 고객을 중심으로 서비스의 질적 수준 제고에 중점을 둔다.

답 ②

✔ 응시생들의 선택

① 3%	② 85%	③ 1%	④ 5%	⑤ 6%

② 신공공관리론은 '작은 정부'를 기조로 삼고 있기 때문에 조직규모의 확장과 중앙집권화를 지향한다는 것은 옳지 않다.

21-07-06 난이도 ★★☆

신공공관리론(New Public Management)에 관한 설명으로 옳지 않은 것은?

① 공공서비스 공급에 있어 정부실패를 해결하기 위해 대두하였다.
② 신자유주의에 이론적 기반을 둔다.
③ 시장의 경쟁원리를 공공행정에 도입하였다.
④ 민간이 공급하던 서비스를 정부가 직접 공급하도록 하였다.
⑤ 정부, 시장, 시민사회의 협치를 추구한다.

답 ④

✔ 응시생들의 선택

① 8%	② 14%	③ 3%	④ 69%	⑤ 6%

신공공관리론
• 1980년대 미국의 작은 정부 및 민영화의 흐름에서 공공영역에 기업경영론, 특히 경쟁원리와 고객주의를 도입하고자 한 것이다.
• 신관리주의(기업의 경영기법을 공공에 도입하자는 것)에 시장주의(시장원리에 따라 공공 서비스를 생산하자는 것)를 더한 것으로, 정치적으로는 신보수주의, 신자유주의를 기반으로 한다.
• 조직 및 인력 감축을 통한 내부 효율화, 고객지향적 행정, 정부의 시장화, 기업형 정부, 성과 중심의 행정체제, 권한의 위임 및 융통성 등을 특징으로 한다.

다음 내용이 왜 틀렸는지를 확인해보자

01 1960년대 미국은 빈곤과의 전쟁을 선포하면서 공공 복지서비스가 증가한 반면, **민간기관에 대한 지원은 감소하**였다.

> 민간기관에 대한 지원도 활발해졌다.

09-07-04

02 1960년대 미국에서는 사회복지행정에 관한 전문학술연구지가 처음으로 창간되었다.

> 1976년에 사회복지행정 전문학술연구지인 「Administration in Social Work」가 발간되기 시작하였다.

03 미국의 1980년대에는 '작은 정부' 시책에 따라 복지 부문에서도 민영화가 진행되면서 **공공과 민간의 경계가 분명해졌다.**

> 민영화를 추진하면서 민간위탁이나 공동운영 등 공공과 민간 간 경계가 모호한 다양한 계약방식이 나타나게 되었다.

12-07-11

04 미국에서는 **1990년대 이후 사회복지행정 교육**의 필요성이 주장되었다.

> 1914년 사회사업 교과과정에 최초로 사회복지행정이 등장하였고, 1929년 밀포드 회의를 통해 기본적인 실천방법으로 인정되었다. 1935년 사회보장법 제정 이후 사회복지행정에 대한 필요성이 강조되면서 행정에 대한 교육이 확대되었다.

05 미국의 민간기관들이 자원을 확보하고 경쟁력을 갖추기 위해 기업경영 방식의 마케팅 및 홍보 방법을 도입하기 시작한 것은 **사회보장법 제정**에 따른 것이다.

> 민간기관에서 기업경영 방식의 마케팅 및 홍보 방법을 도입하기 시작한 것은 1980년대 '작은 정부', '민영화'의 영향이다.

사회복지행정의 이론적 배경

이 장에서는

관료제이론, 과학적 관리론, 인간관계이론부터 상황이론, 정치경제이론, 조직군생태이론, 제도이론 등 개방체계적 관점의 조직환경이론 및 TQM, MBO, 학습조직이론 등 현대조직이론까지 다양한 조직이론을 학습한다. 가장 많이 출제된 내용은 단연 TQM이지만 모든 이론이 돌아가며 출제되고 있다. 각 이론의 주요 특징을 파악하는 것이 가장 기본이지만, 주요 키워드만 가지고는 답을 찾기 어려운 문제들도 출제된다.

10년간 출제분포도

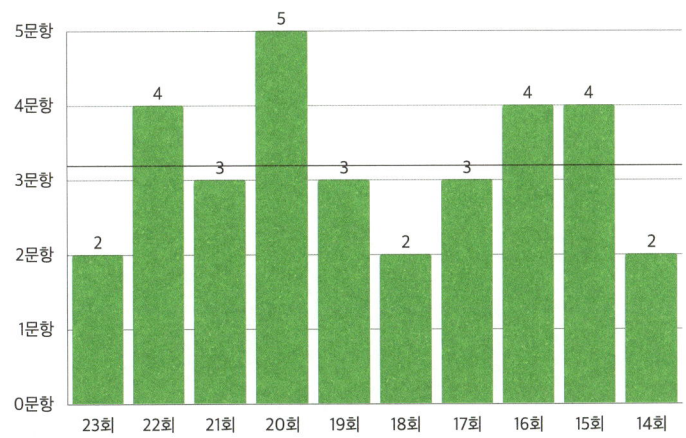

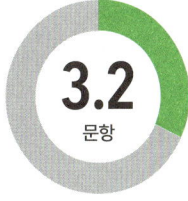

3.2
문항

평균 출제문항수

KEYWORD

193

현대조직이론

강의 QR코드

1 회독
월 일

2 회독
월 일

3 회독
월 일

최근 10년간 **13문항** 출제

복습
1 이론요약

23회 기출
22회 기출
21회 기출
20회 기출
19회 기출

총체적 품질관리(TQM)

기본개념

사회복지행정론
pp.62~

▶ **주요 특징**

- **고품질 확보를 위한 총체적 관리과정**, 전 과정에서의 노력
- **고객중심**, 고객의 만족을 위한 상시적 노력
- **품질의 판정은 클라이언트**
- TQM의 도입과 정착을 위해서는 리더의 강력한 의지가 요구됨
- 집단적 노력, **전체 구성원의 참여 유도**
- **분권적** 조직 구성, 팀워크 강조
- **지속적 학습, 지속적 개선 강조**
- 서비스의 변이 가능성을 방지하는 데에 초점, 장기적 관점, **예방적 통제**
- 통계자료 분석 등 과학적 방법 사용
- 신뢰 관리, 인간 존중

▶ **주요 품질차원(SERVQUAL)**

- **신뢰성**: 약속된 방식, 일관된 방식으로 서비스를 제공하고, 품질에 대한 클라이언트의 기대를 만족시켜야 함
- **즉응성**(응답성): 필요한 시기에 짧은 시간 내에 서비스 제공
- **확신성**: 서비스에 관한 풍부한 지식을 갖춰 신뢰를 줄 수 있어야 함
- **공감성**(감정이입): 클라이언트에 대한 개별화된 이해와 관심
- **가시성**(유형성): 시설 및 장비의 위생, 직원의 용모단정 등

※ **위험관리**

- 조직을 운영하거나 서비스를 제공하는 과정에서 나타날 수 있는 위험에 대한 예측 및 대비, 위험에 대한 대응
- 위험요인
  - 개인적 요인: 클라이언트에 대한 잘못된 진단 및 처우, 사회복지사의 기능적 손상(알코올 중독 등), 실적 조작, 비밀누설 등
  - 집단적 요인: 이용자의 사고 및 고충 처리에 대한 부적절한 대응, 전염병 확산, 후원금 급감 등 경영상의 요인, 운영상의 불법행위, 자연재해 등

목표관리이론(MBO)

- **명확한 목표설정을 통한 총체적 관리체계**(주로 단기적 목표설정과 그 목표의 달성을 강조)
- 책임한계의 규정, 참여와 상하협조
- 피드백의 개선을 통한 관리 계획의 개선
- 구성원의 동기부여 및 보상 강조
- 양적 성과에만 치중하게 될 위험도 있음

학습조직이론

- **조직과 인력을 임파워시켜** 클라이언트에게 효과적인 서비스를 제공하고자 함
- **개별 구성원의 학습뿐만 아니라 조직 전체의 학습도 강조**
- 부분적 개선을 위한 단선적 학습과 조직 전체의 변화를 위한 복선적 학습
- 학습조직 구축요인: 자기숙련, 사고모형, 공유비전, 팀학습, 시스템 사고

기출문장 CHECK

01 (23-07-15) 직원의 지식수준과 정중함 및 신뢰와 확신을 심어줄 수 있는 능력, 긍정적 의사소통기법 사용, 제품과 서비스를 정확히 설명하는 것은 패러슈라만 등의 서비스 질 구성 차원 중 확신성에 해당한다.

02 (22-07-04) 학습조직이론은 개인 및 조직의 학습공유를 통해 역량강화를 추진한다.

03 (22-07-04) 총체적 품질관리론은 지속적이고 총체적인 서비스 질 향상을 통해 고객만족을 극대화한다.

04 (21-07-11) 인적자원관리에 있어 목표관리법(MBO)으로 직원을 평가할 수 있다.

05 (21-07-15) 위험관리는 위험의 사전예방과 사후관리를 모두 포함한다.

06 (21-07-16) 사회복지조직의 서비스 질 관리를 위해 위험관리가 필요하다.

07 (20-07-07) 학습조직 구축요인 중 시스템 사고(system thinking)는 전체와 부분 간 역동적 관계에 대한 이해를 말한다.

08 (20-07-24) SERVQUAL 중 유형성은 시설, 장비 및 서비스 제공자 용모 등의 적합성에 관한 것이다.

09 (20-07-25) 총체적 품질관리는 지속적인 품질개선을 강조하는 일련의 과정이다.

10 (20-07-25) 총체적 품질관리는 자료와 사실에 기반한 의사결정을 중시한다.

11 (20-07-25) 총체적 품질관리에서 좋은 품질이 무엇인지는 고객이 결정한다.

12 (20-07-25) 총체적 품질관리는 조직구성원에 대한 훈련을 강조한다.

13 (19-07-16) 서브퀄(SERVQUAL)에는 신뢰성과 확신성이 포함된다.

14 (19-07-16) 총체적 품질관리(TQM)에서 서비스의 질은 고객의 결정에 의한다.

15 (19-07-16) 위험관리(Risk Management)는 이용자에 대한 서비스 관리 측면과 조직관리 측면을 모두 포함한다.

16 (18-07-20) 총체적 품질관리는 구성원들의 집단적 노력을 강조한다.

17 (17-07-16) SERVQUAL 구성 차원: 신뢰성, 확신성, 유형성(가시성), 공감성, 즉응성

18 (16-07-07) 총체적 품질관리는 서비스 생산 과정과 절차를 지속적으로 개선해나가는 데에 관심을 둔다.

19 (16-07-11) 안전 확보는 서비스 질과 연결된다.

20 (16-07-11) 위험관리는 작업환경의 안전과 사고 예방책이다.

21 (16-07-11) 위험관리에는 이용자 권리가 포함된다.

22 (15-07-03) 총체적 품질관리는 고객중심 관리를 강조한다.

23 (15-07-03) 총체적 품질관리는 지속적인 서비스 품질향상을 강조한다.

24 (15-07-03) 총체적 품질관리에서 의사결정은 자료분석에 기반한다.

25 (15-07-03) 총체적 품질관리에서 품질향상은 모든 조직구성원들의 헌신을 필요로 한다.

26 (14-07-11) TQM에서는 기획 단계부터 서비스 품질을 고려해야 함을 강조한다.

27 (14-07-11) 총체적 품질관리는 투입과 과정에 대한 지속적인 개선 및 서비스의 변이 가능성 예방에 대한 노력을 포함한다.

28 (14-07-11) 서비스 이용자를 대상으로 욕구조사를 실시하는 것 역시 총체적 품질관리의 일환이다.

29 (11-07-10) MBO는 구성원의 참여를 강조하면서 명확한 목표 설정과 책임 부여에 초점을 두어 생산성을 높이고자 하는 조직 관리 접근이다.

30 (11-07-13) 총체적 품질관리는 서비스 질을 조직의 일차적 목적으로 하며, 고객만족을 중시한다.

31 (11-07-13) 총체적 품질관리는 통계자료의 활용을 강조한다.

32 (11-07-13) 총체적 품질관리는 팀워크를 통한 조직의 지속적 변화를 꾀한다.

33 (10-07-25) 총체적 품질관리는 투입과 산출에 관한 전반적인 과정을 포함한다.

34 (10-07-25) 총체적 품질관리는 전체 조직 구성원의 사명감이 투철해야 한다.

35 (08-07-12) 학습조직이론: 조직의 유효성을 높이기 위해 구조적 변화보다는 인적 자원의 변화를 중시한다. 강점 관점에 바탕을 둔 임파워먼트 모델과 맥락을 같이 한다.

36 (08-07-23) TQM에서는 서비스의 품질을 향상시키기 위해 조직 내 전체 구성원이 참여해 업무 수행방법을 개선한다.

37 (06-07-17) 조직이론은 '과학적 관리론 → 인간관계이론 → 체계이론 → 총체적 품질관리'의 순서로 발달해왔다.

38 (03-07-11) 목표관리이론: 목표설정 시 단기적인 목표설정과 구성원의 참여를 강조한다.

39 (03-07-29) 학습조직이론: 조직구성원들이 함께 공부하고 노력하여 조직의 능력을 향상시켰다.

대표기출 확인하기

사회복지조직의 서비스 질 관리에 관한 설명으로 옳은 것은?

① 서비스 질 관리를 위하여 위험관리가 필요하다.
② 총체적 품질관리(TQM)는 기업의 소비자 만족을 극대화하기 위한 기법이므로 사회복지기관에 적용하기에는 적합하지 않다.
③ 총체적 품질관리는 지속적인 개선보다는 현상유지에 초점을 눈다.
④ 서브퀄(SERVQUAL)의 요소에 확신성(assurance)은 포함되지 않는다.
⑤ 서브퀄에서 유형성(tangible)은 고객 요청에 대한 즉각적 반응을 말한다.

▶ 알짜확인

• 조직이론 중 가장 출제율이 높은 내용은 TQM이다. 서비스와 관련된 모든 단계에서 품질을 고려해야 하며, 품질의 판정자는 이용자라는 점, 분권적 구조를 지향하며 전 구성원의 참여를 유도한다는 점 등 주요 특징을 꼼꼼히 기억해두도록 하자. 최근에는 품질차원의 요소에 관한 출제도 증가하고 있다.
• 목표관리이론은 목표를 중심으로 한 관리체계로서 제시된 것으로 기획 기법이나 예산 기법 등 다양하게 활용될 수 있다.
• 학습조직이론은 개인적인 학습뿐만 아니라 집단적인 학습도 포함하며, 부분적이고 임시적인 단선적 학습 외에 거시적이고 장기적인 복선적 학습도 포함한다.

답 ①

✔ 응시생들의 선택

① 75%	② 5%	③ 4%	④ 4%	⑤ 12%

② 사회복지조직에서는 다양한 경영기법을 도입하고 있으며, 총체적 품질관리도 서비스의 질 관리 차원에서 관심도가 높은 이론이다.
③ 총체적 품질관리에서는 생산 및 관리 등 전체 과정에서 지속적인 개선을 통해 고품질을 확보하고 유지한다.
④ 서브퀄에 확신성도 포함된다.
⑤ 유형성은 사회복지사의 용모 단정 및 사회복지기관의 청결 등을 의미한다.

관련기출 더 보기

패러슈라만 등(A. Parasuraman, V. A. Zeithaml & L. L. Berry)의 서비스 질 구성 차원 중 다음에 해당하는 것은?

• 직원의 지식수준과 정중함, 신뢰와 확신을 심어줄 수 있는 능력
• 긍정적 의사소통기법을 사용, 제품과 서비스를 정확히 설명

① 즉응성(responsiveness)
② 확신성(assurance)
③ 신뢰성(reliability)
④ 유형성(tangible)
⑤ 공감성(empathy)

답 ②

✔ 응시생들의 선택

① 2%	② 46%	③ 46%	④ 3%	⑤ 3%

① 즉응성: 서비스는 필요한 시기에 짧은 기간 내에 제공되어야 한다.
③ 신뢰성: 서비스는 약속된 방식, 일관된 방식으로 제공되어야 한다.
④ 유형성: 시설 및 장비의 위생, 직원의 용모단정 등을 의미하며 가시성이라고도 한다.
⑤ 공감성: 클라이언트에 대한 개별화된 이해와 관심을 가져야 한다. 감정이입이리고도 한다.

20-07-07　난이도 ★★☆

학습조직 구축요인에 관한 설명으로 옳은 것은?

① 자기숙련(personal mastery): 명상 활동
② 공유비전 (shared vision): 개인적 비전 유지
③ 사고모형(mental model): 계층적 수직구조 이해
④ 팀학습(team learning): 최고관리자의 감독과 통제를 통한 학습
⑤ 시스템 사고(system thinking): 전체와 부분 간 역동적 관계 이해

답 ⑤

✔ 응시생들의 선택

① 18%	② 3%	③ 7%	④ 7%	⑤ 65%

학습조직 구축요인
• 자기숙련: 개인이 스스로 동기부여하며 역량을 강화해나간다.
• 사고모형: 어떤 현상들을 이해하기 위한 사고의 틀로, 개인 및 조직의 사고체계와 행동양식에 영향을 미친다.
• 공유비전(shared vision): 개인의 비전을 조직의 비전과 통합하고, 구성원들이 조직의 비전을 공유하는 것이다.
• 팀학습(team learning): 팀원들이 서로 생각과 아이디어를 교환하고 학습하여 문제해결능력을 향상시킨다.
• 시스템 사고(system thinking): 조직을 구성하는 여러 부분들의 역동성을 인식하고, 순환적·동태적 인과관계를 이해한다.

16-07-11　난이도 ★☆☆

다음에서 설명하는 관리기법은?

• 안전 확보는 서비스 질과 연결된다.
• 작업환경의 안전과 사고 예방책이다.
• 이용자 권리옹호가 모든 대책에 포함된다.

① 목표관리법(MBO)
② 무결점운동(Zero Defect)
③ 위험관리(Risk Management)
④ 품질관리(Quality Control)
⑤ 직무만족관리(Job Satisfaction Management)

답 ③

✔ 응시생들의 선택

① 4%	② 4%	③ 67%	④ 17%	⑤ 8%

③ 위험관리(위기관리)는 조직을 운영하거나 서비스를 제공하는 과정에서 나타날 수 있는 위험을 예측하고 그에 대비하고, 사고가 발생했을 때 적절하게 대처하는 것을 말한다.

18-07-20　난이도 ★★★

총체적 품질관리(TQM) 원칙에 관한 설명으로 옳은 것은?

① 조직구성원들의 집단적 노력을 강조한다.
② 현상 유지가 조직의 중요한 관점이다.
③ 의사결정은 전문가의 직관을 기반으로 한다.
④ 구성원들과 각 부서는 경쟁체제를 형성한다.
⑤ 품질결정은 전문가가 주도한다.

답 ①

✔ 응시생들의 선택

① 84%	② 4%	③ 2%	④ 5%	⑤ 5%

② 지속적 개선을 강조한다.
③ 객관적이고 통계적인 분석을 기반으로 한다.
④ 팀워크를 강조한다.
⑤ 품질결정자는 고객, 이용자이다.

13-07-12　난이도 ★★★

총체적품질관리(TQM)에 관한 설명으로 옳지 않은 것은?

① 우리나라에서는 사회복지서비스의 전문직주의 강화로 확산되었다.
② 구성원의 참여 활성화 전략을 중요시한다.
③ 조직의 문제점을 발견하고 시정함에 있어 지속적인 학습과정을 강조한다.
④ 초기 과정에서는 조직리더의 주도성이 중요하다.
⑤ 고객만족을 우선적 가치로 하며 서비스 질을 강조한다.

답 ①

✔ 응시생들의 선택

① 21%	② 33%	③ 13%	④ 16%	⑤ 17%

① TQM은 조직의 생존이 클라이언트의 만족을 위한 서비스의 질 확보에 있다는 측면에서 강조되는 이용자 중심의 관리이론이다.

다음 내용이 왜 틀렸는지를 확인해보자

16-07-07

01 총체적 품질관리에서는 **최고책임자의 의사결정권을 강조**한다.

> 분권적 조직을 추구하며 의사결정 과정에서 직원들의 참여를 강조한다.

17-07-16

02 TQM에서 강조하는 다섯 가지 품질차원은 신뢰성, 즉응성, 공감성, 가시성, **수익성**이다.

> 품질차원: 신뢰성, 즉응성, 확신성, 공감성, 가시성

03 총체적 품질관리는 **단기적, 사후관리적 관점**이라는 한계가 있다.

> 총체적 품질관리는 장기적 관점으로 전 과정에서의 품질 확보를 강조하며, 예방적 통제를 추구한다.

14-07-11

04 TQM에서는 **최고 관리자를 품질의 최종 결정자**로 간주한다.

> TQM은 고객의 만족을 가장 일차적으로 고려하기 때문에 품질의 최종 결정자 역시 이용자가 된다.

05 목표관리이론에서는 **목표를 수량적으로 설정하지는 않는다.**

> 목표를 수량적으로 표시하여 측정할 수 있도록 설정하는 것을 전제로 한다. 이를 토대로 달성정도, 즉 성과를 파악하기 때문에 단기적이고 가시적이고 계량적인 성과에만 주력하게 만든다는 한계가 지적되기도 한다.

06 학습조직이론에서 **학습은 조직의 위기 시에만 요구**되는 것이다.

> 조직의 위기 시에만 요구되는 것은 아니다. 효과성과 생산성을 제고하기 위한 수단으로 학습을 강조하기 때문에 조직 및 구성원의 역량강화 및 경쟁력 확보를 위해 도입될 수 있다.

빈칸에 들어갈 알맞은 말을 채워보자

22-07-16

01 SERVQUAL 구성차원 중 (   )성은 '약속한 대로 서비스를 제공했는가?'에 관한 것이다.

22-07-16

02 SERVQUAL 구성차원 중 (   )성은 '자신감을 가지고 정확하게 서비스를 제공했는가?'에 관한 것이다.

22-07-16

03 SERVQUAL 구성차원 중 (   )성은 '위생적이고 정돈된 시설에서 서비스를 제공했는가?'에 관한 것이다.

20-07-07

04 학습조직 구축요인 중 (   )은/는 개인이 스스로 동기부여하면서 역량을 강화해나가는 것을 말한다.

11-07-10

05 (   )이론은 구성원의 참여를 강조하면서, 명확한 목표 설정과 책임 부여에 초점을 두어 생산성을 높이고자 하는 접근방법이다.

22-07-04

06 (   )이론은 개인 및 조직의 학습공유를 통한 역량강화를 강조한다.

답 **01** 신뢰 **02** 확신 **03** 유형(가시) **04** 자기숙련 **05** 목표관리 **06** 학습조직

다음 내용이 옳은지 그른지 판단해보자

01 총체적 품질관리는 변동 가능성 방지에 초점을 두기 때문에 변화를 꾀하기 어렵다. ◎ ✕

15-07-03
02 TQM에서 서비스 품질은 마지막 단계에서 고려된다. ◎ ✕

19-07-16
03 총체적 품질관리에서 서비스의 질은 고객의 결정에 의한다. ◎ ✕

20-07-25
04 총체적 품질관리에서는 집단의 노력보다 개인의 노력이 품질향상에 더 기여한다고 본다. ◎ ✕

16-07-07
05 총체적 품질관리는 작업시간 단축을 목표로 한다. ◎ ✕

15-07-03
06 TQM에서 의사결정은 자료분석에 기반한다. ◎ ✕

16-07-11
07 위험관리이론에서는 안전 확보가 서비스 질과 연결된다고 본다. ◎ ✕

08 목표관리이론에서는 현실적인 실행가능성보다 클라이언트의 문제해결을 우선시한다. ◎ ✕

09 목표관리론은 목표를 수량적으로 측정하여 이를 얼마나 달성했는가에 따라 성과를 파악하기 때문에 목표를 수량화하기 어려운 사회복지조직에서는 적용하기 어려운 측면도 있다. ◎ ✕

10 학습조직이론에서는 조직 및 구성원의 역량강화에 있어 복선적 학습이 더 효과적이라고 보았다. ◎ ✕

답 ▶ **01** ✕ **02** ✕ **03** ○ **04** ✕ **05** ✕ **06** ○ **07** ○ **08** ✕ **09** ○ **10** ○

해설 **01** 총체적 품질관리에서 변동 가능성을 방지한다는 것은 서비스 제공 과정에서 품질이 계약된 대로, 이용자의 기대에 맞게 유지될 수 있도록 함을 의미할 뿐이다. TQM에서는 오히려 고품질을 위한 변화와 개선을 강조한다.

02 TQM에서 품질관리는 전 과정에 걸쳐 고려된다.

04 총체적 품질관리에서는 구성원 전체의 참여와 팀워크를 강조한다. 즉 품질은 전체 과정을 통해 결정되기 때문에 고품질 확보를 위해서는 모든 구성원의 집단적 노력이 필요하다는 것이다.

05 서비스 개선을 위한 한 가지 방안으로 작업시간 단축이 진행될 수는 있다. 하지만 오히려 지나친 작업시간의 단축은 품질 저하를 가져올 수도 있기 때문에 작업시간의 단축 그 자체를 목표로 하지는 않는다.

08 클라이언트의 문제해결을 더 우선시한다고 볼 수는 없다. 현실적으로 조직에서 추진하기 어려운 서비스나 프로그램을 무리하게 진행하다 보면 해결하기 어려운 문제점들이 발생할 수 있기 때문에 현실적인 실행가능성을 고려하여 목표를 수립한다.

KEYWORD

194

조직환경이론

강의 QR코드

최근 10년간 **7문항** 출제

1 회독
월 일

2 회독
월 일

3 회독
월 일

복습
1 이론요약

23회 기출
22회 기출
20회 기출
19회 기출

상황이론

- 조직의 상황(조직의 목적·기술·규모, 과업의 종류, 환경적 변수)에 따라 적절한 조직화 방법은 다르다고 보는 이론
- 하나의 조직 내에서도 직무의 성격이 다른 경우 그에 대한 관리 기법도 달라야 함

정치경제이론

- 정치적 차원의 합법성·세력화, 경제적 차원의 인적·물적 자원 획득에 주목
- 조직이 자원을 외부환경에서 획득하기 위해 발생하는 의존적 문제를 살펴봄
- 조직이 독립성과 자율성을 확보하기 위해 경쟁, 협력, 갈등, 계약 등의 전략을 사용하게 됨을 설명

(신)제도이론

- 제도적인 환경 속에서 존재하는 규범이나 규칙들에 의해서 조직의 성격이 결정된다고 봄
- 조직이 제도에 순응해야 생존의 정당성이 확보된다고 설명
- 유사 조직 간의 동형화(isomorphism) 현상을 모범사례에 대한 모방과 전이 행동으로 설명

조직군 생태이론

- 환경의 조직선택이라는 환경결정론적 시각
- 이 이론에서는 개별 조직이 아닌 **조직군이 분석단위**임
- '변이 → 선택 → 보전'의 과정으로 조직의 생존을 설명

기본개념

사회복지행정론
pp.57~

01 (23-07-03) 상황이론은 조직환경과 조직구조의 적합성이 조직의 성패를 좌우한다는 관점을 취한다.

02 (22-07-04) 정치경제이론: 경제적 자원과 권력간 상호작용 강조

03 (20-07-04) 사회복지조직관리자가 상황이론(contingency theory)을 활용할 경우 사회복지조직을 둘러싸고 있는 사회, 정치, 경제, 문화 변수 등을 고려한다.

04 (19-07-05) 상황이론: 효과적인 조직관리 방법은 조직이 처한 환경과 조건에 따라 달라진다. 경직된 규칙과 구조를 가진 조직이 효과적일 경우도 있다. 어느 경우에나 적용되는 최선의 조직관리 이론은 없다.

05 (18-07-04) 정치경제이론: 생존을 위해서 환경으로부터 합법성을 부여받아야 한다. 조직의 내·외부 환경의 역학 관계가 서비스 전달체계에 영향을 미친다. 서비스 전달체계에서 업무환경을 강조한다.

06 (16-07-04) 정치경제이론: 조직환경에서 재원을 둘러싼 권력관계를 부각시킨다. 외부환경에 의존하는 사회복지조직의 현실을 설명할 수 있다.

07 (14-07-01) 제노이론: 소식의 생손을 위한 석응기세를 주목한다.

08 (13-07-03) 제도이론은 사회복지조직과 관련된 법적 규범이나 가치 체계를 주요 설명요인으로 다룬다.

09 (13-07-03) 제도이론은 유사 조직 간의 동형화(isomorphism) 현상을 모범사례에 대한 모방과 전이 행동으로 설명한다.

10 (12-07-08) 정치경제이론은 이해집단의 중요성에 대한 인식을 증진시켰다.

11 (10-07-27) 정치경제론: 사회복지조직의 과업환경에 대한 중요성을 부각시키며, 외부자원에 의존할 수밖에 없는 사회복지조직의 현실을 생생하게 설명해준다. 자원의존이론이라고도 하며, 조직을 이끄는 가치와 이념을 간과하는 한계성을 드러낸다.

12 (09-07-09) 제도이론에 의하면 조직은 법률, 규칙, 사회적 여론 등의 영향을 받는다.

13 (05-07-05) 조직이론 중 합법성과 재원 및 인력 등이 조직의 생존과 발전에 중요하다고 강조하는 이론은 정치경제이론이다.

대표기출 확인하기

20-07-04　난이도 ★★★

사회복지조직관리자가 상황이론(contingency theory)을 활용할 경우 고려해야 할 것을 모두 고른 것은?

> ㄱ. 계층적 승진 제도를 통해서 직원의 성취 욕구를 고려한다.
> ㄴ. 시간과 동작 분석을 활용하여 표준시간과 표준동작을 정한다.
> ㄷ. 사회복지조직을 둘러싸고 있는 사회, 정치, 경제, 문화 변수 등을 고려한다.

① ㄱ　　　　　　② ㄴ
③ ㄷ　　　　　　④ ㄱ, ㄷ
⑤ ㄴ, ㄷ

▶ 알짜확인

- 상황이론은 상황에 맞게 조직을 변화시킨다는 점에서 수동적이고, 제도이론은 법이나 규칙에 순응적이며, 조직군 생태론은 환경변화에 의해 조직군이 피동적으로 선택된다는 입장이다. 정치경제이론은 외부환경의 정치적·경제적 자원을 동원함으로써 조직이 생존할 수 있음을 가정하기 때문에 조직의 자발성이 강조되지만 외부환경을 변화시킬 수 있다고 보는 입장은 아니다.

답 ③

✅ 응시생들의 선택

① 2%	② 2%	③ 67%	④ 19%	⑤ 10%

ㄱ. 조직에서 요구되는 직무를 분업하고 직위를 고안하여 직위 간에 위계적 서열에 따라 조직의 과업이 실행될 수 있도록 한 것은 관료제이론이다. 경력, 근속연수, 연령 등에 따른 연공서열제이다.
ㄴ. 시간과 동작 분석을 활용하여 표준시간과 표준동작을 정한 것은 과학적 관리론에 해당한다.

관련기출 더 보기

23-07-03　난이도 ★★★

사회복지조직 이론에 관한 설명으로 옳은 것을 모두 고른 것은?

> ㄱ. 과학적 관리론: 직무에 관한 과학적 연구와 분석
> ㄴ. 관료제이론: 표준 운영 절차를 통한 합리성과 전문성 추구
> ㄷ. 인간관계론: 조직 내 인간을 심리적, 사회적 욕구를 가진 전인격적 존재로 파악
> ㄹ. 상황이론: 조직의 상황에 관계없이 효율성을 극대화할 수 있는 이상적 방법 추구

① ㄱ, ㄴ　　　　② ㄷ, ㄹ
③ ㄱ, ㄴ, ㄷ　　④ ㄴ, ㄷ, ㄹ
⑤ ㄱ, ㄴ, ㄷ, ㄹ

답 ③

✅ 응시생들의 선택

① 7%	② 3%	③ 81%	④ 2%	⑤ 7%

ㄹ. 상황이론은 다른 어떤 이론보다도 조직을 둘러싼 상황을 중시하는 이론이다. 상황이론은 조직을 둘러싼 상황(환경, 조건)이 달라지면 그에 적합한 조직의 구조도 달라진다고 보며, 조직환경과 조직구조의 적합성이 조직의 성패를 좌우한다는 관점을 취한다.

22-07-04　난이도 ★★★

조직이론에 관한 설명으로 옳지 않은 것은?

① 학습조직이론: 개인 및 조직의 학습공유를 통해 역량강화
② 정치경제이론: 경제적 자원과 권력간 상호작용 강조
③ 상황이론: 조직을 폐쇄체계로 보며, 조직 내부의 상황에 초점
④ 총체적 품질관리론: 지속적이고 총체적인 서비스 질 향상을 통한 고객만족 극대화
⑤ X이론: 생산성 향상을 위해 조직 구성원에 대한 감독, 보상과 처벌, 지시 등이 필요

답 ③

✅ 응시생들의 선택

① 4%	② 5%	③ 83%	④ 0%	⑤ 8%

③ 상황이론은 개방체계적 관점의 이론이다.

다음에서 설명하고 있는 이론은?

- 서비스 전달체계에서 업무환경을 강조한다.
- 생존을 위해서 환경으로부터 합법성을 부여받아야 한다.
- 조직의 내·외부 환경의 역학 관계가 서비스 전달체계에 영향을 미친다.

① 관료제이론
② 정치경제이론
③ 인간관계이론
④ 목표관리이론(MBO)
⑤ 총체적 품질관리(TQM)

답 ②

✓ 응시생들의 선택

① 10%	② 44%	③ 15%	④ 14%	⑤ 17%

② 정치경제이론에 관한 설명이다.

사회복지조직 이론과 그 특징의 연결이 옳은 것은?

① 상황이론: 모든 조직의 이상적 관리방법은 같다.
② 제노이론: 소식의 생존을 위한 적응기제를 주목한다.
③ 정치·경제이론: 외부 자원에 의존이 강한 사회복지조직에는 설명력이 약하다.
④ 행정적 관리이론: 조직 내 인간적 요소를 강조한다.
⑤ 동기·위생이론: 조직외부 환경의 영향을 중요하게 인식한다.

답 ②

✓ 응시생들의 선택

① 3%	② 32%	③ 23%	④ 8%	⑤ 34%

① 상황이론: 조직이 처한 상황에 따라 적합한 조직구조도 달라진다.
③ 정치·경제이론: 조직은 환경에서 정치적 자원과 경제적 자원을 획득함으로써 유지된다.
④ 행정적 관리이론: 행정에 있어 원칙과 원리를 강조한 이론이다.
⑤ 동기·위생이론: 동기부여에 관한 이론으로 위생요인과 동기요인을 구분하여 설명한다.(이 이론은 8장에서 공부한다.)

다음을 공통적으로 중요시하는 조직이론은?

- 개방체계적 관점에서 조직에 대한 환경의 영향력을 설명한다.
- 사회복지조직과 관련된 법적 규범이나 가치 체계를 주요 설명요인으로 다룬다.
- 유사 조직 간의 동형화(isomorphism) 현상을 모범사례에 대한 모방과 전이 행동으로 설명한다.

① 제도이론
② 관료제이론
③ 정치경제이론
④ 자원의존이론
⑤ 조직군 생태학이론

답 ①

✓ 응시생들의 선택

① 18%	② 6%	③ 7%	④ 38%	⑤ 31%

② 관료제이론: 합리적 규칙에 따른 위계적 구조를 통해 최대 효율 추구
③ 정치경제이론: 조직과 환경 간의 상호작용이 조직 내부에 미치는 영향에 초점을 두고 과업환경을 통한 정치적 자원과 경제적 자원의 획득을 강조
④ 자원의존이론: 조직은 정치적·경제적 자원을 확보해야 하기 때문에 조직이 환경에 의존하게 됨을 설명한 이론
⑤ 조직군 생태론: 환경에 가장 적합한 특성들을 가진 조직군이 환경에 의해 선택된다는 이론

조직이론에 관한 설명으로 옳은 것은?

① 제도이론에 의하면 조직은 법률, 규칙, 사회적 여론 등의 영향을 받는다.
② 조직군 생태이론은 개별조직을 분석의 대상으로 삼고 있다.
③ 정치경제이론은 폐쇄체계적 시각을 갖고 있다.
④ 상황이론에 의하면 조직의 업무환경과 기술환경은 조직에 영향을 미치지 않는다.
⑤ 자원의존이론에 의하면 조직은 내부적으로 자원을 창출한다.

답 ①

✓ 응시생들의 선택

① 37%	② 26%	③ 7%	④ 22%	⑤ 8%

② 조직군 생태이론은 개별조직이 아닌 조직군을 분석대상으로 한다.
③ 정치경제이론은 개방체계적 시각을 가지고 있다.
④ 상황이론은 업무환경과 기술환경이 조직에 영향을 주어 조직의 특성과 환경과의 적합성이 조직의 성패를 좌우한다고 보았다.
⑤ 자원의존이론은 조직 외부에서 자원을 창출한다고 보았다.

다음 내용이 **왜 틀렸는지**를 확인해보자

`14-07-01`

01 상황이론은 모든 조직의 이상적 관리방법은 **같다**고 본다.

> 상황이론은 조직이 처한 상황에 따라 적합한 조직구조도 달라진다고 본다.

---

02 **조직군 생태론**에서 말하는 동형화 현상은 특정 상황에 놓인 조직이 주변에 있는 조직들과 상호 간에 모방과 전이가 일어나면서 유사한 형태로 변화하는 현상이다.

> 동형화 현상은 제도이론에서 제시된 것이다.

---

03 조직군 생태이론은 조직과 환경과의 관계에서 **조직의 환경선택**이라는 환경결정론적 시각을 갖는다.

> 환경의 조직선택이라는 환경결정론적 시각을 갖는다.

`09-07-09`

04 정치경제이론은 **폐쇄체계적 시각**을 갖고 있다.

> 정치경제이론은 개방체계적 시각의 이론이다.

`10-07-27`

05 정치경제이론은 **상황적합이론**이라고도 하며, 조직을 이끄는 가치와 이념을 간과하는 한계성을 드러낸다.

> 정치경제이론을 자원의존이론이라고 하기도 한다.

---

06 제도이론은 조직을 둘러싼 법적, 제도적 환경요소들이 조직에 미치는 영향을 설명한 이론으로 **조직에 불리한 제도를 개선하기 위한 사회행동을 강조한다.**

> 제도이론이 불리한 제도를 개선하기 위한 사회행동을 강조한 것은 아니다. 오히려 제도적 환경에 대한 순응을 강조한다는 특징이 있다.

---

07 정치경제이론은 조직이 갖고 있는 <u>정치적, 경제적 자원이 지역사회에 미치는 영향</u>에 대해 설명한 이론이다.

정치경제이론은 조직이 환경이 갖고 있는 정치적, 경제적 자원을 필요로 함에 따라 발생하는 환경과 조직 간의 역학관계를 살펴본 이론이다.

08 상황이론에 비추어볼 때 <u>경직적인 규칙과 구조를 가진 사회복지조직은 효과성이 떨어질 수 있다.</u>

상황이론은 조직을 둘러싼 상황이 다르기 때문에 조직마다 적합한 조직구조는 다르다고 보았다. 이러한 점에서 사회복지조직 중에서도 경직적인 규칙과 구조가 효과적인 조직이 있을 수도 있다.

09 사회복지조직이 사회적 정당성을 확보하기 위해 노력하는 것은 **상황이론**을 통해 설명할 수 있다.

제도이론을 통해 설명할 수 있다. 제도이론은 조직이 제도적 환경에 기대하는 요소를 반영함으로써 사회적 정당성을 확보해나간다고 설명하였다.

빈칸에 들어갈 알맞은 말을 채워보자

`13-07-03`

01 ( )이론: 사회복지조직과 관련된 법적 규범이나 가치 체계를 주요 설명요인으로 다룬다.

`18-07-04`

02 ( )이론: 사회복지조직의 과업환경에 대한 중요성을 부각시키며, 외부자원에 의존할 수밖에 없는 사회복지조직의 현실을 생생하게 설명해준다.

03 ( )이론: '변이 → 선택 → 보전'의 과정을 거쳐 조직변동이 일어난다고 설명한다.

`19-07-05`

04 ( )이론: 어느 경우에나 적용되는 최선의 조직관리 이론은 없다. 효과적인 조직관리 방법은 조직이 처한 환경과 조건에 따라 달라진다.

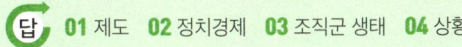 **01** 제도 **02** 정치경제 **03** 조직군 생태 **04** 상황

다음 내용이 옳은지 그른지 판단해보자

18-07-04

01 정치경제이론은 조직의 생존을 위해서는 환경으로부터 합법성을 부여받아야 한다고 보았다. ◎ ⊗

02 제도이론은 폐쇄체계적 관점에서 조직이 제도적 환경에 순응함으로써 조직의 정당성을 얻을 수 있다고 보았다. ◎ ⊗

13-07-01

03 제도이론은 사회복지조직과 관련된 법적 규범이나 가치 체계를 주요 설명요인으로 다룬다. ◎ ⊗

04 조직군 생태이론의 분석대상은 개별조직이 아닌 조직군이다. ◎ ⊗

05 조직군 생태이론은 제도적 동형화 유형을 제시하였다. ◎ ⊗

답 **01**○ **02**× **03**○ **04**○ **05**×

(해설) **02** 제도이론은 개방체계적 관점에서 조직에 대한 환경의 영향력을 설명한다.
05 제도적 동형화 유형을 제시한 이론은 제도이론이다.

KEYWORD

195

고전이론

강의 QR코드

1회독   월   일

2회독   월   일

3회독   월   일

최근 10년간 **7문항** 출제

이론요약

관료제이론

- **합리적인 규칙**과 **최대한의 효율성** 추구
- 공적인 지위에 **계층제**
- 지위에 따른 권위, **합법적 권위**
- 고도로 **전문화**된 분업 체계
- **사적 감정 배제**
- 연공서열, 실적, 기술에 기반을 둔 승진 및 지위 보장(**경력지향**)

과학적 관리론

- **개개인의 동작을 분석하여 소요시간을 표준화함으로써 분업체계 확립**
- **기획과 실행의 분리, 관리자와 노동자의 분리**
- **차별적 성과급 제도**를 원칙으로 함
- 구성원들을 금전적 요인에만 반응한다고 가정
- 관리자만 결정권한이 있는 엘리트주의적 관점
- 생산성이 향상되면 노동자들에게 적절한 보상이 돌아갈 것이라고 가정했지만 실제로는 그렇지 못했다는 비판

기본개념

사회복지행정론
pp.44~

01 (23-07-03) 과학적 관리론은 직무에 관한 과학적 연구와 분석을 강조한다.

02 (23-07-03) 관료제이론은 표준 운영 절차를 통한 합리성과 전문성을 추구한다.

03 (22-07-05) 테일러의 과학적 관리론은 업무시간과 동작의 체계적 분석 등 직무에 대한 과학적 분석을 기반으로 하였다.

04 (22-07-05) 테일러의 과학적 관리론은 직무성과에 따른 인센티브 제공 등 경제적 보상을 강조하였다.

05 (16-07-01) 관료제이론은 조직운영의 권한양식이 합법성·합리성을 띠고 있다.

06 (16-07-01) 관료제이론은 조직이 수행해야 할 과업이 일상적·일률적인 경우 효율적이다.

07 (15-07-15) 과학적 관리론은 주로 경제적 보상을 강조한다.

08 (15-07-15) 과학적 관리론은 인간의 정서적 측면과 사회적 관계를 고려하지 못하기 때문에 비인간화로 인한 소외현상이 발생한다.

09 (12-07-02) 과학적 관리론은 효율성과 생산의 극대화를 실현하기 위한 이론이다.

10 (04-07-04) 과학적 관리 이론은 시간과 동작에 대한 엄밀한 연구를 기반으로 업무를 세분화하였다.

11 (02-07-09) 고전이론은 비공식 집단의 필요성을 인식하지 못했다.

12 (02-07-09) 고전이론은 업무분석, 분업, 규칙과 통제, 물질적 보상 등을 기반으로 이론을 전개했다.

13 (01-07-01) 과학적 관리론은 금전적 보상만으로 구성원들의 동기가 부여된다고 보았다.

대표기출 확인하기

22-07-05 난이도 ★★☆

테일러(F. W. Taylor)의 과학적 관리론에 관한 설명으로 옳은 것을 모두 고른 것은?

ㄱ. 직무의 과학적 분석: 업무시간과 동작의 체계적 분석
ㄴ. 권위의 위계구조: 권리와 책임을 수반하는 권위의 위계
ㄷ. 경제적 보상: 직무성과에 따른 인센티브 제공
ㄹ. 사적 감정의 배제: 공식적인 원칙과 절차 중시

① ㄱ, ㄴ
② ㄱ, ㄷ
③ ㄴ, ㄹ
④ ㄱ, ㄴ, ㄷ
⑤ ㄱ, ㄷ, ㄹ

▶ 알짜확인

- 고전이론에서는 대표적으로 관료제이론과 과학적 관리론을 들 수 있다.
- 둘 다 규칙, 분업, 합리성, 효율성 등에 초점을 두었다는 공통점이 있지만, 관료제이론은 관료조직을 바탕으로 제시됐기 때문에 전문성 개발이나 위계질서 등을 강조했으며, 과학적 관리론은 공장을 바탕으로 제시됐기 때문에 시간당 업무량을 계산하여 차별적 성과급 제도를 도입했다는 특징이 있다.

답 ②

✔ 응시생들의 선택

① 4%	② 27%	③ 7%	④ 24%	⑤ 38%

ㄴ. ㄹ. 관료제이론의 특징이다. 관료제이론은 권위적 위계구조(계층제), 사적 감정 배제, 전문화된 분업체계, 연공서열 및 실적에 승진(경력지향), 합리적인 규칙, 행정효율 극대화 등을 주요 특징으로 한다.

관련기출 더 보기

21-07-05 난이도 ★★★

베버(M. Weber)가 제시한 이상적 관료제형으로 옳지 않은 것은?

① 공식적 위계와 업무처리 구조
② 전문성에 근거한 분업구조
③ 전통적 권위에 의한 조직 통제
④ 직무 범위와 권한의 명확화
⑤ 조직의 기능은 규칙에 의해 제한

답 ③

✔ 응시생들의 선택

① 3%	② 25%	③ 47%	④ 4%	⑤ 21%

③ 관료제 조직은 피라미드 형태로 위계적으로 구성되어 가장 높은 권위를 가진 사람이 피라미드의 정점에 위치하게 된다. 이때의 권위는 답습되는 전통적 권위가 아니라 능력에 따라 부여되는 권위이며, 조직의 운영 및 통제는 합리적 규칙을 따른다.

다음의 (   )에 들어갈 내용으로 옳은 것은?

테일러(F. W. Taylor)가 개발한 과학적 관리론은 (ㄱ)에게만 조직의 목표를 설정할 수 있는 (ㄴ)을 부여하기 때문에 (ㄷ)의 의사결정 (ㄹ)을(를) 지향하는 사회복지조직에 적용하는 데는 한계가 있을 수 있다.

① ㄱ: 직원 ㄴ: 책임 ㄷ: 직원 ㄹ: 과업
② ㄱ: 관리자 ㄴ: 책임 ㄷ: 직원 ㄹ: 참여
③ ㄱ: 관리자 ㄴ: 과업 ㄷ: 관리자 ㄹ: 참여
④ ㄱ: 직원 ㄴ: 과업 ㄷ: 직원 ㄹ: 과업
⑤ ㄱ: 직원 ㄴ: 과업 ㄷ: 관리자 ㄹ: 참여

답 ②

✔ 응시생들의 선택

① 1%	② 89%	③ 6%	④ 2%	⑤ 2%

과학적 관리론

- 일에 관한 기획은 관리자의 몫이고 실행은 노동자의 몫이라는 기획과 실행의 분리를 전제로 한다. 이로 인해 의사결정에 관한 권리는 관리자에게만 부여하기 때문에 전 직원의 참여를 통한 민주적 의사결정 과정을 지향하는 사회복지조직에는 부적합한 측면이 있다.
- 과학적 관리론은 기획과 실행을 분리하는 한편, 노동을 분업하여 노동자가 담당한 과업을 달성한 정도에 따라 임금을 제공(차별적 성과급)함으로써 노사협력이 가능하다고 보았다.

과학적 관리론(scientific management)에 관한 설명으로 옳은 것을 모두 고른 것은?

ㄱ. 조직 구성원의 업무를 과학적으로 분석하여 활용한다.
ㄴ. 집권화를 통한 위계구조 설정이 조직 성과의 결정적 요인이다.
ㄷ. 호손(Hawthorne) 공장에서의 실험결과를 적극 반영하였다.
ㄹ. 경제적 보상을 통해 생산성을 극대화할 수 있다.

① ㄱ, ㄴ   ② ㄱ, ㄷ
③ ㄱ, ㄹ   ④ ㄴ, ㄷ
⑤ ㄷ, ㄹ

답 ③

✔ 응시생들의 선택

① 16%	② 31%	③ 46%	④ 2%	⑤ 5%

ㄴ. 집권화를 통한 위계구조 설정은 관료제 이론의 특징이다.
ㄷ. 호손 공장에서의 실험결과를 반영한 것은 인간관계론이다.

관료제의 주요 특성으로 옳은 것을 모두 고른 것은?

ㄱ. 조직 내 권위는 수평적으로 구조화된다.
ㄴ. 조직 운영에서 구성원 개인의 사적 감정은 배제된다.
ㄷ. 직무 배분과 인력 배치는 공식적 규칙과 규정에 의해서 이루어진다.
ㄹ. 업무와 활동을 분업화함으로써 전문화를 추구한다.

① ㄱ, ㄴ   ② ㄷ, ㄹ
③ ㄱ, ㄴ, ㄷ   ④ ㄴ, ㄷ, ㄹ
⑤ ㄱ, ㄴ, ㄷ, ㄹ

답 ④

✔ 응시생들의 선택

① 0%	② 9%	③ 3%	④ 83%	⑤ 5%

ㄱ. 관료제는 공적인 지위에 따른 위계적인 권위구조를 기반으로 한다.

다음 내용이 **옳은지 그른지** 판단해보자

01 관료제이론과 과학적 관리론은 모두 인간의 합리성을 강조한다.

`12-07-02`
02 과학적 관리론은 조직관리는 조직이 처한 상황에 의해서 결정된다고 보았다.

`22-07-05`
03 관료제이론은 엄격한 규칙과 업무 분장에 따른 관리를 강조하였다.

`05-07-04`
04 고전이론은 구성원의 자율성과 책임감을 강조한다.

`16-07-01`
05 관료제이론은 조직외부의 정치적 상황에 주목한다. ◎ ✕

06 과학적 관리론은 차별적 성과급 제도를 원칙으로 한다. ◎ ✕

07 과학적 관리론은 조직의 생산성 향상을 위한 조직 구성원들의 동기부여를 금전적 차원으로만 접근 했다는 한계가 있다. ◎ ✕

`06-07-11`
08 관료제이론은 합리성과 융통성을 중시한다. ◎ ✕

`15-07-15`
09 과학적 관리론에서는 구성원들의 비인간화로 인한 소외현상이 발생할 수 있다. ◎ ✕

답 **01** ◯ **02** ✕ **03** ◯ **04** ✕ **05** ✕ **06** ◯ **07** ◯ **08** ✕ **09** ◯

해설 **02** 조직관리가 조직의 상황에 따라 달라진다고 본 이론은 상황이론에 해당한다.
04 고전이론은 지나치게 합리성, 합법성을 강조하고 위계적 권위구조로 구성되기 때문에 구성원의 자율성과 책임감을 고려하지 않는다.
05 관료제이론은 외부환경에 대해 고려하지 않은 폐쇄체계적 관점의 이론이다.
08 관료제이론은 합리성을 중시하기는 하지만 융통성을 중시하지는 않는다. 관료제이론은 합리적 규칙과 위계적 권위구조를 갖기 때문에 경직성이라는 단점을 갖는다.

KEYWORD

196

인간관계이론

강의 QR코드

최근 10년간 **4문항** 출제

1회독
월 일

2회독
월 일

3회독
월 일

복습

1 이론요약

22회 기출 21회 기출

인간관계이론의 주요 특징

- 메이요의 호손실험 결과를 바탕으로 함
- 근로자는 개인으로서가 아닌 집단의 일원으로 행동함
- 집단 내의 인간관계는 정서나 감정 등 비합리적 요소로 이루어짐
- 비물질적, 비경제적 동기 요인에 주목
- **인간관계, 구성원 간의 상호작용, 비공식집단 활동이 생산성 향상에 영향을 미침**
- 환경적 요소를 고려하지 않음(폐쇄체계적 관점)

기본개념

강의로 잡는
기본개념

사회복지행정론
pp.49~

맥그리거의 X · Y이론

- X이론: 사람은 일하기를 싫어하기 때문에 통제와 지시 필요. 매슬로우의 생리적 욕구, 안전 욕구, 사회적 욕구가 해당
- Y이론: 사람은 일하기를 좋아하며 자기통제와 자기지시가 가능함. 자기만족과 자기실현의 욕구가 중요한 보상이 됨. 매슬로우의 자기존중의 욕구, 자아실현의 욕구가 이에 해당. **인간관계이론은 Y이론과 관련됨**
- cf) Z이론: 자유방임형 관리 제시. 과학자, 학자, 연구직 등 고도의 자율성이 필요한 조직들은 인위적인 동기부여가 부적절하다고 봄

01 (23-07-03) 인간관계론은 조직 내 인간을 심리적, 사회적 욕구를 가진 전인격적 존재로 파악한다.

02 (22-07-03) 메이요의 인간관계이론은 심리적 요인이 생산성 향상에 영향을 미친다고 보았다.

03 (22-07-04) X이론은 생산성 향상을 위해 조직 구성원에 대한 감독, 보상과 처벌, 지시 등이 필요하다고 본다.

04 (21-07-04) 인간관계이론은 인간의 사회적, 심리적, 정서적 욕구를 강조하였다.

05 (21-07-04) 인간관계이론은 조직 내 비공식 집단의 중요성을 인식하였다.

06 (21-07-04) 인간관계이론은 조직 내 개인은 감정적이며 비물질적 보상에 민감하게 반응한다고 보았다.

07 (19-07-04) 인간관계론은 호손(Hawthorne) 공장에서의 실험결과를 적극 반영하였다.

08 (17-07-04) 인간관계론은 조직구성원은 비공식 집단의 성원으로 행동하며, 이러한 비공식 집단이 개인의 생산성에 영향을 준다고 보았다.

09 (15-07-09) 인간관계이론: 구성원들 간에 후의적인 태도를 가지는 조직은 생산성이 높다.

10 (15-07-09) Y이론: 인간은 자율성과 창조성을 지닌다.

11 (13-07-24) 인간관계이론은 맥그리거(D. McGregor)의 Y이론에 가까운 인간관에 입각한다.

12 (13-07-24) 인간관계이론에 기반한 관리자는 생산성 향상을 목표로 하면서도 하급직원들과 비공식적 방식을 통한 관계유지에도 관심을 둔다.

13 (12-07-08) 인간관계이론은 비공식적 조직에 대한 이해를 증진시켰다.

14 (09-07-10) 인간관계이론은 인간의 심리 · 사회적 욕구를 중요시한다.

15 (09-07-10) 인간관계이론은 조직 구성원의 자율성과 책임성을 강조한다.

16 (06-07-27) 인간관계이론을 통해 조직 내 비공식적 과정의 중요성을 이해할 수 있다.

대표기출 확인하기

22-07-03 난이도 ★★☆

메이요(E. Mayo)가 제시한 인간관계이론에 관한 설명으로 옳은 것은?

① 생산성은 근로조건과 환경에 의해서만 좌우된다.
② 심리적 요인은 생산성 향상에 영향을 미친다.
③ 사회적 상호작용은 생산성 향상에 부정적인 영향을 미친다.
④ 공식적인 부서의 형성은 생산성 향상으로 이어진다.
⑤ 근로자는 집단 구성원이 아닌 개인으로서 행동하고 반응한다.

▶ 알짜확인

• 인간관계이론은 호손실험을 바탕으로 도출된 이론으로, 생산성 향상을 위해 조직 내 인간관계에 주목해야 한다고 본 이론이다. 비공식조직의 중요성을 인식했다는 점, 맥그리거(D. McGregor)의 Y이론에 가깝다는 점이나 폐쇄체계적 이론이라는 점 등이 종종 등장했던 내용이다.

답 ②

✓ 응시생들의 선택

① 2%	② 84%	③ 3%	④ 7%	⑤ 4%

① 조직 내 인간관계가 생산성에 영향을 미친다고 보았다.
③ 구성원 간 사회적 상호작용이 개인의 만족도, 동기부여, 성과 등에 중요한 영향을 미친다고 보았다.
④ 비공식조직을 통한 정서적 욕구충족이 생산성 향상으로 이어진다고 보았다.
⑤ 근로자는 개인이 아닌 집단의 한 구성원으로 행동한다고 보았다.

관련기출 더 보기

13-07-24 난이도 ★★☆

인간관계이론에 기반한 관리자의 행동으로 볼 수 없는 것은?

① 사회기술(social skill)의 활용을 중시한다.
② 맥그리거(D. McGregor)의 Y이론에 가까운 인간관에 입각한다.
③ 하급직원들과 비공식적인 방식을 통한 관계유지에도 관심이 있다.
④ 관리행동의 목표를 생산성 향상에 둔다.
⑤ 과학적 업무분석과 이윤공유를 중요시한다.

답 ⑤

✓ 응시생들의 선택

① 13%	② 4%	③ 6%	④ 16%	⑤ 61%

⑤ 과학적 업무분석과 이윤공유는 과학적 관리론에 해당한다.

09-07-10 난이도 ★☆☆

인간관계이론에 관한 설명으로 옳은 것을 모두 고른 것은?

ㄱ. 조직에서 규칙을 강조하고 능률을 최우선시 한다.
ㄴ. 인간의 심리·사회적 욕구를 중요시하는 이론이다.
ㄷ. 맥그리거(McGregor)의 X이론과 유사한 관점의 이론이다.
ㄹ. 조직구성원의 자율성과 책임성을 강조한다.

① ㄱ, ㄴ, ㄷ
② ㄱ, ㄷ
③ ㄴ, ㄹ
④ ㄹ
⑤ ㄱ, ㄴ, ㄷ, ㄹ

답 ③

✓ 응시생들의 선택

① 6%	② 3%	③ 81%	④ 1%	⑤ 9%

ㄱ. 인간관계이론은 조직구성원의 사기와 생산성, 동기와 만족, 리더십, 조직 내 비공식집단의 역동성 등 구성원 간의 상호작용, 즉 인간관계가 능률에 영향을 미친다고 보았다.
ㄷ. 맥그리거의 Y이론과 유사한 관점의 이론이다.

다음 내용이 **왜 틀렸는지**를 확인해보자

01-07-01

01 인간관계론은 **분업에 따른** 생산성 향상을 강조하였다.

> 분업에 따른 생산성 향상은 과학적 관리론에 해당한다.

04-07-04

02 인간관계이론은 **공식조직의 역할**을 강조하였다.

> 인간관계이론은 비공식조직이 생산성 제고에 미치는 영향을 인식한 이론이다.

03 인간관계이론은 **조직의 생산성이 아닌** 인간적 측면에 관심을 두었다.

> 인간관계이론이 인간적 측면에 관심을 둔 것은 생산성 향상을 위해서이다.

01-07-01

04 인간관계이론은 맥그리거(McGregor)의 **X이론과 유사한 관점**의 이론이다.

> 인간관계이론은 맥그리거의 Y이론과 유사한 관점의 이론이다.

05 인간관계이론은 조직 내의 **인간관계가 목표달성, 성과 등 합리적 요소에 따라 이루어진다**고 보았다.

> 인간관계이론에서는 조직 내 인간관계가 정서적 측면 같은 비합리적 요소에 따라 이루어지며, 이러한 정서적 만족감이 충족될 경우 생산성이 향상된다고 보았다.

15-07-09

06 Z이론에서는 **인간은 통제와 강제의 대상**이라고 보았다.

> 인간을 통제와 강제의 대상으로 본 것은 X이론에 해당한다.
> Z이론은 X이론과 Y이론만으로는 설명할 수 없는 창의적이고 자율적인 조직의 관리를 위해 제기된 이론이다. 예를 들어 연구소의 학자들은 자유의지에 따라 자율적으로 자신의 일을 하기 때문에 인위적인 동기부여는 애초에 적절하지 않다는 것이다.

강의 QR코드

1 회독	2 회독	3 회독
월 일	월 일	월 일

최근 10년간 **1문항** 출제

복습 **1** **이론요약**

폐쇄체계와 개방체계의 구분

▶폐쇄체계
- 폐쇄체계는 다른 외부체계들과 상호교류가 없거나 혹은 교류할 수 없는 체계를 말한다.
- **고전이론과 인간관계론이 대표적인 폐쇄체계적 관점**의 이론에 해당한다.

▶개방체계
- 개방체계는 다른 체계와 에너지, 정보, 자원 등을 상호교류하는 체계이다.
- **정치경제이론, 자원의존이론, 조직군생태론, 제도이론 등 환경의 영향력을 인식한 조직환경이론들이 개방체계적 관점**에 해당한다.

기본개념
사회복지행정론
pp.53~

하위체계
- 생산 하위체계: 서비스 제공
- 유지 하위체계: 조직의 목표달성을 위한 구성원의 교육, 훈련, 업무의 공식화
- 경계 하위체계: 환경의 영향에 대한 대응
- 적응 하위체계: 연구, 계획, 평가
- 관리 하위체계: 다른 4가지 하위체계를 조정, 통합

기출문장 CHECK

01 (09-07-09) 체계이론은 주체들 간의 상호의존성에 대한 이해를 증진시켰다.

02 (08-07-21) 정치경제이론, 제도이론 등은 조직과 외부환경과의 연관성을 중요하게 고려하였다.

03 (04-07-06) 상황이론은 조직과 환경을 연결하여 설명했다.

04 (03-07-01) 정치경제이론은 개방체계적 관점의 이론이다.

05 (03-07-21) 체계모형에 따라 사회복지 조직을 파악했을 때 기관의 홍보를 담당하는 부문은 경계 하위체계이다.

대표기출 확인하기

난이도 ★★☆

조직이론에서 환경에 대하여 개방체계적 관점들을 묶은 것은?

① 관료제론, 상황적합론, 인간관계론
② 상황적합론, 과학적 관리론, 제도이론
③ 정치경제론, 인간관계론, 제도이론
④ 인간관계론, 조직군 생태학론, 상황적합론
⑤ 정치경제론, 상황적합론, 조직군 생태학론

 알짜확인

• 조직이론에서 폐쇄체계적 관점과 개방체계적 관점을 구분하는 것은 기본적으로 알아두어야 한다.
• 하위체계의 특성을 살펴보는 내용도 간혹 출제된 바 있다.

답 ⑤

✔ 응시생들의 선택

① 2%	② 3%	③ 3%	④ 24%	⑤ 68%

➕ 덧붙임

최근에 폐쇄체계 이론과 개방체계 이론을 구분하는 단순한 유형의 문제는 잘 출제되지 않고 있지만, 각 이론에 대한 선택지 중 하나로 구성되어 등장하기도 하기 때문에 반드시 알아두어야 한다.
우리 기본서에서는 '고전이론 → 인간관계이론 → 체계이론 → 조직환경이론' 등 조직이론의 발달순서에 따라 각 이론을 소개하고 있는데 고전이론과 인간관계이론은 폐쇄체계적 관점이고, 조직환경이론은 개방체계적 관점으로 암기하면 된다.
간혹 체계이론부터 개방체계로 보면 되는지 질문하는 경우가 있는데, 체계이론은 폐쇄체계와 개방체계의 속성을 구분하여 제시했을 뿐 그 자체를 개방체계적 관점의 이론으로 보기는 어렵다.

관련기출 더 보기

난이도 ★★☆

다음 체계이론 중 어떤 하위체계에 관한 설명인가?

• 주요 목적은 개인의 욕구를 통합하고 조직의 영속성을 확보하는 것이다.
• 업무절차를 공식화하고 표준화한다.
• 직원을 선발하여 훈련시키며 보상하는 제도를 확립한다.

① 관리 하위체계
② 적응 하위체계
③ 생산 하위체계
④ 경계 하위체계
⑤ 유지 하위체계

답 ⑤

✔ 응시생들의 선택

① 58%	② 7%	③ 5%	④ 1%	⑤ 29%

⑤ 유지 하위체계는 보상체계를 확립하고, 교육 및 훈련 등을 통해 조직의 안정을 추구한다.

다음 내용이 옳은지 그른지 판단해보자

`08-07-21`
01 정치경제이론, 제도이론 등은 사회복지조직과 외부환경과의 연관성을 중요하게 고려한 이론들이다.

`07-07-06`
02 인간관계이론은 개방체계적 관점의 이론에 속한다.

`04-07-06`
03 관료제론, 과학적 관리론과 달리 상황이론은 조직과 환경을 연결하여 설명하였다.

04 체계이론에서는 하위체계를 5가지로 구분하였는데, 이 중 유지 하위체계는 다른 4가지 하위체계를 조정하고 통합하는 기능을 한다.

05 경계 하위체계는 조직을 둘러싼 환경에 대한 대응과 관련이 깊다.

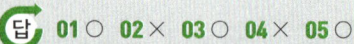 **01** ○ **02** ✕ **03** ○ **04** ✕ **05** ○

해설 **02** 인간관계이론은 외부환경과 조직 간의 연관성을 살펴본 것은 아니기 때문에 폐쇄체계적 관점의 이론에 속한다.
04 다른 하위체계들을 조정하고 통합하는 기능을 하는 것은 관리 하위체계에 해당한다.

사회복지조직의
구조와 조직화

이 장에서는

출제율이 아주 높은 장은 아니지만 다양한 내용이 출제되기 때문에 대비하기 어려운 장이기도 하다. 공식성, 복잡성, 집권성 등 조직의 구조적 요소는 출제빈도가 높은 편이어서 대비해두어야 하고, 그 밖에 다양한 조직의 유형을 살펴보고, 조직을 구조화하는 방법들을 살펴보도록 하자.

10년간 출제분포도

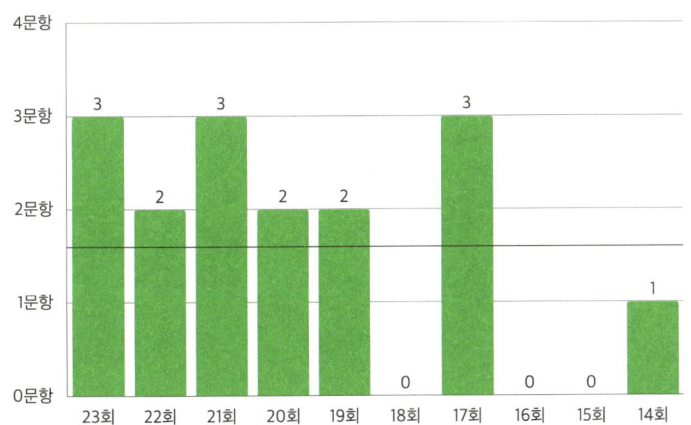

평균 출제문항수

조직의 구조적 요소

강의 QR코드

최근 10년간 **7문항** 출제

복습 1 이론요약

23회 기출 22회 기출 21회 기출

공식성

- 조직에 대한 규율, 규칙이 명문화된 형태로 존재하는가에 따라 구분
- 공식조직: 조직도에 나타나는 제도적인 조직
- **비공식조직**: 직장 내 동호회와 같이 구성원 사이에 **자연발생적으로 나타나는 조직**

복잡성

- 조직의 구성을 어떻게 분할하고 통합할 것인가
- **수직적 분화(수직조직)**
  - 조직구조의 계층적 분화, 위계적 구조
  - 권한과 책임이 분명함
  - 책임자의 강력한 통솔권을 바탕으로 조직의 안정성을 확보
  - 책임자의 역량에 좌우됨
  - 조직이 경직될 수 있음
- **수평적 분화(수평조직)**
  - 동일한 수준에서의 분화를 의미
  - 조직규모가 클수록 수평적 분화가 촉진됨
  - 참여적, 객관적 의사결정
  - 직원들의 전문지식과 경험 활용
  - 조직의 융통성, 신축성 부여

집권화와 분권화

- **집권화**: 의사결정권이 조직의 상층부에 집중되어 있는 형태
- **분권화**: 의사결정권이 상당 부분 조직의 하층부에 이양되어 하위관리자에게 의사결정권이 나누어지거나 하위관리자의 의사결정 참여가 확보되어 있는 형태

기본개념

사회복지행정론
pp.76~

01 (23-07-06) 분권화 조직은 위기와 갈등이 발생하면 의사결정이 지연되고 신속하게 해결하기 어려울 수 있다.

02 (22-07-06) 수직적 분화가 많아질수록 의사소통의 절차가 복잡해진다.

03 (21-07-08) 공식화 정도가 높을수록 직원의 재량권이 줄어든다.

04 (18-07-01) 비공식 조직은 조직의 응집력을 높일 수 있다는 순기능이 있다.

05 (17-07-07) 분권화는 책임과 권한을 조직 내에 분산하는 전략이다.

06 (17-07-07) 사업의 종류가 많을수록 조직의 복잡성이 증가한다.

07 (14-07-24) 수평적 분화에서는 통제의 범위를, 수직적 분화에서는 조정과 의사소통의 수준을 고려하여 설계한다.

08 (14-07-24) 공식화는 구성원들의 업무 편차를 줄이는 데 효과적이다.

09 (12-07-16) 복잡성: 수직적·수평적 분화의 수준을 의미한다.

10 (12-07-16) 분권화: 의사결정의 공식적 권한이 분산되거나 이양된 것을 말한다.

11 (12-07-16) 공식화: 조직 내 직무와 수행과정을 명문화하는 것이다.

12 (10-07-18) 수평적 분화가 증가하면 조정의 필요가 높아진다.

13 (10-07-26) 사회복지조직의 경우 외부상황을 고려하여 조직구조를 선택하는 것이 적합하다.

14 (09-07-16) 비공식 조직이 공식적 명령 계통을 위배할 경우 설득, 경고, 전보 등의 조치를 취한다.

15 (08-07-27) 조직에서 완전한 집권이나 완전한 분권은 있을 수 없고 양자 간에는 적절한 균형이 바람직하다.

16 (07-07-05) 비공식 의사전달체계는 구성원의 심리사회학적 만족감을 높일 수 있다는 장점이 있다.

17 (07-07-18) 사회복지조직은 휴먼 서비스를 제공하기 때문에 분권화 조직을 선호하는 경향이 있다.

18 (05-07-08) 조직구조가 복잡하면 분화정도가 높아진다.

19 (05-07-08) 집권화 구조는 최고관리층에 있는 소수에게 힘이 집중된 형태이다.

20 (03-07-22) 비공식조직은 변화를 위한 프로그램이나 계획에 기여하기도 한다.

21 (01-07-02) 수직조직은 조직의 창의성이나 유통성을 확보하는 데에는 불리한 측면이 있다.

대표기출 확인하기

22-07-06 · 난이도 ★★★

조직 구성요소에 관한 설명으로 옳은 것은?

① 집권화 수준을 높이면 의사결정의 권한이 분산된다.
② 업무가 복잡할수록 공식화의 효과는 더 크다.
③ 공식화 수준을 높이면 직무의 사적 영향력이 높아진다.
④ 과업분화가 적을수록 수평적 분화가 더 이루어진다.
⑤ 수직적 분화가 많아질수록 의사소통의 절차가 복잡해진다.

 알짜확인

- 비공식 조직의 필요성과 주의할 점에 대해 확인해두자.
- 조직이 커질수록 수직적으로든 수평적으로든 분화하게 되는데, 이와 관련하여 수직적 분화 및 수평적 분화의 차이점을 살펴보자.
- 사회복지조직은 대체로 분권화 구조에 관심을 두지만 집권화 구조가 무조건 안 된다는 것은 아니다. 각각의 특징과 함께 장단점을 살펴보자.

답 ⑤

응시생들의 선택

① 4%	② 27%	③ 7%	④ 9%	⑤ 53%

① 의사결정의 권한을 분산하는 것은 분권화이다.
② 공식화란 누가, 어떤 일을, 어떻게 수행하고 처리할 것인가를 정해두는 것이다. 단순생산직 같이 업무가 단순하다면, 업무의 표준화와 공식화도 상대적으로 용이하고 공식화에 따른 효과도 크다. 그러나 휴먼 서비스 직종과 같이 전문가의 사례별 개별화된 판단이 중요하고 업무가 복잡하다면, 업무의 표준화와 공식화는 용이하지 않을 뿐만 아니라 함부로 표준화할 수 없으며 공식화의 효과도 상대적으로 작다.
③ 공식화 수준을 높이면 직무에 대한 규칙과 규정이 강화되는 것이기 때문에 직무의 사적 영향력이 낮아진다.
④ 과업분화가 많을수록 팀 구성이 쪼개지기 때문에 수평적 분화가 더 이루어진다.

관련기출 더 보기

23-07-06 · 난이도 ★★☆

조직 분권화의 특성에 관한 설명으로 옳지 않은 것은?

① 최고관리자의 업무와 책임을 감소시킬 수 있다.
② 직원들의 자발적 협조를 유도할 수 있다.
③ 부서 간 협조가 늘어날 수 있다.
④ 위기와 갈등을 신속하게 해결할 수 있다.
⑤ 하위부서 재량권을 강화하는 효과가 있다.

답 ④

응시생들의 선택

① 12%	② 5%	③ 10%	④ 66%	⑤ 7%

④ 집권화 조직은 의사결정 권한이 소수인원으로 구성된 상부에 집중되어 상대적으로 신속한 의사결정을 하지만, 분권화 조직은 의사결정 권한이 각 계층에 위임되어 위기와 갈등이 발생하면 조정이 어렵기 때문에 의사결정이 지연되고 신속하게 해결하기 어렵다.

18-07-01 · 난이도 ★★☆

조직 내 비공식 조직의 순기능으로 옳은 것은?

① 조직의 응집력을 높인다.
② 공식 업무의 신뢰성과 일관성을 높인다.
③ 정형화된 구조로 조직의 안정성을 높인다.
④ 파벌이나 정실인사의 부작용이 나타난다.
⑤ 의사결정이 하층부에 위임되어 직원들의 참여의식을 높인다.

답 ①

응시생들의 선택

① 76%	② 2%	③ 4%	④ 7%	⑤ 11%

① 비공식조직은 조직 내 구성원들 사이에 나타나는 동호회 성격의 소규모 모임을 말한다. 공식조직의 긴장감을 덜어주고 구성원 간 사적인 관계를 통해 응집력이 향상되는 순기능이 있다. 하지만 공식조직의 업무가 비공식조직을 통해 이루어져서는 안 되며, 비공식조직을 통해 파벌이 조성될 경우 공식조직의 분열을 일으킬 수도 있다.

조직의 구성요소에 관한 설명으로 옳지 않은 것은?

① 예산, 구성원 수 등으로 조직의 규모를 나타낼 수 있다.
② 직무표준화 정도가 지나치게 높으면 구성원의 재량권은 낮아진다.
③ 사업의 종류가 많을수록 조직의 복잡성이 증가한다.
④ 집권화는 구성원의 자발적 참여와 재량권을 확대시킨다.
⑤ 분권화는 책임과 권한을 조직 내에 분산하는 전략이다.

답 ④

✅ **응시생들의 선택**

① 1%	② 5%	③ 1%	④ 91%	⑤ 2%

④ 집권화는 중요한 의사결정 권한이 조직의 상층부에 집중되는 방식이다. 이 구조에서는 구성원들의 권한이 극히 제한되기 때문에 창의성과 자율성이 저해될 수 있다.

조직구조에 관한 설명으로 옳지 않은 것은?

① 수평적 분화에서는 통제의 범위를, 수직적 분화에서는 조정과 의사소통의 수준을 고려하여 설계한다.
② 업무의 표준화는 조직운영의 경제성과 예측성을 높이기 위한 활동이다.
③ 정보가 과다하게 집중되어 있는 상황에서 의사결정의 집권화는 실패 가능성을 줄일 수 있다.
④ 공식적 권한의 집중·분산은 조직관리의 효과성·효율성과 연관되어 있다.
⑤ 공식화는 구성원들의 업무 편차를 줄이는 데 효과적이다.

답 ③

✅ **응시생들의 선택**

① 37%	② 4%	③ 46%	④ 4%	⑤ 9%

③ 집권화는 의사결정 권한이 최고상층부에 집중되어 있는 것을 의미하는데 대체로 최고상층부는 소수의 인원으로 구성되기 때문에 많은 정보를 감당하기 어려울 수 있다. 분권화를 통해 권한을 위임하여 각기 분야별로 정보를 분산시키거나 필요한 정보를 중심으로 분석하도록 하는 것이 실패를 줄일 수 있다.

조직의 분화 정도를 의미하는 복잡성(complexity)에 관한 설명으로 옳은 것은?

① 통제범위가 넓으면 상대적으로 수직적 조직 구조를 갖는다.
② 분권화와 대칭되는 개념이다.
③ 조직활동의 효율성과 예측성을 높여준다.
④ 수평적 분화가 증가하면 조정의 필요가 높아진다.
⑤ 사적인 요소의 영향력을 줄인다.

답 ④

✅ **응시생들의 선택**

① 20%	② 7%	③ 8%	④ 62%	⑤ 3%

① 통제범위가 넓으면 상대적으로 수평적 조직 구조를 갖게 된다.
② 분권화와 대치되는 개념은 집권화이다.
③⑤ 공식화에 해당하는 내용이다.

조직 내 의사결정과 관련하여 집권화와 분권화에 대한 설명으로 옳은 것은?

① 분권화란 의사결정의 권한이 중앙 또는 상위기관에 집중되어 있는 것을 의미한다.
② 집권화란 의사결정 권한이 지방 또는 하급기관에 위임되어 있는 것을 의미한다.
③ 하위계층에 권한이 많이 위양될수록 집권적 조직구조로 간주된다.
④ 권한이 제한되어 상위계층에 많은 권한이 집중되어 있을수록 분권적 구조라 한다.
⑤ 완전한 집권이나 완전한 분권은 있을 수 없고 양자 간에는 적절한 균형이 바람직하다.

답 ⑤

✅ **응시생들의 선택**

① 1%	② 0%	③ 2%	④ 4%	⑤ 93%

① 집권화란 의사결정의 권한이 중앙 또는 상위기관에 집중되어 있는 것을 의미한다.
② 분권화란 의사결정 권한이 지방 또는 하급기관에 위임되어 있는 것을 의미한다.
③ 하위계층에 권한이 많이 위양될수록 분권적 조직구조로 간주된다.
④ 권한이 제한되어 상위계층에 많은 권한이 집중되어 있을수록 집권적 구조라 한다.

다음 내용이 **왜 틀렸는지**를 확인해보자

`12-07-16`

01 공식화는 수직적 · 수평적 분화의 수준을 의미한다.

> 복잡성은 수직적 · 수평적 분화의 수준을 의미한다.

`17-07-07`

02 집권화는 구성원의 자발적 참여와 재량권을 확대시킨다.

> 구성원의 참여와 재량권 확대를 위해서는 분권화 구조가 더 적합하다.

`10-07-26`

03 환경이 단순하고 기술이 표준화되어 있을수록 **분권식 조직구조가 적합**하다.

> 환경이 단순하고 기술이 표준화되어 있다면 집권화 조직이 더 적합할 수 있다.

`03-07-22`

04 비공식조직은 공식조직의 **단합력을 높이는 데 기여**한다.

> 비공식조직이 공식조직의 단합력을 높이는 데 기여할 수도 있지만, 그 반대로 비공식조직 간에 파벌 조성 및 알력 다툼이 발생해 공식조직의 긴장감을 높이는 폐단이 일어날 수도 있다.

`05-07-08`

05 새로운 정보에 신속하게 대응함에 있어서는 **분권화 조직이 더 유리**하다.

> 새로운 정보나 위기 상황에 대한 대응에 있어서는 집권화 조직이 더 유리한 측면이 있다.

`10-07-18`

06 조직구조의 복잡성은 **분권화와 대칭**이 되는 개념이다.

> 분권화와 대칭이 되는 개념은 집권화이다.

다음 내용이 옳은지 그른지 판단해보자

01 비공식조직으로 인해 잘못된 정보가 공유될 위험성도 높다. ◎ ✕

09-07-16
02 비공식조직을 통한 의사결정이 공식조직의 의사결정을 대체하도록 허용해야 한다. ◎ ✕

03 조직이 확대됨에 따라 수직적 분화와 수평적 분화가 모두 일어날 수 있다. ◎ ✕

04 수평적 조직에서는 계층적 구조가 나타나지 않는다. ◎ ✕

22-07-06
05 조직의 규모가 커질수록 수직적 분화가 한계에 달하게 되어 수평적 분화가 촉진된다. ◎ ✕

06 수평적으로 분화된 참모소식은 집권화의 수단이 될 수도 있다. ◎ ✕

10-07-26
07 모든 사회복지조직이 분권식 구조가 적합하다고 단정할 수는 없다. ◎ ✕

답 **01** ○ **02** ✕ **03** ○ **04** ✕ **05** ○ **06** ○ **07** ○

해설 **02** 의사결정은 공식조직 내에서 이루어져야 한다.
04 수평적 조직은 수직적 조직의 계층 단계를 일부 감소시킨 것으로 계층적 구조가 전혀 없는 것은 아니다.

199 조직구조의 유형

강의 QR코드

1회독	2회독	3회독
월 일	월 일	월 일

최근 10년간 **5문항** 출제

복습 1 이론요약

 23회 기출 22회 기출 20회 기출

기계적 구조와 유기적 구조

- 기계적 구조: 내부 관리에 초점, 규칙과 절차 강조, 집권화 구조 예 관료제조직

※ **관료제조직의 병폐현상**
- 폐쇄적, 권위적
- 크리밍: 성공 가능성이 높은 클라이언트 위주로 선발하는 현상
- 목적전치: 수단인 규칙을 목적보다 중요시하는 현상
- 동조과잉: 조직의 표준적인 행동양식에 지나치게 동조하는 현상
- 레드 테이프(번문욕례): 지나친 형식주의

- 유기적 구조: 신축적 구조, 환경변화에 유연하게 대응, 규칙 및 절차의 단순화, 팀 워크 강조, 분권화 구조 예 학습조직

기본개념
사회복지행정론
pp.81~

위원회 조직

- 특별한 과업이나 문제를 해결하기 위한 목적으로 전문가 중심으로 조직
- 조직의 일상적인 업무수행 기구 이외에 별도로 구성

동태적 조직

- 프로젝트 조직: 관련 부서에서 프로젝트 수행을 위해 파견. 프로젝트 종료 후 원래 부서로 복귀
- 태스크포스 조직: 장기적인 사안을 위해 기존 부서에서 차출·탈퇴하여 TF팀에 소속됨
- 매트릭스 조직(행렬조직): 전통적 조직+프로젝트 조직. 각자 기능 부서에 속한 동시에 프로젝트 조직에도 속하도록 구성
- 팀 조직: 전통적인 조직체계인 부·과·계 등의 조직을 통합·분할하여 하나의 팀으로 전환
- 네트워크 조직: 다른 조직과의 제휴·협력·연계

01 (23-07-07) 태스크포스(task force) 조직은 특정 사업이나 활동수행을 위해 기존 부서에서 인력을 파견하여 구성한다.

02 (23-07-07) 태스크포스(task force) 조직은 임시적으로 활동하고 과업이 종료되면 해체되기도 하지만 존속되기도 한다.

03 (22-07-07) 위원회 조직은 일상 업무수행기구와는 별도로 구성된다. 특별과업이나 문제해결을 위한 전문가 중심의 조직이다. 낮은 수준의 수직적 분화와 공식화가 나타난다.

04 (20-07-05) 태스크포스는 팀 형식으로 운영되는 조직이다. 특정 목표달성을 위한 업무에 전문가들을 배치한다. 환경의 변화에 대응하기 위해서 만든 조직의 성격이 강하다.

05 (18-07-03) 관료제의 역기능: 조직 운영규정 자체가 목적으로 인식될 수 있다. 부서이기주의가 나타날 수 있다. 서비스가 최저 수준에 머무를 수 있다.

06 (17-07-06) 행렬조직은 직무별 분업을 인정하면서 동시에 사업별 협력을 강조한다.

대표기출 확인하기

21-07-09　난이도 ★★☆

다음 사례에 해당하는 현상은?

A사회복지기관은 프로그램 운영 성과를 높이기 위해 기부금 모금실적을 직원 직무평가에 반영하기로 했다. 직원들이 직무평가에서 높은 점수를 받기 위해 모금활동에 더 많은 시간과 노력을 기울이게 되면서 오히려 프로그램 운영 성과는 저조하게 되었다.

① 리스트럭쳐링(restructuring)
② 목적전치(goal displacement)
③ 크리밍(creaming)
④ 소진(burn out)
⑤ 다운사이징(downsizing)

 알짜확인

- 관료제조직에서 나타나는 병폐현상, 역기능에 관한 문제도 이따금씩 출제되고 있다. 크리밍, 목적전치 등 단어만 봐서는 의미를 알기 어렵기 때문에 개념들을 잡아두자.
- 동태적 조직의 특징을 파악하는 문제가 간혹 출제되고 있는데, 주로 매트릭스조직의 특징에 관한 문제가 출제되었고 20회 시험에서는 태스크포스의 특징에 관한 문제가 처음 등장하기도 했다.

답 ②

✅ 응시생들의 선택

① 2%	② 77%	③ 8%	④ 4%	⑤ 9%

② 목적전치: 목적을 달성하기 위한 수단이 강조되면서 수단 자체가 목적이 되어버리거나 수단이 목적보다 더 중요시되는 현상을 말한다. 사례에서 기부금 모금을 강조한 것은 프로그램 운영 성과 제고를 위한 수단이었는데, 직원들이 목적인 프로그램 운영보다 수단인 기부금 모금에 더 노력을 기울이면서 목적전치가 일어난 것이다.
① 리스트럭쳐링: 기존의 조직 구조를 개선하기 위한 구조조정
③ 크리밍: 결과가 성공적일 것으로 예상되는 클라이언트를 우선 선발하고, 어려울 것 같은 클라이언트를 배척하는 현상
④ 소진: 업무 스트레스로 인해 신체적, 정신적으로 지쳐 고갈되는 현상
⑤ 다운사이징: 감원, 합병 등을 통한 기관축소

관련기출 더 보기

23-07-07　난이도 ★☆☆

다음에서 설명하는 조직구조는?

- 특정 사업이나 활동수행을 위해 기존 부서에서 인력을 파견하여 구성함
- 조직구성원의 역량을 최대한 활용할 수 있음
- 임시적으로 활동하고 과업이 종료되면 해체됨

① 라인 – 스탭(line-staff)
② 태스크포스(task force)
③ 감사(audit) 조직
④ 거버넌스(governance) 조직
⑤ 위계(hierarchy) 조직

답 ②

✅ 응시생들의 선택

① 6%	② 79%	③ 3%	④ 11%	⑤ 1%

② 태스크포스 조직에 관한 설명이다. 특별한 업무의 수행을 위해 필요한 인력을 기존 부서에서 차출하여 팀 조직의 형태로 편성한다.

17-07-06　난이도 ★★☆

행렬조직(matrix organization)에 관한 설명으로 옳은 것은?

① 직무 배치가 위계와 부서별 구분에 따라 이루어지는 전형적 조직이다.
② 조직운영을 지원하는 비공식 조직을 의미한다.
③ 합리성을 강조하기 때문에 조직 유연성을 저하시킬 수 있다.
④ 직무별 분업을 인정하면서 동시에 사업별 협력을 강조한다.
⑤ 현실에서 작동하지 않는 가상의 사업조직을 일컫는다.

답 ④

✅ 응시생들의 선택

① 17%	② 3%	③ 5%	④ 72%	⑤ 3%

④ 행렬조직은 구성원들이 기존의 업무를 수행하면서도 프로젝트를 동시에 수행하게 되는 구조이다. 프로젝트의 필요에 따라 유연하게 구성된다.

다음 내용이 옳은지 그른지 판단해보자

`10-07-30`

01 행렬구조를 가진 조직은 역동적인 외부환경 변화에 대응하기 어렵다는 단점이 있다.

`08-07-15`

02 네트워크 조직은 지역사회 차원에서 공공기관과 민간기관들 간의 협력과 연계에 유리한 조직방식이다.

`05-07-09`

03 매트릭스 조직은 조직의 안정성에 문제가 발생할 수 있다.

`20-07-05`

04 태스크포스(TF)는 특정 목표달성을 위한 업무에 전문가들을 배치하기도 한다.

---

05 행렬구조에서는 지휘·감독 체계가 분명해지기 때문에 부하 직원이 어느 업무에 우선순위를 둘 것인가를 명확하게 판단할 수 있다.

`02-07-05`

06 관료제조직에서 나타나는 병폐 현상 중 하나로, 엄격한 규칙지향성으로 인해 수단으로서의 규칙이 목적이 되어버리는 상황을 목적전치라고 한다.

---

07 레드테이프(red tape)는 사회복지기관에서 지나치게 실적을 강조한 나머지 서비스 제공에 따른 효과가 클 것으로 기대되는 클라이언트를 집중적으로 선발하는 현상을 말한다.

`18-07-03`

08 사회복지조직이 관료제를 도입하면 부서이기주의, 목적전치 등의 역기능이 나타날 수 있다.

 답 **01** × **02** ○ **03** × **04** ○ **05** × **06** ○ **07** × **08** ○

(해설) **01** 행렬구조는 기존의 기능조직에 상황에 따라 프로젝트 조직을 구성하는 형태로 외부환경 변화에 대응하여 조직을 유연하게 변화시킬 수 있다.

03 매트릭스 조직(행렬조직)은 기존의 기능조직이 유지되기 때문에 조직의 안정성을 훼손하지 않으면서도 환경변화에 대응할 수 있다.

05 행렬구조에서는 부하 직원이 기존의 기능부서와 프로젝트 팀에 동시에 속하게 되기 때문에 양쪽에서 지휘·감독을 받게 된다. 이로 인해 어느 업무를 먼저 수행해야 할 것인가와 관련한 갈등을 겪을 수 있다.

07 크리밍 현상에 해당한다. 레드테이프(번문욕례)는 지나치게 번거롭고 불필요한 형식주의를 지칭하는 말이다.

200 사회복지조직의 유형

1회독	**2**회독	**3**회독
월 일	월 일	월 일

최근 10년간 **4문항** 출제

복습 1

이론요약

 23회 기출 21회 기출 19회 기출

공공 사회복지조직

- 보건복지부 등 중앙정부 및 지방자치단체
- 정부 산하 기관

기본개념

사회복지행정론
pp.95~

민간 사회복지조직

▶ **비영리 사회복지조직**

- 대체로 사회복지사업법에 따른 사회복지법인이나 민법에 따른 비영리 사단법인 및 재단법인 등의 비영리법인으로서 설립되어 사회복지사업을 수행하는 조직을 말함
- 국가 혹은 시장 부문으로부터 분리된 자발적 민간 부문의 조직
- 사회적 가치를 추구한다는 점에서 국가 지원금 및 세제 혜택이 주어짐
- 비영리성, 사회적 가치 추구, 자발성, 독립성, 법인격, 합법성

▶ **영리 사회복지조직**: 요양원 등 휴먼서비스경영조직

▶ **사회적 경제 주체**: 영리를 추구하면서도 사회적 목적을 추구, 사회적 기업, 협동조합, 마을기업, 자활기업 등

※ 모든 비영리조직이 사회복지조직은 아니며, 사회서비스를 제공하는 모든 조직이 비영리조직인 것도 아니다. 또한 비영리조직도 수익사업을 진행한다.

기출문장 CHECK

01 (23-07-05) 민간 비영리조직은 이윤 발생 시 조직의 목표에 맞는 재투자, 서비스 개선, 사회공헌을 확대한다.

02 (19-07-06) 비영리조직은 사적 이익보다는 공동체의 이익을 우선적으로 추구한다.

03 (19-07-06) 비영리조직은 필요에 따라 수익사업을 실시하기도 한다.

04 (17-07-05) 사회서비스 공급에 영리 기관도 참여하고 있다.

05 (17-07-05) 사회복지법인 이외에도 사회복지시설을 운영할 수 있다.

대표기출 확인하기

23-07-05 난이도 ★★☆

민간 비영리조직의 특성에 관한 설명으로 옳지 않은 것은?

① 이윤이 발생하면 구성원에게 균등하게 배당한다.
② 시장과 정부 실패를 보완할 수 있다.
③ 최소한의 조직 구조와 운영 공식성을 갖는다.
④ 지방자치단체 보조금을 받을 수 있다.
⑤ 비영리조직 회원은 자발적으로 가입한다.

 알짜확인

• 민영화 흐름에 따라 공공과 민간의 절대적 구분이 어려운 다양한 조직 유형들이 나타나고 있음을 이해해야 한다.
• 사회복지서비스를 제공하는 조직이 비영리조직에 국한되지 않는다는 점을 기억해두자.

답 ①

✔ **응시생들의 선택**

① 70%	② 7%	③ 12%	④ 3%	⑤ 8%

① 비영리조직의 주요 목표는 공공의 이익을 추구하거나 사회적 가치를 실현하는 것으로써 이윤을 구성원이나 개인에게 배분하는 것이 법적으로 금지되며, 이윤 발생 시 조직의 목표에 맞는 재투자, 서비스 개선, 사회공헌을 확대한다.

관련기출 더 보기

21-07-24 난이도 ★★☆

비영리 사회복지조직에 관한 설명으로 옳지 않은 것은?

① 수익성과 서비스 질을 고려하지 않고 조직을 운영한다.
② 정부조직에 비해 관료화 정도가 낮다.
③ 국가와 시장이 공급하기 어려운 서비스를 제공할 수 있다.
④ 특정 이익집단을 위한 서비스를 제공할 수 있다.
⑤ 개입대상 선정과 개입방법을 특화할 수 있다.

답 ①

✔ **응시생들의 선택**

① 86%	② 2%	③ 2%	④ 8%	⑤ 2%

① 비영리조직은 영리를 목적으로 하지 않을 뿐 수익사업을 진행하며, 클라이언트에게 더 나은 서비스를 제공하기 위한 질 관리도 주요 관심사이다.

19-07-06 난이도 ★★☆

비영리조직의 특성을 설명한 것으로 옳지 않은 것은?

① 사적 이익보다는 공동체의 이익을 우선적으로 추구한다.
② 필요에 따라 수익사업을 실시하기도 한다.
③ 회원 조직도 비영리조직에 포함된다.
④ 기부금이나 후원금이 조직의 중요한 재원이다.
⑤ 한국에는 비영리조직에 대한 세제혜택이 없다.

답 ⑤

✔ **응시생들의 선택**

① 2%	② 3%	③ 5%	④ 1%	⑤ 89%

⑤ 비영리조직에 대한 세제혜택이 있다. 예를 들어, 비영리법인이라 하더라도 무상으로 취득한 재산에 대해서는 세금이 발생하는 것이 원칙이지만, 사회복지법인은 공익법인으로 인정되어 재산에 대한 상속세와 증여세가 면제된다.

다음 내용이 왜 틀렸는지를 확인해보자

01 사회적 기업, 협동조합, 마을기업, 자활기업 등은 **비영리조직**이다.

이들 모두 사회적 경제 조직으로 영리를 추구한다.

02 비영리 사회복지조직은 민간조직이기 때문에 **정부 차원의 지원금을 받지는 않는다.**

사회적 가치를 추구하는 조직이라는 점에서 정부의 보조와 지원이 이루어지고 있다.

03 지방자치단체의 위탁으로 운영되는 사회복지시설은 **공공 사회복지조직**이다.

정부의 위탁으로 운영되는 시설은 민영화에 따라 나타난 공공과 민간의 혼합 방식 중 하나이다.

04 사회복지서비스를 제공하는 모든 조직은 **비영리를 원칙**으로 한다.

사회복지법인 등 대부분의 사회복지조직이 비영리이지만, 사회복지서비스를 제공하는 모든 조직이 비영리조직인 것은 아니다.

19-07-06
05 비영리 조직은 영리를 추구하지 않기 때문에 **수익사업을 할 수 없다.**

비영리 조직이라고 해서 수익사업을 하지 않는 것은 아니다. 수익사업을 통한 수익은 조직의 목적사업을 위한 재원이 된다.

사회복지서비스 전달체계

이 장에서는

꾸준히 출제된 내용은 전달체계 구축의 원칙이다. 대체로 정답률이 높지만 간혹 함정에 빠지기 쉽게 출제되기도 하므로 전문성, 적절성, 포괄성, 통합성, 지속성, 평등성, 책임성, 접근성 등의 초점을 잘 구분해두어야 한다. 그 밖에 행정체계와 집행체계의 구분, 공공과 민간의 역할 및 장단점, 통합성 증진을 위한 전략(전달체계 개선 전략) 등이 출제되어 왔다.

10년간 출제분포도

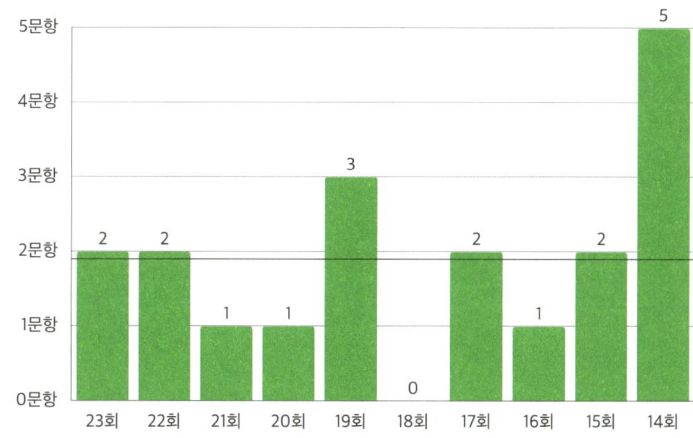

1.9
문항

평균 출제문항수

전달체계 구축의 원칙

강의 QR코드

최근 10년간 **10문항** 출제

서비스 제공의 원칙

- 전문성: 사회복지라는 **전문적 서비스를 제공**하며, 핵심 업무는 반드시 **사회복지전문가가 담당**해야 함
- 적절성: **서비스 양과 질, 제공 기간**이 클라이언트의 욕구충족과 서비스의 목표달성을 위해 **충분해야 함**
- 포괄성: 다양한 욕구나 다양한 문제를 해결하기 위해 **다각도의 서비스 제공. 클라이언트 중심**
- 통합성: 서비스의 **중복/누락 방지**에 초점을 둠. **기관 간 연계**를 통한 서비스 제공. **기관 중심**
- 지속성: **서비스가 끊어지지 않고 제공**되어야 함. 해당 기관에서 복합적 욕구를 모두 충족시킬 수 없을 때에는 지역사회 연계를 통해 지속성을 확보해야 함
- 평등성: 클라이언트의 연령, 성별, 소득, 지역, 종교나 지위에 관계없이 제공
- 책임성: 사회복지서비스의 전달에 대하여 책임을 다해야 한다는 것으로, 효과성 및 효율성을 포괄
- 접근성: 지리적인 거리, 경제적인 이유, 개인적 동기와 인식 등 물리적, 심리적 장벽 해소

기본개념

사회복지행정론
pp.105~

통합성 증진

- 종합서비스센터: 장애인종합복지관, 종합사회복지관처럼 하나의 서비스 기관 내에서 복수의 서비스가 제공될 수 있도록 한다.
- 인테이크(intake)의 단일화: 클라이언트의 다양한 욕구를 종합적으로 평가하여 적절한 서비스 계획을 개발하도록 인테이크를 전담하는 창구를 마련한다.
- 종합적인 정보와 의뢰 시스템(I&R System): 전달체계들을 단순 조정하는 방법으로 각기 독립성을 유지하면서 서비스의 통합적 제공을 강화하는 방법이다.
- 사례관리: 사례관리자가 중심이 되어 조직들 간의 네트워크를 이용하여 클라이언트를 관리하고 욕구를 만족시켜주는 방법이다.
- 트래킹(tracking): 서로 다른 각각의 기관과 프로그램에서 다루었던 클라이언트에 대한 정보를 서로 공유할 수 있게 하는 시스템이다.

활용성

- 어떻게 하면 한정된 자원을 가장 필요로 하는 클라이언트에게 제공할 수 있을 것인가, 최대한의 효용을 발휘할 수 있는 클라이언트 집단에게 쓰이도록 할 수 있을까의 문제
- 과활용과 저활용 문제를 수정함으로써 활용성을 제고해야 함
  - 과활용: 욕구가 없는 사람에게까지 서비스가 제공되는 오류
  - 저활용: 욕구가 있음에도 서비스를 받지 못하는 사람이 발생하는 문제

기출문장 CHECK

01 (23-07-16) '지역사회통합돌봄(커뮤니티 케어), 원스탑 서비스 제공, 서비스 단편성과 비연속성 문제 해결'은 사회복지 전달체계 구축의 원칙 중 통합성과 관련 있다.

02 (22-07-18) 서비스 비용 부담을 낮춤으로써 접근성을 높일 수 있다.

03 (22-07-18) 서비스 간 연계성을 강화함으로써 연속성을 높일 수 있다.

04 (22-07-18) 양·질적으로 이용자 욕구에 부응함으로써 적절성을 높일 수 있다.

05 (22-07-18) 이용자의 요구나 불만을 파악함으로써 책임성을 높일 수 있다.

06 (22-07-23) 서비스 과활용은 비(非)표적 인구가 서비스에 접근하여 나타나는 문제이다.

07 (20-07-22) 전달체계의 접근성을 높이기 위해서는 서비스 이용의 장애요인을 줄여야 한다.

08 (19-07-18) 통합성: 서비스의 중복과 누락을 방지하고 다양한 서비스를 통합적으로 제공해야 한다.

09 (19-07-18) 적절성: 사회복지서비스의 양과 질이 서비스 수요자의 욕구 충족과 서비스 목표 달성에 적합해야 한다.

10 (19-07-18) 접근성: 서비스 이용자에게 공간, 시간, 정보, 재정 등의 제약이 없는 서비스 제공을 의미한다.

11 (19-07-18) 전문성: 충분한 사회복지전문가의 확보가 필요하다.

12 (16-07-10) 접근성: 제약 없이 서비스를 쉽게 받을 수 있어야 한다.

13 (16-07-10) 연속성: 필요한 서비스가 일정기간동안 지속적으로 제공되어야 한다.

14 (15-07-05) 포괄성: 클라이언트의 욕구와 문제해결을 위해 다양한 서비스를 제공해야 한다.

15 (15-07-05) 적절성: 서비스의 양과 질이 목표달성에 충분해야 한다.

16 (15-07-05) 전문성: 핵심적인 업무는 반드시 객관적으로 자격이 인정된 사람이 담당해야 한다.

17 (15-07-05) 접근성: 서비스를 필요로 하는 사람은 누구나 쉽게 받을 수 있어야 한다.

18 (14-07-09) 서비스 지속성을 높이려면 서비스 간 연계도 강화되어야 한다.

19 (14-07-09) 거리뿐만 아니라 서비스 이용비용도 접근성에 영향을 준다.

20 (14-07-09) 전문성, 통합성과 같은 전달체계 구축의 원칙들은 상호 영향을 줄 수 있다.

21 (14-07-18) 사회복지서비스들 사이의 파편화와 단절을 줄이는 방법으로 사회복지 제공자 간 네트워크 구축, 사례관리 강화, 욕구에 대한 종합적인 파악, 서비스 연계 기제 마련 등을 고려해볼 수 있다.

22 (13-07-05) 통합성 원칙 구현을 위해서는 조직 간 유기적 연계가 중요하다.

23 (13-07-05) 책임성 원칙은 전달체계 자체의 효과성이나 효율성과 관련된다.

24 (13-07-23) 아웃리치, 홍보, 정보 및 의뢰, 클라이언트와의 신뢰구축, 서비스 조직의 개선 등은 서비스의 활용성을 높이기 위해 사용할 수 있는 전략들이다.

25 (12-07-09) 통합성: 상호연관된 서비스를 종합적으로 고려한다.

26 (12-07-09) 지속성: 필요한 여러 서비스를 중단없이 제공한다.

27 (12-07-09) 적절성: 서비스의 양과 질이 욕구충족을 위한 수준이어야 한다.

28 (12-07-09) 평등성: 소득이나 지위에 관계없이 평등하게 서비스를 제공한다.

29 (11-07-27) 이용자 불만을 표시할 수 있는 장치가 없다면 '책임성'이 결여된 것이다.

30 (11-07-27) 필요한 서비스의 양과 질이 부족하다면 '적절성'이 결여된 것이다.

31 (10-07-14) 서비스의 적절성은 서비스의 양과 질, 기간이 클라이언트의 문제해결에 충분한 것을 의미한다.

32 (10-07-14) 서비스의 포괄성은 다양한 욕구해결을 위해 필요한 서비스를 종합적으로 제공하는 것을 의미한다.

33 (05-07-24) 접근성 원칙의 예: 사회복지공동모금회는 2007년 기획 사업으로 농어촌 복지 취약 지역에 이동복지관을 지원하기로 계획하였다.

34 (04-07-02) 통합성, 접근성, 적절성 등은 전달체계의 주요 원칙이다.

대표기출 확인하기

다음에서 설명하는 사회복지 전달체계 구축 원칙은?

- 지역사회통합돌봄(커뮤니티 케어)
- 원스탑 서비스 제공
- 서비스 단편성과 비연속성 문제를 해결

① 책임성
② 접근성
③ 지속성
④ 통합성
⑤ 적절성

▶ 알짜확인

- 각각의 원칙들이 어떤 점에 주된 초점을 두고 있는지를 중심으로 구분할 수 있도록 해야 한다. 더불어 원칙들 간에 연결성이 있다는 점도 이해해야 한다.
- 다양한 욕구를 충족시키기 위해 다양한 서비스가 연계되어 제공될 수 있도록 하는 통합성 증진 전략들에 대해 살펴보자.
- 사회복지서비스 제공에 있어서 나타날 수 있는 과활용 및 저활용의 문제를 생각해보자.

답 ④

✓ 응시생들의 선택

① 2%	② 6%	③ 25%	④ 65%	⑤ 2%

① 책임성: 서비스의 효과성과 효율성의 중시, 활동의 결과와 과정의 정당성, 조직 내부와 외부 및 지역사회 관계에서의 정당성 등을 포함하는 포괄적인 개념으로 현대 사회복지조직에게 요구되는 중요한 개념이다.
② 접근성: 복지 대상자가 지리적·심리적·경제적·정보적 차원에서 서비스를 쉽게 이용할 수 있어야 한다는 원칙이다.
③ 지속성: 서비스가 끊어지지 않고 계속 제공될 수 있어야 한다는 원칙이다.
⑤ 적절성: 서비스는 클라이언트의 욕구충족이나 문제해결 및 서비스 목표를 달성하기에 충분한 양과 질의 서비스가 제공되어야 한다는 원칙이다.

관련기출 더 보기

사회복지전달체계 구축 원칙에 관한 설명으로 옳지 않은 것은?

① 서비스 비용 부담을 낮춤으로써 접근성을 높일 수 있다.
② 서비스 간 연계성을 강화함으로써 연속성을 높일 수 있다.
③ 양·질적으로 이용자 욕구에 부응함으로써 적절성을 높일 수 있다.
④ 최소 비용으로 최대 효과를 얻음으로써 전문성을 높일 수 있다.
⑤ 이용자의 요구나 불만을 파악함으로써 책임성을 높일 수 있다.

답 ④

✓ 응시생들의 선택

① 3%	② 4%	③ 4%	④ 75%	⑤ 14%

④ 최소 비용으로 최대 효과를 얻음으로써 효율성을 높일 수 있다.

다음 설명에 해당되는 것은?

> • 비(非)표적 인구가 서비스에 접근하여 나타나는 문제
> • 사회적 자원의 낭비 유발

① 서비스 과활용　　　② 크리밍
③ 레드테이프　　　　④ 기준행동
⑤ 매몰비용

답 ①

✅ 응시생들의 선택

① 71%	② 11%	③ 6%	④ 1%	⑤ 11%

② 크리밍: 성공률이 높을 것으로 기대되는 클라이언트를 우선시하는 현상이다.
③ 레드테이프: 지나친 형식주의, 불필요하거나 과도한 행정적 절차를 일컫는다.
④ 기준행동: 성과평가의 기준에 맞추려는 현상이다.
⑤ 매몰비용: 계획을 실행함에 따라 이미 지출되어 어떤 방법으로든 회수할 수 없는 비용이다.

사회복지전달체계 구축 시 고려해야 할 사항으로 옳지 않은 것은?

① 통합성: 서비스의 중복과 누락을 방지하고 다양한 서비스를 통합적으로 제공해야 한다.
② 포괄성: 클라이언트의 다양한 욕구 중 한 가지 욕구를 해결하기 위하여 전문가 집단이 개입하는 방식이다.
③ 적절성: 사회복지서비스의 양과 질이 서비스 수요자의 욕구 충족과 서비스 목표 달성에 적합해야 한다.
④ 접근성: 서비스 이용자에게 공간, 시간, 정보, 재정 등의 제약이 없는 서비스 제공을 의미한다.
⑤ 전문성: 충분한 사회복지전문가의 확보가 필요하다.

답 ②

✅ 응시생들의 선택

① 1%	② 92%	③ 1%	④ 3%	⑤ 3%

② 포괄성은 다양한 욕구 중 어느 한 가지 욕구에 주목하는 것이 아니라, 다양한 욕구에 대해 복합적 차원에서 다각도로 접근해야 한다는 것이다.

독거노인을 위한 복지서비스 전달체계 구축 원칙과 내용이 옳지 않은 것은?

① 충분성: 치매예방서비스 양을 증가시킴
② 연속성: 치매예방 및 관리서비스를 중단 없이 이용하게 함
③ 접근성: 치매예방서비스 비용을 낮춤
④ 책임성: 치매예방서비스 불만사항 파악절차를 마련함
⑤ 통합성: 치매예방서비스를 적극적으로 홍보함

답 ⑤

✅ 응시생들의 선택

① 8%	② 1%	③ 8%	④ 4%	⑤ 79%

⑤ 치매예방서비스를 적극적으로 홍보하는 것은 접근성의 원칙과 관련이 깊다. 접근성은 지리적 측면의 문제뿐만 아니라 심리적 측면, 정보제공의 측면에서도 고려되는 것이다.

다음에서 나타나지 않는 현상은?

> A지역자활센터는 대상자의 취업 성공률을 높이기 위해 전담직원을 신규 채용해서 맞춤형 프로그램 기획을 담당하도록 하였다. 또한 대상자를 개별적으로 사정, 상담하여 취업 방해요인을 분석하였다. 몇몇 대상자들은 A센터의 취업성공률을 낮출 것이라고 보고 타기관으로 보낼 방안을 검토하고 이를 요청하였다.

① 서비스 과활용　　　② 크리밍
③ 의뢰　　　　　　　④ 사례관리
⑤ 스태핑(staffing)

답 ①

✅ 응시생들의 선택

① 60%	② 20%	③ 4%	④ 5%	⑤ 11%

① 서비스 과활용은 욕구가 없는 사람에게까지 서비스가 제공되는 현상을 말한다.
② 크리밍: 성공률이 낮을 것으로 보이는 클라이언트나 많은 자원이 필요한 클라이언트를 서비스 제공에서 제외하려는 현상을 말한다.
③ 의뢰: 클라이언트를 다른 기관에 보내는 것은 의뢰에 해당한다.
④ 사례관리: 클라이언트를 개별적으로 사정, 상담하여 문제를 분석하고 필요한 다양한 서비스를 맞춤형으로 제공하기 위한 노력이다.
⑤ 스태핑: 전담직원의 신규 채용 및 배치가 인사 과정에 해당한다.

사회복지서비스 전달체계의 구축 원칙에 관한 설명으로 옳지 않은 것은?

① 통합성 원칙 구현을 위해서는 조직 간 유기적 연계가 중요하다.
② 서비스 편중이나 누락이 없도록 하는 것은 비파편성 원칙에서 강조된다.
③ 충분성의 원칙은 서비스의 양과 기간을 설정하는 것과 관련된다.
④ 서비스 공급이 연속적으로 이루어지기 위해서는 개별성 원칙을 견지하여야 한다.
⑤ 책임성 원칙은 전달체계 자체의 효과성이나 효율성과 관련된다.

답 ④

✔ **응시생들의 선택**

① 15%	② 7%	③ 7%	④ 40%	⑤ 31%

④ 클라이언트에게 서비스 공급이 연속적으로 제공되어야 한다는 원칙은 지속성의 원칙이다.

➕ **덧붙임**

통합성은 클라이언트의 다양한 욕구를 충족시킬 수 있도록 해야 함을 강조하는 원칙으로, 이를 위해 여러 조직 간 유기적 연계를 통해 맞춤형 서비스 제공을 꾀하기도 한다.
책임성의 원칙은 효과성, 효율성 등을 포괄한다는 점 같이 기억해두자.

다음에 해당하는 서비스 통합의 방법은?

- 조직들 간 구조적인 통합이 아닌, 느슨한 네트워크를 구성한다.
- 조직들에 분산된 서비스를 클라이언트의 욕구에 맞추어 연결하고 관리한다.
- 아동복지분야에서 실시하고 있는 '드림스타트 사업'이 대표적인 예이다.

① 아웃리치
② 사례관리
③ 단일화된 인테이크
④ 모듈화(module)
⑤ 스태핑(staffing)

답 ②

✔ **응시생들의 선택**

① 11%	② 61%	③ 9%	④ 10%	⑤ 9%

① 현장에 나가 직접 클라이언트를 발굴하여 서비스를 안내한다.
③ 인테이크(접수) 전담 창구를 구성하는 방법이다.
④ 효율적 생산을 위해 조직 내에 독립적 기능을 갖춘 단위 요소들을 필요에 따라 테트리스처럼 재구성할 수 있도록 하는 것이다.
⑤ 직원의 임면 등 행정의 인사 기능이다.

사회복지전달체계 구축의 주요 원칙에 관한 설명으로 옳은 것을 모두 고른 것은?

ㄱ. 정보 부족으로 인해 서비스를 이용할 수 없다면 '통합성'이 결여된 것이다.
ㄴ. 이용자 불만을 표시할 수 있는 장치가 없다면 '책임성'이 결여된 것이다.
ㄷ. 특정 프로그램 종료 후 필요한 후속 프로그램이 없다면 '평등성'이 결여된 것이다.
ㄹ. 필요한 서비스의 양과 질이 부족하다면 '적절성'이 결여된 것이다.

① ㄱ, ㄴ, ㄷ
② ㄱ, ㄷ
③ ㄴ, ㄹ
④ ㄹ
⑤ ㄱ, ㄴ, ㄷ, ㄹ

답 ③

✔ **응시생들의 선택**

① 2%	② 2%	③ 61%	④ 28%	⑤ 8%

ㄱ. '접근성'이 결여된 것이다.
ㄷ. '지속성'이 결여된 것이다.

다음 내용이 왜 틀렸는지를 확인해보자

16-07-10

01 책임성의 원칙은 **충분한 양과 질 높은 서비스가 제공되어야 함**을 의미한다.

> 책임성은 사회복지조직은 서비스 제공에 대해 위임받은 조직이므로 서비스 전달에 책임을 져야 함을 의미한다.

16-07-10

02 전문성의 원칙은 **서비스가 종합적으로 제공되어야 함**을 의미한다.

> 전문성은 전문적인 자격을 갖춘 사람에 의해 전문적인 서비스가 제공되어야 함을 의미한다.

14-07-09

03 책임성을 높이는 전략이 접근성에 **영향을 주지는 않는다.**

> 각각의 원칙은 서로 연결성을 갖고 있기 때문에 책임성을 높이는 전략이 접근성을 높이기도 한다.

10-07-14

04 서비스의 접근성은 **수급자격의 요건을 강화하여 자원을 효율적으로 활용하는 것**을 의미한다.

> 수급자격 요건을 강화하면 자원을 덜 사용하게 될 수는 있겠으나 서비스의 접근성은 낮아지게 된다.

04-07-02

05 통합성, 접근성, 적절성, **진실성** 등은 사회복지 전달체계 구축에서의 주요 원칙이다.

> 진실성은 포함되지 않는다.

07-07-23

06 **적절성**의 원칙은 클라이언트에게 여러 서비스들이 누락되지 않고 제공되기 위한 노력이다.

> 적절성의 원칙은 욕구충족을 위해 충분한 양과 질의 서비스가 제공되어야 함을 말한다.
> 다양한 서비스의 누락 방지와 관련된 원칙은 통합성의 원칙이다.

다음 내용이 옳은지 그른지 판단해보자

01 서비스의 활용성은 접근성과는 무관하다. ◎ ⊗

22-07-23
02 서비스의 과활용이란, 욕구가 없는 사람에게까지 서비스가 제공되는 오류를 말한다. ◎ ⊗

13-07-23
03 아웃리치, 홍보, 정보 및 의뢰, 클라이언트와의 신뢰구축, 서비스 조직의 개선 등은 서비스의 활용성 ◎ ⊗
을 제고하기 위한 방안이 된다.

04 서비스의 활용성은 서비스를 제공하는 과정에서 고려해야 할 사항으로 조직의 관리 및 운영 측면의 ◎ ⊗
문제는 아니다.

09-07-05
05 서비스별로 인테이크 창구를 마련함으로써 통합성을 증진시킬 수 있다. ◎ ⊗

02-07-31
06 종합적인 정보와 의뢰 시스템(I&R)은 전달체계들을 단순 조정하는 방법으로 각기 독립성을 유지하 ◎ ⊗
면서 통합적 제공을 강화하는 방법이다.

08-07-22
07 기관들 간 네트워크 구축, 거점조직 창설, 아웃리치 시행 등은 사회복지 전달체계의 통합성을 제고 ◎ ⊗
하기 위한 방법이다.

답 **01** ✕ **02** ○ **03** ○ **04** ✕ **05** ✕ **06** ○ **07** ✕

해설 **01** 활용성은 서비스를 필요로 하는 사람이 반드시 서비스를 받을 수 있도록 해야 함을 내포한다는 점에서 접근성의 개념과도 연결된다.
04 서비스의 활용성은 한정된 자원으로 최대한의 효용을 발휘하기 위한 것으로 어떤 서비스를 누구에게 어떻게 제공할 것인가를 판
단하는 과정에서 고려하게 된다. 따라서 활용성은 자원의 활용이나 서비스 제공 방식 등에 관한 조직의 관리 및 운영 등 행정적 측
면도 관련이 있다.
05 하나의 창구에서 인테이크가 이루어지도록 단일화함으로써 통합성을 증진시킬 수 있다.
07 아웃리치 시행은 통합성과는 큰 관련이 없다.

KEYWORD

202

전달체계의 구분 및 역할

강의 QR코드

| 1회독 | 2회독 | 3회독 |
| 월 일 | 월 일 | 월 일 |

최근 10년간 **9문항** 출제

 복습 1

이론요약

 23회 기출 21회 기출 20회 기출 19회 기출

전달체계의 구분

▶ 운영주체별 구분

민간 위탁기관 등의 등장으로 운영주체의 엄격한 구분은 어려워지고 있다.

- 공공(공적) 전달체계: 정부(중앙 및 지방)나 공공기관이 직접 관리·운영하는 것
- 민간(사적) 전달체계: 민간(또는 민간단체)이 직접 관리·운영하는 것

▶ 행정체계와 집행체계

행정체계와 집행체계는 실제 서비스의 운영방식에 따라 구분되기 때문에 행정체계와 집행체계는 고정적으로 구분되는 것은 아니다.

- 행정체계: 서비스를 기획, 지시, 관리하는 지원 기능을 수행
- 집행체계: 수혜자들에게 서비스를 전달하는 기능을 주로 수행 + 일부 행정기능

기본개념

사회복지행정론
pp.104~

공공 전달체계의 역할

- 사회적 요구는 많지만 민간(즉 시장원리)에 의해 적절한 공급이 어려운 서비스 제공
- **공공재**의 제공
- 다양한 제공 주체를 연계
- 여러 주체 사이에 발생하는 갈등관계 조정
- **불평등 분배의 재분배**
- **사회적 취약계층에 대한 보호**

민간 전달체계의 역할

- 정부 제공 서비스의 사각지대에 놓인 취약계층 지원
- 환경변화에 맞춘 한발 빠른 **선도적 서비스** 보급
- 동일 종류의 **서비스에 대한 선택의 기회** 제공
- 자원봉사, 후원 등 민간의 사회복지 참여 욕구 수렴
- 정부의 사회복지 활동에 대한 압력단체 역할
- 국가의 사회복지 비용 절약

역할분담의 원칙

- 공공재, 외부효과가 큰 복지재는 국가 중심의 제공
- 사유재, 내부효과가 큰 복지재에는 시장의 핵심이 되는 기업조직 등의 협조가 필요
- 연대재의 특성이 강하거나, 연계효과가 큰 복지재의 분배에는 자원부문, 즉 각종 시민사회조직이나 자조집단 등의 적극적인 참여가 요구됨
- **평등이나 공평성의 가치를 추구하는 서비스는 공공에서 제공**

공공과 민간의 역할분담 모형

- 병행보완 모형: 공공과 민간이 각각 재원을 조달하고 급여의 대상은 다른 경우
- 병행보충 모형: 공공과 민간이 각각 재원을 조달하고 급여의 대상도 같지만, 서로 상이한 급여를 제공하는 것
- 협동대리 모형: 공공은 재원을 조달하고, 민간은 급여를 제공하는 방식으로, 이때 민간은 정부인의 대리인으로서 제한적 역할을 하는 일방적인 관계가 됨
- 협동동반 모형: 공공은 재원을 조달하고, 민간은 급여를 제공하지만, 일방적 관계가 아닌 상호적, 쌍방적 관계를 형성하여 이때 민간은 정책개발 등에 있어 재량권을 가짐

01 (23-07-17) 집행체계는 수급자와 대면 관계를 통해 서비스를 제공한다.

02 (21-07-15) 한국 사회복지행정 체계는 읍·면·동 중심의 서비스 제공에 노력하고 있다.

03 (20-07-22) 전달체계는 구조·기능 차원에서 행정체계와 집행체계로 구분할 수 있다.

04 (20-07-22) 전달체계는 운영주체에 따라서 공공체계와 민간체계로 구분할 수 있다.

05 (20-07-22) 서비스 제공기관을 의도적으로 중복해서 만드는 것이 전달체계를 개선해 줄 수도 있다.

06 (19-07-03) 사회복지 행정체계는 공공 행정체계와 민간 행정체계로 구성된다.

07 (19-07-03) 중앙정부의 사회복지 담당 부처는 보건복지부이다.

08 (19-07-03) 지방자치단체의 사회복지 행정체계는 일반 행정체계에 포함되어 있다.

09 (15-07-10) 사회복지 전달체계는 구조·기능적 차원에서는 행정체계와 집행체계로 구분된다.

10 (15-07-10) 행정체계는 서비스를 기획, 지시, 지원, 관리하는 것을 말한다.

11 (15-07-10) 집행체계는 서비스 전달기능을 주로 수행하면서 행정기능도 수행한다.

12 (15-07-10) 읍·면·동은 사회복지서비스와 급여를 제공하는 집행체계에 해당한다.

13 (14-07-02) 민간 전달체계는 정부제공 서비스의 비해당자를 지원할 수 있다.

14 (14-07-02) 민간 전달체계는 서비스 선택의 기회를 확대하는 측면이 있다.

15 (14-07-02) 민간 전달체계는 특정영역에서 고도로 전문화된 서비스를 제공하는 데에 강점이 있다.

16 (14-07-02) 민간 전달체계는 환경 변화에 대응하여 서비스를 선도하는 데에 유리하다.

17 (14-07-06) 우리나라 공공부조 전달에 있어 시·군·구/읍·면·동이 중요한 역할을 하고 있다.

18 (13-07-11) 자활급여 전달체계: 보건복지부 – 지방자치단체 – 서비스 기관 – 이용자

19 (12-07-10) 민간 전달체계는 다양한 서비스 제공이 가능하다.

20 (12-07-10) 민간 전달체계는 서비스 이용자의 선택 기회를 넓힌다.

21 (12-07-10) 민간 전달체계는 선도적인 서비스 개발과 보급에 유리하다.

22 (12-07-10) 민간 전달체계는 민간의 사회복지 참여욕구를 수렴할 수 있다.

23 (11-07-29) 복지혼합은 전달체계의 복잡성을 증가시키고 있다.

24 (08-07-01) 사회복지전담공무원은 시·도, 시·군·구, 읍·면·동 또는 사회보장사무 전담기구에서 활동한다.

25 (07-07-30) 전달체계의 한 대안으로 시장화, 민영화가 일어나고 있으며, 사회복지서비스 분야에 영리조직의 참여가 증가하고 있다.

26 (07-07-30) 민·관 간 협의 및 연계가 강조되고 있으며, 조직 간 수평적 네트워크 체계가 강조되고 있다.

27 (06-07-08) 지방정부는 지역주민 욕구에 대한 신속한 대응 및 시민참여에 용이하다.

28 (06-07-08) 중앙정부는 평등과 사회적 적절성 달성에 유리하다.

29 (06-07-08) 민간은 경쟁에 따른 서비스 질을 높일 수 있다.

30 (06-07-26) 민간조직은 국가 사회복지 재정을 절약하는 데에 도움이 되며, 다양한 서비스 제공 및 새로운 서비스의 선도적 개발·보급에 유리하다.

31 (02-07-32) 민간부문은 공공부문에 비해 서비스의 안정성이 취약하다.

대표기출 확인하기

난이도 ★★☆

사회복지 전달체계에 관한 설명으로 옳지 않은 것은?

① 공공 전달체계, 민간 전달체계, 공공과 민간 혼합 전달체계로 구분한다.
② 집행체계는 수급자와 대면 관계를 통해 서비스를 제공한다.
③ 행정복지센터, 공단, 사회복지법인은 공공 전달체계이다.
④ 사회복지서비스 공급자와 소비자를 연결하는 조직적 · 체계적 장치이다.
⑤ 우리나라 사회복지서비스는 공공과 민간의 혼합 전달체계로 제공된다.

▶ 알짜확인

• 사회서비스가 제공되는 다양한 전달체계들을 살펴보자.
• 공공과 민간의 역할 분담 및 장단점 등을 정리해두자.

답 ③

✓ 응시생들의 선택

① 3%	② 40%	③ 52%	④ 1%	⑤ 4%

③ 공공 전달체계는 정부나 공공기관이 직접 관리하는 것이고, 민간 전달체계는 민간기관 또는 민간단체가 직접 관리하는 것이다. 사회복지법인은 공공 전달체계가 아니고 민간 전달체계이며, 사회복지사업법에 따라 설립된 법인에 해당한다.

관련기출 더 보기

난이도 ★★☆

한국 사회복지행정 체계에 관한 설명으로 옳지 않은 것은?

① 읍 · 면 · 동 중심의 서비스 제공에 노력하고 있다.
② 사회서비스는 단일한 공급주체에 의해 제공된다.
③ 위험관리는 위험의 사전예방과 사후관리를 모두 포함한다.
④ 지역사회 통합돌봄(커뮤니티 케어) 시행으로 지역사회 내 보건복지 서비스 제공이 확대되고 있다.
⑤ 사회서비스의 개념이 기존의 사회복지서비스를 포괄하고 있다.

답 ②

✓ 응시생들의 선택

① 2%	② 93%	③ 2%	④ 2%	⑤ 1%

② 사회서비스 공급주체는 공공, 민간, 공공의 민간 위탁, 비영리조직, 사회적기업까지 다양한 형태가 있다.

사회복지서비스 전달체계에 관한 설명으로 옳지 않은 것은?

① 구조·기능 차원에서 행정체계와 집행체계로 구분할 수 있다.
② 운영주체에 따라서 공공체계와 민간체계로 구분할 수 있다.
③ 전달체계의 접근성을 높이기 위해서는 서비스 이용의 장애요인을 줄여야 한다.
④ 사회복지서비스 급여의 유형과 전달체계 특성은 관련이 없다.
⑤ 서비스 제공기관을 의도적으로 중복해서 만드는 것이 전달체계를 개선해 줄 수도 있다.

답 ④

✅ **응시생들의 선택**

① 1%	② 2%	③ 2%	④ 70%	⑤ 25%

④ 사회복지급여는 현금, 현물 외에 무형의 서비스도 있다. 따라서 제공되는 유형에 따라 제공되는 방식이 다를 수 있다.

사회복지서비스 전달체계에 관한 설명으로 옳지 않은 것은?

① 구조·기능적 차원에서는 행정체계와 집행체계로 구분된다.
② 서비스 종류에 따라 공적 전달체계와 사적 전달체계로 구분된다.
③ 행정체계는 서비스를 기획, 지시, 지원, 관리하는 것을 말한다.
④ 집행체계는 서비스 전달기능을 주로 수행하면서 행정기능도 수행한다.
⑤ 읍·면·동은 사회복지서비스와 급여를 제공하는 집행체계에 해당한다.

답 ②

✅ **응시생들의 선택**

① 3%	② 44%	③ 5%	④ 13%	⑤ 35%

② 운영주체에 따라 공적 전달체계와 사적 전달체계로 구분된다.

한국의 사회복지 행정체계에 관한 설명으로 옳지 않은 것은?

① 공공 행정체계와 민간 행정체계로 구성된다.
② 중앙정부의 사회복지 담당 부처는 보건복지부이다.
③ 지방자치단체의 사회복지 행정체계는 일반 행정체계에 포함되어 있다.
④ 민간 사회복지기관은 국가나 지방자치단체의 보조금을 받지 않는다.
⑤ 사회복지 행정체계에는 영리 사업자도 참여하고 있다.

답 ④

✅ **응시생들의 선택**

① 0%	② 1%	③ 2%	④ 94%	⑤ 3%

④ 민간 사회복지기관은 국가나 지방자치단체의 보조금을 받고 있으며, 사실상 이 보조금이 운영비의 가장 큰 부분을 차지하는 경우가 많다.

사회복지서비스 전달에서 공공과 민간의 상대적 장점을 고려할 때 바람직한 역할분담으로 옳지 않은 것은?

① 공공재적 성격, 외부효과가 강한 서비스는 정부가 제공
② 개별화가 강한 서비스는 민간이 제공
③ 재원 안정성이 중요한 서비스는 정부가 제공
④ 표준화가 용이한 서비스는 민간이 제공
⑤ 기초적인 대규모 서비스는 정부가 제공

답 ④

✅ **응시생들의 선택**

① 2%	② 3%	③ 2%	④ 88%	⑤ 5%

④ 표준화가 용이한 서비스는 공공 전달체계를 통해 제공되는 것이 바람직하다.

다음 내용이 왜 틀렸는지를 확인해보자

01 행정체계와 집행체계는 **서비스의 유형**에 따른 구분이다.

> 행정체계와 집행체계는 서비스의 운영 방식에 따라 구분된다.

02 공공 전달체계는 행정체계, 민간 전달체계는 집행체계이다.

> 행정체계와 집행체계의 구분이 공공과 민간의 구분을 의미하는 것은 아니다. 행정체계는 기획 및 관리 기능을 수행하고, 집행체계는 서비스를 직접 전달하는 역할에 집중한다.

03 국민기초생활보장 급여에 있어 **행정체계**는 읍·면·동 행정복지센터가 된다.

> 행정체계와 집행체계의 구분은 실제 급여마다 다른데, 국민기초생활보장 급여의 경우 읍·면·동 행정복지센터에서 상담, 접수, 서비스 제공이 이루어지므로 집행체계가 된다.

04 **민간** 전달체계는 지속적이고 안정적인 서비스 보급에 유리하다.

> 지속적이고 안정적인 서비스 보급은 공공 전달체계가 더 유리하다.

05 환경변화에 민감한 새로운 서비스의 개발은 **공공 전달체계가 더 유리**하다.

> 환경변화에 민감한 새로운 서비스의 개발은 민간 전달체계가 더 유리하다.

다음 내용이 옳은지 그른지 판단해보자

05-07-25

01 사회복지서비스는 지방자치단체보다는 중앙정부를 통해 제공되는 방향으로 변화하고 있다. ◎ ⊗

14-07-06

02 공공부조의 전달체계에서 시 · 군 · 구 / 읍 · 면 · 동이 중요한 역할을 하고 있다. ◎ ⊗

12-07-03

03 국민연금은 시 · 군 · 구에서 담당 · 전달한다. ◎ ⊗

12-07-10

04 사회복지서비스 전달에서 민간조직은 선도적인 서비스 개발과 보급에 유리하다. ◎ ⊗

14-07-15

05 표준화가 용이한 서비스는 민간 전달체계를 통해 제공하는 것이 더 적절하다. ◎ ⊗

06 민간 부문은 공공 부문에서 제공되는 서비스와 동일한 서비스를 제공해서는 안 된다. ◎ ⊗

답 **01** × **02** ○ **03** × **04** ○ **05** × **06** ×

해설 **01** 사회복지 부문 역시 지방분권화되어 있다.
03 국민연금은 국민연금공단에서 담당·전달한다.
05 표준화가 용이한 서비스는 공공 전달체계에서 제공하는 것이 바람직하다.
06 동일한 서비스가 제공될 경우 공공 서비스 수급에서 탈락한 사람들이 민간 부문을 통해 서비스를 받을 수 있다.

사회복지조직의 기획과 의사결정

이 장에서는

기획의 개념 및 필요성, 과정을 살펴보고, 간트 차트, PERT 등 기획 기법에 대해 학습한다. 주로 기획에 관한 출제율이 높지만, 의사결정나무분석, 대안선택흐름도표, 델파이, 명목집단, 브레인스토밍 등 의사결정 기법에 관한 문제나 직관적·판단적·문제해결적 결정 및 정형적·비정형적 결정 등에 관한 문제가 출제되어 응시생들을 혼란스럽게 하기도 했다.

10년간 출제분포도

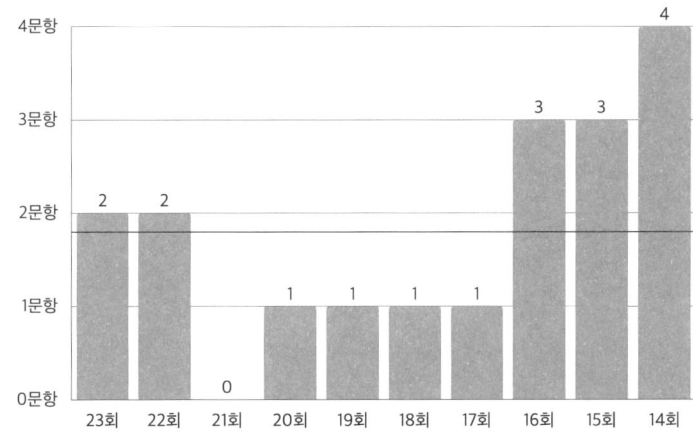

1.8
문항

평균 출제문항수

1 회독　월　일　　2 회독　월　일　　3 회독　월　일

최근 10년간 **7문항** 출제

이론요약

 23회 기출　 22회 기출　 19회 기출

간트 차트(Gantt Chart)

• 세로 바에는 세부목표와 활동 및 프로그램을 기입하고 가로 바에는 시간을 기입하여 <u>세부 활동의 소요시간을 막대로 나타내는 도표</u>
• 단순명료하다는 장점이 있지만 **과업 간 연관성을 알 수 없음**

기본개념

사회복지행정론
pp.125~

프로그램 평가검토 기법(PERT)

• 과업과 활동 소요시간 추정을 바탕으로 도식화
• **활동과 과업 사이의 상관관계를 알 수 있음**
• 최종목적에서 시작해서 주요 과업과 활동들을 역방향으로 연결
• <u>임계경로 산정: 임계경로는 프로그램 진행을 과정별로 계산했을 때 가장 오래 걸리는 시간이자, 최소한 확보해야 하는 시간</u>

월별 활동계획 카드(Shed-U Graph)

• 카드 위쪽 가로에 월별 기록, 해당 월 아래 과업 기록
• 시간에 따라 변경하고 이동하는 것은 편리하지만 업무 간 연관성을 알 수 없음

방침관리기획(PDCA)

• 계획(Plan), 실행(Do), 확인(Check), 조정(Action)의 사이클에 따른 프로그램 기획 기법
• 핵심 목표의 달성을 위해 조직의 자원을 결집시키는 데에 초점을 두고, 전 구성원의 노력을 조정하기 위한 기법

01 (23-07-18) 프로그램 평가검토 기법(PERT)은 일정 변경 등 유동적인 상황에서 조정이 가능하다.

02 (22-07-20) 프로그램 평가 검토기법(PERT)은 프로그램을 구성하는 활동들 간 상호관계와 연계성을 명확하게 보여준다. 임계 경로와 여유시간에 대한 정보를 파악할 수 있다. 프로그램 진행 일정을 관리하는 목적으로 많이 활용된다.

03 (19-07-19) 간트 도표(Gantt chart)는 사업별로 진행시간을 파악하여 각각 단계별로 분류한 시간을 단선적 활동으로 나타낸다.

04 (19-07-19) 프로그램 평가 검토기법(PERT)은 일정한 기간에 추진해야 하는 행사에 필요한 복잡한 과업의 순서가 보이도록 하고 임계통로를 거친다.

05 (18-07-22) 간트 차트는 헨리 간트(H. Gantt)에 의해 최초로 개발된 것으로, 활동과 활동 사이의 상관관계를 파악하기 어렵다는 단점이 있다.

06 (16-07-19) 시간별 활동계획 도표(Gantt Chart): 막대그래프를 이용해서 막대그래프 차트로도 불린다. 작업 간의 연결성에 대해 파악이 어렵다.

07 (15 07 16) 프로그램평가검토기법(PERT)은 목표달성이 기한을 정해 놓고 진행한다.

08 (15-07-16) 프로그램평가검토기법은 과업별 소요시간을 계산하여 추정한다.

09 (15-07-16) 프로그램평가검토기법은 최종 목표를 달성하는 데 있어 필요한 최단 기간을 제시할 수 있는 기법이다.

10 (15-07-16) 프로그램평가검토기법은 주요 세부목표 또는 활동의 상호관계와 시간계획을 연결시켜 나타낸다.

11 (13-07-19) 프로그램의 목표와 활동 간 관계를 합리적으로 관리하기 위해 PERT, MBO, Gantt Chart 등을 고려해볼 수 있다.

12 (11-07-14) PERT에서 프로그램 시작부터 모든 활동의 종료까지 소요되는 최소한의 시간 경로를 찾는 방법은 임계 경로(critical path)이다.

13 (10-07-03) PERT는 프로그램에 필요한 과업들을 확인하고, 과업별 소요시간을 계산하며, 전체 과업들 간 최적의 시간경로를 파악한다.

14 (08-07-07) 간트 차트는 프로그램기획에서 세부목표와 활동 및 프로그램을 기입하며 과업수행시간을 관리하는 데 사용되는 기법이다.

15 (07-07-21) 간트도표는 월별 및 일별 세부계획을 도표식으로 나타내는 방법이다.

16 (04-07-25) 간트차트는 상대적으로 복잡하지 않은 사업을 계획할 때 주로 사용하며, 단순 명료하다는 장점이 있지만, 세부목표 간 상호연관성은 알 수 없다.

17 (03-07-16) PERT: 미해군 핵잠수함 건축과정에서 고안되었다. 세부 프로그램 사이에 흐름을 이해하기 쉽다. 프로그램인 세부 목표 사이에 시간을 계산하여 표시한다. 가장 긴 시간이 걸리는 통로를 임계통로라 한다.

대표기출 확인하기

23-07-18
난이도 ★★☆

기획에 활용되는 기법에 관한 설명으로 옳지 않은 것은?

① 간트 차트(Gantt Chart)는 사업을 계획할 때 쉽고 간단하게 작성할 수 있다.

② 간트 차트(Gantt Chart)는 일정계획 변경을 유연하게 수용하기 어렵다.

③ 프로그램 평가검토 기법(PERT)은 업무를 체계적으로 수행하는 데 도움이 된다.

④ 프로그램 평가검토 기법(PERT)은 일정 변경 등 유동적인 상황을 대처하는 데 어렵다.

⑤ 총괄진행표(Flow Chart)는 프로그램 제공과정을 시작부터 종료까지 한눈에 볼 수 있다.

 알짜확인

• 간트 차트, 프로그램 평가검토 기법(PERT) 등 주요 기획 기법에 대해 살펴봐야 한다.

답 ④

응시생들의 선택

① 2%	② 47%	③ 1%	④ 48%	⑤ 2%

④ 프로그램 평가검토 기법(PERT)은 일정 변경 등 유동적인 상황을 대처하는 데 어렵지 않고 조정 가능하다. 그 이유는 기대시간(Te)을 계산함에 있어 낙관적 시간(To), 최빈시간(Tm), 비관적 시간(Tp)이라는 3가지 추정치로 계산하기 때문이다. 즉, 작업 소요 시간을 계산함에 있어 하나의 단일 값으로 확정하지 않고 3가지 범위와 불확실성을 포함하기 때문에 일정 변경과 작업 지연이 발생하더라도 초기 설정된 최대 및 최소 범위를 기반으로 일정을 변경하고 조정할 수 있다. 따라서 프로그램 평가검토 기법(PERT)은 계산이 번거롭긴 하지만 임계경로 안에서는 조정이 가능하다.

관련기출 더 보기

22-07-20
난이도 ★★☆

다음 설명에 해당하는 프로그램 관리기법은?

• 프로그램 진행 일정을 관리하는 목적으로 많이 활용됨
• 프로그램을 구성하는 활동들 간 상호관계와 연계성을 명확하게 보여줌
• 임계경로와 여유시간에 대한 정보를 파악할 수 있음

① 프로그램 평가 검토기법(PERT)
② 간트 차트(Gantt Chart)
③ 논리모델(Logic Model)
④ 임팩트모델(Impact Model)
⑤ 플로우 차트(Flow Chart)

답 ①

응시생들의 선택

① 77%	② 12%	③ 3%	④ 2%	⑤ 6%

② 간트 차트: 각 활동별 예상되는 소요기간을 막대 그래프로 표시한다.

③ 논리모델: 투입 → 전환 → 산출 → 성과의 체계에 따라 구성한다.

④ 임팩트 모델: 프로그램이나 정책의 영향력을 중심으로 대상집단에 미친 장기적이고 포괄적인 차원(사회적 영향, 경제적 영향, 환경적 영향차원 등)의 실질적인 변화와 결과를 측정하고 분석하는 데에 초점을 둔다. 영향(impact)은 장기적이고 거시적인 차원에서 관찰되는 변화로 프로그램이나 정책의 궁극적인 최종의 목표라 할 수 있다. 임팩트 모델을 통해 프로그램의 단순한 산출이나 성과를 넘어 실제 사회적 문제해결에 대한 기여를 평가할 수 있다는 점과 그 과정에서 나타난 긍정적 영향과 부정적 영향의 발생을 평가하고 분석할 수 있다.

⑤ 플로우 차트(흐름도, 순서도): 문제 분석하여 그 문제를 해결하기 위해 필요한 작업활동과 처리순서를 통일된 기호와 도형을 사용해서 도식화한다.

기획의 모델과 기법에 관한 설명으로 옳지 않은 것은?

① 논리모델은 투입 – 활동 – 산출 – 성과로 도식화하는 방법이다.
② 전략적 기획은 과정을 강조하므로 우선순위를 설정하고 단계적인 계획을 수립한다.
③ 방침관리기획(PDCA)은 체계이론을 적용한 모델이다.
④ 간트 도표(Gantt chart)는 사업별로 진행시간을 파악하여 각각 단계별로 분류한 시간을 단선적 활동으로 나타낸다.
⑤ 프로그램 평가 검토기법(PERT)은 일정한 기간에 추진해야 하는 행사에 필요한 복잡한 과업의 순서가 보이도록 하고 임계통로를 거친다.

답 ③

✔ 응시생들의 선택

① 15%	② 21%	③ 28%	④ 23%	⑤ 13%

③ 방침관리기획은 계획을 바로 실행에 옮기는 방식으로, 체계이론을 적용하지는 않았다. 체계이론을 바탕으로 하는 것은 논리모델이다.

시간별 활동계획도표(Gantt Chart)의 설명으로 옳은 것을 모두 고른 것은?

ㄱ. 시간별 활동계획의 설계는 확인 – 조정 – 계획 – 실행의 순환적 과정으로 이루어진다.
ㄴ. 헨리 간트(H. Gantt)에 의해 최초로 개발되었다.
ㄷ. 목표달성 기한을 정해놓고 목표달성을 위해 설정된 주요활동과 시간계획을 연결시켜 도표로 나타낸 것이다.
ㄹ. 활동과 활동 사이의 상관관계를 파악하기 힘들다.

① ㄱ, ㄴ
② ㄱ, ㄷ
③ ㄴ, ㄷ
④ ㄴ, ㄹ
⑤ ㄷ, ㄹ

답 ④

✔ 응시생들의 선택

① 5%	② 7%	③ 30%	④ 44%	⑤ 14%

ㄱ. 간트 차트는 '1단계: 목표달성에 필요한 작업을 단계별로 분류 → 2단계: 1단계에서 분류된 각각의 작업에 대해 소요되는 시간을 계산 → 3단계: 큰 틀 안에서 같이 진행되어야 하는 작업 등 특이사항 정리 → 4단계: 1~3단계의 내용을 토대로 도표화'하는 과정으로 이루어진다.
ㄷ. 프로그램 평가검토 기법(PERT)에 해당하는 설명이다.

프로그램의 목표와 활동 간 관계를 합리적으로 관리하는 기법을 모두 고른 것은?

ㄱ. PERT
ㄴ. MBO
ㄷ. Gantt chart
ㄹ. 아웃소싱(outsourcing)

① ㄱ, ㄴ, ㄷ
② ㄱ, ㄷ
③ ㄴ, ㄹ
④ ㄹ
⑤ ㄱ, ㄴ, ㄷ, ㄹ

답 ①

✔ 응시생들의 선택

① 27%	② 45%	③ 10%	④ 7%	⑤ 11%

간트 차트와 PERT는 대표적인 기획 기법이다. MBO(목표관리이론)는 전체 구성원의 참여를 바탕으로 생산활동의 단기적 목표를 분명히 설정하여 그에 따라 활동을 수행하고 결과를 피드백하는 관리체계이다.

➕ 덧붙임

어려운 문제는 아니었지만, 많은 응시생들이 3장에서 공부했던 목표관리이론인 MBO가 기획 기법으로 활용될 수 있는지를 몰라 정답률이 매우 낮게 나타났다. MBO는 종합적인 조직운영 기법으로 출발하여 목표를 중심으로 수립하는 예산관리 기법, 기획 기법으로 활용되기도 한다.

PERT에서 프로그램 시작부터 모든 활동의 종료까지 소요되는 최소한의 시간 경로를 찾는 방법은?

① 최소 경로(minimal path)
② 임계 경로(critical path)
③ 기술 경로(technical path)
④ 혼합 경로(mixed path)
⑤ 기대 경로(expected path)

답 ②

✔ 응시생들의 선택

① 30%	② 60%	③ 3%	④ 1%	⑤ 6%

② PERT에서는 활동에 걸리는 기대시간을 산정하는데, 조사의 시작에서 종료까지 이르는 경로 가운데 가장 오랜 시간이 소요되는 경로를 임계경로라고 한다. 임계경로에 따른 시간은 반드시 확보되어야 하는 최소한의 시간이다.

다음 내용이 왜 틀렸는지를 확인해보자

`02-07-07`

01 PERT, 간트 차트, MBO, **관리격자모형** 등은 기획에 사용되는 기법들이다.

> 관리격자모형은 리더십 이론이다.

`16-07-19`

02 PERT는 막대그래프를 사용하여 도식화하기 때문에 막대그래프 차트라고도 한다.

> 간트 차트에 해당하는 설명이다.

---

03 PERT의 도표에서 나타나는 **화살표의 길이는 각 과업의 소요시간을** 나타낸다.

> 화살표의 길이에 의미가 있는 것은 아니다.

`15-07-16`

04 프로그램평가검토기법(PERT)은 갠트 차트(Gantt chart)에 비해 **활동 간의 상관관계를 파악하는 데 유용하지 않다.**

> PERT는 각 과업의 소요시간을 추정하여 화살표로 연결하기 때문에 활동 간의 상관관계를 파악할 수 있다.
> 간트차트는 각 과업의 소요기간을 막대 그래프로 표시할 뿐이어서 상관관계를 파악하기는 어렵다.

---

05 방침관리기획은 **계획을 실행에 옮기기 전 어떤 문제가 발생할 수 있을지에 초점**을 맞춘다.

> 방침관리기획은 계획을 바로 실행에 옮긴 후 문제상황이 발생할 때마다 수정해나가는 방식으로 진행된다.

---

06 PERT는 **간단하고 시급한 단기계획을 수립**하는 데에 주로 사용된다.

> PERT는 애초에 장기기획을 위한 방법으로 고안되었다. 다만 세부활동이 지나치게 많은 경우에는 도식이 복잡해진다는 단점도 있다.

---

07 월별활동계획카드는 **PERT 방식과 유사**하다.

> 월별활동계획카드는 각 달마다 수행되어야 할 과업을 적은 카드를 꽂아두는 방식으로, 간트 차트와 유사하다.

빈칸에 들어갈 알맞은 말을 채워보자

01 (   )은/는 막대 그래프를 이용해 각각의 활동에 소요되는 시간을 표시하는 방식이다.

02 (   )은/는 각 활동 사이의 연결성에 따라 도표화하여 프로그램 진행상황을 추적해나가는 데에 유용한 방식이다.

03 프로그램 평가검토 기법에서는 각각의 활동에 걸리는 기대시간을 측정하여 시작에서 종료까지 확보되어야 하는 경로인 (   )을/를 계산한다.

 답 **01** 간트 차트   **02** PERT   **03** 임계경로

다음 내용이 옳은지 그른지 판단해보자

`22-07-20`
01 PERT는 임계통로에 대한 정확한 정보파악에 유용하다.

02 프로그램 평가검토 기법은 각 과업을 시작부터 최종목적까지 정방향으로 파악하여 작성한다.

`17-07-19`
03 PERT는 최초로 시도되는 프로그램 관리에는 유용하지 않다.

04 방침관리기획은 계획(Plan), 확인(Check), 조정(Action), 실행(Do)의 사이클에 따라 이루어지는 기획 기법이다.

05 간트차트는 세부 활동 간의 인과관계를 파악하기 어렵다.

 답 **01** ○   **02** ×   **03** ×   **04** ×   **05** ○

(해설) **02** PERT 기법은 최종목적이 완료되어야 할 시점에서부터 역방향으로 주요 과업들을 배치하면서 도식화한다.
03 최초로 시도되는 프로그램의 기획에도 적용할 수 있다.
04 방침관리기획은 계획(Plan), 실행(Do), 확인(Check), 조정(Action)의 사이클로 운용된다.

KEYWORD

204

기획의 특징 및 과정 등

강의 QR코드

1회독 월 일 | 2회독 월 일 | 3회독 월 일

최근 10년간 **6문항** 출제

복습
1 **이론요약**

20회 기출

기획의 주요 특징

- 미래지향적 과정
- 계속적 과정
- 동태적 과정
- 과정지향적
- 의사결정과 관련된 행정활동
- 목표달성을 위한 수단적 과정
- 미래 활동에 대한 통제

기본개념

사회복지행정론
pp.118~

사회복지조직에서 기획의 필요성

- 효과성 및 효율성 증진
- 조직의 사회적 책임성 강화
- 구성원들의 사기진작에 기여
- 목표의 모호성 감소
- 문제해결을 위한 합리성 증진

기획 과정(스키드모어)

스키드모어는 기획을 위한 과정으로 '**목표 설정 → 자원 고려 → 대안 모색 → 결과 예측 → 계획 결정 → 구체적 프로 그램 수립 → 개방성 유지**'의 7단계를 제시하였다.

- 목표 설정: 목표는 구체적이고 명료하게, 측정 가능하게, 달성 가능하게, 현실성 있게, 시간구조를 갖도록 구성한다.
- 자원 고려: 목표를 달성하기 위한 정보 수집 및 인적, 물적 자원을 파악한다.
- 대안 모색: 대안을 모색할 때에는 창의적인 대안이 제시될 수 있도록 해야 한다.
- 결과 예측: 결과를 예측할 때에는 효과성과 효율성 등을 두루 검토하며 각 대안의 장단점을 살펴본다.
- 계획 결정: 결과 예측에 따라 각 대안들의 우선순위를 매겨 이를 바탕으로 최종적인 결정을 하게 되는데 현실적으로 가 능한지를 고려해야 한다.
- 구체적 프로그램 수립: 최우선으로 결정된 대안의 활동내용을 구체화하는 단계이다.
- 개방성 유지: 실제 실행과정에서는 예상치 못한 문제가 발생할 수 있기 때문에 융통성 있게 대처해야 함을 의미한다.

기획의 유형

- 위계수준에 따른 구분
  - 최고관리층: 조직 전체적 차원에 대한 기획, 장기기획, 전략기획
  - 중간관리층: 각 부서별/부문별 차원의 기획, 부서별 관리와 관련된 운영기획
  - 감독관리층: 감독권한이 있는 해당 사업에 대한 기획, 각 사업에 대한 운영기획
- 계층에 따른 구분
  - 정책기획: 조직 전체의 정책적, 거시적 차원에 대한 기획
  - 운영기획: 프로그램의 구체적인 운영에 대한 기획, 중간 계층 이하에서 작성하는 관리 차원의 기획
- 전략적 기획
  - 목표를 달성하고 성과를 극대화하기 위한 전략의 수립·실행·평가 등에 대한 체계적이고 총체적인 접근의 기획으로, 비교적 장기간에 걸쳐 수립
  - 장기적 차원의 전략기획에 따라 단기적으로 진행되는 각 단계별 기획을 전술기획이라고 함
  - 전략기획의 과정: 기획의 준비 → 설립취지의 점검 → 요구사항 분석 → 조직 내·외부 환경에 관한 SWOT 분석 → 목표외 우선순위의 설정 ，추진 계획의 작성과 승인 → 집행과 통제 → 평가

기출문장 CHECK

01 (20-07-09) 기획과정: 구체적 목표 설정 → 가용자원 검토 → 대안 모색 → 대안 결과예측 → 최종대안 선택 → 프로그램 실행 계획 수립

02 (19-07-19) 전략적 기획은 과정을 강조하므로 우선순위를 설정하고 단계적인 계획을 수립한다.

03 (16-07-21) 기획의 과정 중 구체적 프로그램수립 단계는 도표 작성 등의 업무를 포함한다.

04 (16-07-21) 기획의 과정 중 결과예측 단계는 발생 가능한 일을 다각도에서 예측해 보는 것이다.

05 (16-07-21) 기획의 과정 중 개방성 유지 단계에서 보다 나은 절차가 없는 경우 기존 계획이 유지된다.

06 (16-07-25) 기획의 특징: 연속적이며 동태적인 과업이다. 효율성 및 효과성 모두 관련이 있다. 미래의 환경 변화에 대응하기 위한 의사결정과정이다.

07 (15-07-08) 전략적 기획은 조직의 기본적인 결정과 행동계획을 수립하기 위해 이루어진다.

08 (14-07-10) 기획을 통해 사회복지조직의 불확실성을 감소시킬 수 있다.

09 (14-07-10) 기획은 서비스의 효과적 달성 및 구성원의 사기진작을 위해서도 필요하다.

10 (14-07-10) 기획은 목표 달성을 위한 미래 활동을 준비하는 과정이다.

11 (12-07-17) 기획은 미래에 일어날 일을 예측하며 과거 오류의 재발을 방지한다.

12 (12-07-17) 기획은 프로그램의 효율성, 효과성 및 합리성을 증진시킨다.

13 (09-07-14) 전략적 기획 과정에서는 조직의 사명과 가치를 설정하고 자원을 할당한다.

14 (05-07-10) 기획은 미래지향적이며 동태적 과정이다.

15 (04-07-21) 기획은 목적적이고 미래지향적이며, 의사소통과 관련이 있다.

16 (02-07-19) 기획은 지속적인 과정이다.

17 (02-07-20) 기획은 미래에 대한 불확실성을 감소시키고 조직의 책임성을 증진시킬 수 있다.

대표기출 확인하기

16-07-25 　　　　난이도 ★★★

기획에 관한 설명으로 옳지 않은 것은?

① 연속적이며 동태적인 과업이다.
② 효율성 및 효과성 모두 관련이 있다.
③ 타당한 사업 추진을 하기 위함이다.
④ 미래의 환경 변화에 대응하기 위한 의사결정과정이다.
⑤ 목표지향적이나 과정지향적이지는 않다.

 알짜확인

- 기본적으로 기획이 왜 필요한지와 함께 주요 특징들을 파악해두어야 한다. 특히 기획이 동태적이라는 점이나 수단적 과정이라는 점은 많이 헷갈려하므로 꼭 기억해두자.
- 스키드모어가 제시한 기획의 과정을 순서대로 파악할 수 있어야 한다.
- 자주 출제되진 않았지만 전략기획의 특징 및 각 계층별 기획의 유형 등도 살펴보기 바란다.

답 ⑤

응시생들의 선택

① 4%	② 1%	③ 1%	④ 4%	⑤ 90%

⑤ 기획은 목표를 세우고 자원을 파악해서 어떤 프로그램이 적합한지, 어떻게 실행할 것인지 등을 결정해나가는 과정이라는 점에서 과정지향적 특징을 갖는다.

덧붙임

기획은 그 자체가 목적이라기보다는 목표달성을 위한 수단적 과정이라는 점, 이후의 실행을 위한 미래지향적 과정이라는 점 등도 중요하다.

관련기출 더 보기

20-07-09 　　　　난이도 ★★☆

스키드모어(R. A. Skidmore)의 기획과정을 순서대로 나열한 것은?

ㄱ. 대안 모색	ㄴ. 가용자원 검토
ㄷ. 대안 결과예측	ㄹ. 최종대안 선택
ㅁ. 구체적 목표 설정	ㅂ. 프로그램 실행계획 수립

① ㄱ - ㄴ - ㄷ - ㅁ - ㅂ - ㄹ
② ㄱ - ㄷ - ㄹ - ㄴ - ㅁ - ㅂ
③ ㄱ - ㄷ - ㅁ - ㄴ - ㅂ - ㄹ
④ ㅁ - ㄴ - ㄱ - ㄷ - ㄹ - ㅂ
⑤ ㅁ - ㅂ - ㄴ - ㄱ - ㄷ - ㄹ

답 ④

응시생들의 선택

① 15%	② 14%	③ 10%	④ 45%	⑤ 16%

스키드모어가 제시한 기획과정은 '목표 설정 → 자원의 고려 → 대안 모색 → 결과 예측 → 계획 결정 → 구체적 프로그램 수립 → 개방성 유지'의 순으로 진행된다.

덧붙임

기획 과정과 관련하여 은근히 순서를 헷갈려하는 수험생들이 많다. 먼저 문제를 확인한 후 그 문제를 해결하기 위한 목표를 세우고 그 문제를 다룰 만한 자원이 있는지를 확인하게 된다. 자원이 부족한 경우 확보가 가능한 자원인지 아닌지를 판단하여 조직에서 이 문제를 진행할 수 있을지 없을지를 결정하게 된다. 이후 문제를 해결하기 위한 대안을 모색하고 각 대안에 따른 결과를 예측한 후 가장 적절한 대안을 선택하여 구체적인 계획을 수립하여 실행하게 된다.

스키드모어(R. Skidmore)의 7단계 기획과정에 관한 설명으로 옳은 것을 모두 고른 것은?

ㄱ. 구체적 프로그램수립단계는 도표 작성 등의 업무를 포함한다.
ㄴ. 결과예측단계는 발생 가능한 일을 다각도에서 예측해 보는 것이다.
ㄷ. 자원고려단계는 기획과정 중 첫 번째 과정으로 기관의 자원을 고려하는 것이다.
ㄹ. 개방성유지단계에서 보다 나은 절차가 없는 경우 기존 계획이 유지된다.

① ㄱ, ㄹ
② ㄴ, ㄷ
③ ㄷ, ㄹ
④ ㄱ, ㄴ, ㄹ
⑤ ㄱ, ㅣ, ㄷ, ㄹ

답 ④

✅ 응시생들의 선택

| ① 2% | ② 17% | ③ 3% | ④ 42% | ⑤ 36% |

ㄷ. 기획 과정은 문제 확인 및 목표 설정이 첫 번째 단계이다.

기획의 유형에 관한 설명으로 옳은 것은?

① 최고관리층은 조직의 사업계획 및 할당 기획에 관여한다.
② 중간관리층은 구체적인 프로그램 기획에 관여한다.
③ 감독관리층은 주로 1년 이상의 장기 기획에 관여한다.
④ 전략적 기획은 조직의 기본적인 결정과 행동계획을 수립하기 위해 이루어진다.
⑤ 운영기획은 외부 환경과의 경쟁에 관한 사정을 포함한다.

답 ④

✅ 응시생들의 선택

| ① 22% | ② 16% | ③ 8% | ④ 36% | ⑤ 18% |

① 최고관리층은 조직의 전체적인 사명, 비전, 목적 등과 관련된 거시적 관점의 장기기획을 진행한다. 외부환경과의 관계를 확립하는 데에 주력한다.
② 중간관리층은 각 부서별 기획을 담당하며, 필요한 자원을 확보한다.
③ 감독관리층은 대체로 1년 미만의 단기기획으로, 프로그램의 구체적인 내용을 수립하고 업무를 분담한다.
⑤ 운영기획은 외부환경에 관한 것보다는 해당 사업을 구체적으로 어떻게 꾸려나갈 것인가에 집중한다.

기획(planning)에 관한 설명으로 옳지 않은 것은?

① 사회복지조직의 불확실성을 감소시킨다.
② 사업에 대한 연속적인 의사결정으로서 정적인 개념이다.
③ 서비스의 효과적 달성을 위해 필요하다.
④ 구성원의 사기진작을 위해 필요하다.
⑤ 목표 달성을 위한 미래 활동을 준비하는 과정이다.

답 ②

✅ 응시생들의 선택

| ① 3% | ② 73% | ③ 1% | ④ 22% | ⑤ 1% |

② 기획은 '목표설정, 자원파악, 대안모색, 결과예측, 계획결정, 구체적 프로그램 수립, 개방성 유지' 등의 과정으로 연결되는 동태적 특징이 있다.

사회복지행정에 있어서 기획의 필요성에 관한 설명으로 옳지 않은 것은?

① 최근 관리자의 직관적 의사결정방식이 요구되기 때문이다.
② 최소비용으로 서비스목표를 달성하기 때문이다.
③ 사회문제에 대한 우선순위를 설정하기 위해서이다.
④ 조직 외부의 정치경제적 영향을 고려하기 위해서이다.
⑤ 조직의 불확실성을 감소하기 위해서이다.

답 ①

✅ 응시생들의 선택

| ① 80% | ② 3% | ③ 2% | ④ 12% | ⑤ 3% |

① 직관적 의사결정은 의사결정자가 초합리성과 육감에 의해 선택하는 것을 말한다. 직관적 의사결정방식은 주로 면접 등에 있어 이루어지지만 특별히 강조되는 의사결정방식은 아니다.

다음 내용이 왜 틀렸는지를 확인해보자

01 기획은 한 번 수립되면 수정할 수 없다는 점에서 경직적인 특징을 갖는다.

> 기획은 상황에 따라 융통성 있게 수정될 수 있다. 기획의 과정 중 개방성 유지 과정에 해당한다.

12-07-17

02 기획을 통해 프로그램 수행과정의 **불확실성**이 증가된다.

> 기획을 통해 프로그램 수행과정의 불확실성을 감소시킬 수 있다.

03 기획은 그 자체가 목적인 활동이다.

> 기획은 목적을 달성하기 위한 수단적 활동이다.

02-07-20

04 기획의 목적은 예산의 점진적 확대에 있다.

> 기획의 목적이 예산의 확대에 있는 것은 아니다.

05 조직의 최고관리층은 단기기획, 운영기획에 주력한다.

> 조직의 최고관리층은 장기기획, 정책기획에 주력한다.

06-07-24

06 사회복지사가 한부모가족의 지역사회욕구를 파악하기 위하여 먼저 목표를 파악하여 욕구조사 사업을 시행하고 다양한 자원을 조사하였다. 이후에는 대안의 우선순위를 정해야 한다.

> 기획 과정에서 정보수집 이후의 단계는 대안모색이다.

07 기획의 과정은 기관이 가용한 자원을 바탕으로 목표를 설정하는 데서 시작한다.

> 목표를 설정한 후 기관에서 이용할 수 있는 인적, 물적 자원을 검토한다.

08 `13-07-01` 기획은 목적성, 합리성, **현재지향성** 등의 특징을 갖는다.

> 기획은 미래지향적이다.

09 목표란 달성하고자 하는 미래의 상태를 말하기 때문에 **구체화할 수 없다.**

> 목표는 달성하고자 하는 미래의 상태가 구체적으로 제시될 수 있도록 설정해야 한다.

10 목표를 설정할 때에는 일단 서비스가 시작된 이후에는 **변경할 수 없다**는 점을 고려해야 한다.

> 서비스가 시작된 이후 목표를 달성할 수 없거나 목표가 지나치게 빨리 달성된 경우, 더 중요한 문제가 발견된 경우 등 상황을 고려하여 변경할 수 있다.

11 `14-07-10` 기획은 사업에 대한 연속적인 의사결정으로서 **정적인 개념**이다.

> 기획은 동태적 과정이다. 동태적이란 움직임이 있는 상태라는 의미로, 기획은 목표 설정에서 시작해 일련의 과정들을 거친다는 점에서 동태적이다.

빈칸에 들어갈 알맞은 말을 채워보자

01 (   )은/는 조직의 목표달성을 위해 미래에 취할 행동을 준비하는 체계적인 과정이다.

02 `14-07-13` 스키드모어의 기획 과정: 목표설정 – 자원 고려 – (①   ) – (②   ) – (③   ) – 구체적 프로그램 수립 – 개방성 유지

03 전략기획에서는 조직의 내·외부 환경을 분석하기 위해 (   )분석을 실시한다.

04 기획이 이루어지는 조직의 계층에 따라 (①   )기획과 (②   )기획으로 구분된다. (①   )기획은 조직의 상위계층에서 이루어지는 정책적 차원의 기획이며 이를 구체화하기 위해 중간계층 이하에서 작성되는 관리 차원의 기획이 (②   )기획이다.

> **답** **01** 기획 **02** ① 대안모색 ② 결과 예측 ③ 계획 결정 **03** SWOT **04** ① 정책 ② 운영

다음 내용이 옳은지 그른지 판단해보자

09-07-14

01 전략적 기획은 목표를 달성하고 성과를 극대화하기 위한 장기적 차원의 총체적 접근으로, 조직의 사명과 가치 설정, 자원의 할당 등을 진행한다.

14-07-10

02 기획은 구성원의 사기진작을 위해 필요하다.

03 기획 과정에서는 외부환경의 영향력을 고려하는 것이 필요하다.

08-07-29

04 기획 단계에서는 자원의 투입 대비 산출된 결과에 대한 평가를 진행한다.

05 기획은 조직 활동의 근거가 되기 때문에 조직의 책임성 강화와도 밀접한 관련이 있다.

07-07-11

06 사회복지조직의 기획은 현재지향적 특성을 갖는다.

답 **01** ○ **02** ○ **03** ○ **04** × **05** ○ **06** ×

해설 **04** 기획 단계에서는 자원의 투입 대비 산출에 대한 예측을 진행한다. 결과에 대한 평가는 결과물이 있어야 하기 때문에 프로그램 종료 후에 가능하다.
06 기획은 미래에 무엇을 어떻게 진행할 것인지를 결정하고 준비하는 미래지향적 특성을 갖는다.

205 의사결정

강의 QR코드

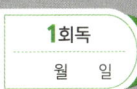
1회독
월 일

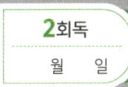
2회독
월 일

3회독
월 일

최근 10년간 **5문항** 출제

복습 1

이론요약

 23회 기출
 22회 기출

의사결정 모형

- 순수 합리모형: 의사결정자가 이성과 합리성에 따라 문제를 정의하고 목표를 수립하여 목표달성을 극대화할 수 있는 대안을 선택
- 만족모형: 의사결정자는 선별적 대안만을 검토하여 만족할 정도의 해결책을 찾음
- 점증모형: 기존 정책에서 수정 또는 변화된 정도에서 소수의 대안만을 고려
- 혼합모형: 합리모형과 점증모형의 한계를 보완한 모형
- 최적모형: 합리성, 경제성 외에 초합리성(직관, 판단력, 창의력)이 작용하게 되며 현실적 여건을 고려하여 대안을 찾음
- 쓰레기통모형: 무질서 속에서 문제점, 참여자, 해결책 등이 뒤죽박죽 섞여 있다가 우연히 서로 만나게 될 때 의사결정이 이루어진다는 것
- 공공선택모형: 개인의 이기심에 따라 자신의 이익을 극대화하는 방향으로 의사결정을 하게 됨

기본개념

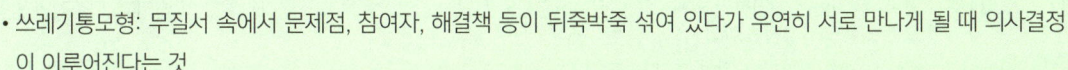

사회복지행정론
pp.131~

의사결정의 방법 및 유형

▶ **의사결정 방법**

- 직관적 방법: 합리성보다 **감정에 의존**하여 가장 옳다고 느끼는 것을 결정하는 방법
- 판단적 방법: **일상적 업무**에 대해 개인이 가지고 있는 **지식과 경험에 의존**하여 결정하는 방법
- 문제해결적 방법: 정보수집, 연구, 분석 등 과학적, 객관적, 합리적 결정방법

▶ **의사결정 유형**

- 전략적 결정(목표달성과 조직발전에 관한 문제의 결정)과 전술적 결정(일상적 성격을 띤 수단적·기술적 결정)
- 정형적 결정(직무규정, 인사규칙, 조례 등에 **명시적 규정**이 있는 업무과정에서의 결정)과 비정형적 결정(대비책이 없는 **새로운 사태에 대한 대안 수립 및 결정**)
- 합의(조직의 사람들이 모두 동일한 결론에 이를 때까지 계속하여 말하고 활동하는 것)

개인적 의사결정

- 의사결정나무분석: **대안을 선택했을 때와 선택하지 않았을 때를 확률적으로 계산**하여 결정
- 대안선택흐름도표: **'예', '아니요'로 답할 수 있는 질문을 연속적으로 제시**하여 선택해나가는 방식

집단적 의사결정

- 델파이 기법: **우편, 이메일 등을 통해 전문가들의 의견을 수집**
- 명목집단 기법: 참여자들이 **무기명으로 의견을 제시**하여 구성원 간 상호작용이 없도록 한 방식
- 브레인스토밍: 특정 주제에 관하여 자유롭고 창의적인 아이디어를 많이 내는 것에 초점
- 변증법적 토의: '정(正) – 반(反) – 합(合)'의 변증법을 기반으로 함. 찬성하는 팀과 반대하는 팀이 각각 그 이유를 제시하여 장점을 극대화하고 단점을 최소화하는 방향으로 대안 모색

기출문장 CHECK

01 (23-07-20) 쓰레기통 모형(Garbage can Model)은 조직화된 무질서 속에서 우연히 의사결정이 이루어진다.

02 (22-07-19) 명목집단기법은 대면하여 의사결정을 진행하면서도 집단적 상호작용을 최소화하기 위한 방법이다. 민주적인 방식으로 최종 의사결정을 한다.

03 (15-07-02) 비정형적 의사결정은 의사결정자의 직관과 판단에 의해 이루어진다.

04 (15-07-02) 판단적 결정은 개인이 가지고 있는 지식과 경험에 의존하여 결정하는 방법이다.

05 (14-07-03) 직관적(intuitive) 방법은 합리성보다는 감정이나 육감에 근거하여 결정된다.

06 (14-07-03) 문제해결적(problem-solving) 방법은 정보수집, 연구, 분석과 같은 합리적인 절차를 통해 이루어진다.

07 (14-07-03) 정형적 의사결정은 절차, 규정, 방침에 따라 규칙적인 의사결정행위가 전개된다.

08 (14-07-03) 비정형적 의사결정은 사전에 결정된 기준 없이 이루어지며 보통 단발적이고 예상하지 못한 상황에 대한 결정이다.

09 (14-07-25) 델파이 기법은 전문가로부터 정보를 수집하여 합의를 얻으려 할 때 적용할 수 있다.

10 (14-07-25) 대안선택 흐름도표는 '예'와 '아니오'로 답할 수 있는 연속적 질문을 통해 예상되는 결과를 결정한다.

11 (14-07-25) 명목집단기법은 감정이나 분위기상의 왜곡현상을 피할 수 있다.

12 (08-07-18) 델파이 기법: 전문가 집단의 참여자들은 상호익명의 상태를 유지한 채 의견합의에 이르도록 수차례 반복적으로 우편을 통한 설문조사를 실시한다.

13 (07-07-21) 명목집단기법은 전문가들이 한 자리에 모여서 투표한 후 우선수위를 정하는 방법이다.

14 (07-07-21) 델파이 기법은 전문가에게 우선으로 설문조사하여 우선순위를 정하는 방법이다.

15 (06-07-15) 소집단투표 기법(NGT, 명목집단기법): 전문가들을 한 장소에 모아놓고 각자의 의견을 적어내게 한 후 그것을 정리하여 집단이 각각 의견을 검토하는 절차를 합의가 이루어질 때까지 계속하는 방법이다.

대표기출 확인하기

다음 설명에 해당하는 의사결정 기법은?

- 대면하여 의사결정
- 집단적 상호작용의 최소화
- 민주적 방식으로 최종 의사결정

① 명목집단기법
② 브레인스토밍
③ 델파이기법
④ SWOT기법
⑤ 초점집단면접

알짜확인

- 의사결정을 위해 사용되는 다양한 방법들을 개인적 방법과 집단적 방법으로 구분하여 살펴보자.
- 직관적/판단적/문제해결적 의사결정 및 정형적/비정형적 의사결정 등의 개념을 확인해두자.

답 ①

응시생들의 선택

① 60%	② 7%	③ 3%	④ 10%	⑤ 20%

② 브레인스토밍: 어떤 한 가지 주제에 관하여 자유롭게 아이디어를 내는 방식이다.
③ 델파이기법: 한 자리에 모이지 않고 이메일 등을 통해 아이디어를 내는 방식으로, 누가 어떤 의견을 냈는지 알 수 없다.
④ SWOT기법: 기관의 내외부 환경을 분석하는 기법이나. 기관 내부의 강점(Strength)과 약점(Weakness), 외부환경의 기회(Opportunity)과 위협(Threat) 요인을 분석한다.
⑤ 초점집단면접: 주제와 관련된 사람들, 문제를 경험한 사람들이 모여 토론하는 방식으로 진행된다.

덧붙임

명목집단기법은 의견을 제시하는 참여자들이 한 자리에 모이지만 무기명으로 의견을 제출하기 때문에 감정이나 분위기상의 왜곡현상을 피할 수 있다.

관련기출 더 보기

쓰레기통 모형(Garbage can Model)에 관한 설명으로 옳은 것은?

① 문제 진단과 의사결정 과정이 체계적이고 논리적으로 이루어진다.
② 결정자의 행동보다는 객관적인 상황적 조건에 더 많은 주의를 기울인다.
③ 가장 합리적인 대안을 선택하는 모형이다.
④ 합리성과 비합리싱을 절충한 모형이다.
⑤ 조직화된 무질서 속에서 우연히 의사결정이 이루어진다.

답 ⑤

응시생들의 선택

① 1%	② 2%	③ 3%	④ 5%	⑤ 89%

① 문제 진단과 의사결정 과정이 체계적이고 논리적으로 이루어지는 것은 합리적 의사결정과정이므로 이는 순수합리모형에 대한 설명이다.
② 쓰레기통 모형은 불확실하고 비정형적이며, 혼란스러운 상황에서의 비체계적인 의사결정을 설명하기 위해 만들어진 이론이다. 따라서 쓰레기통 모형은 객관적인 상황적 조건보다는 모호한 상황이 뒤죽박죽 섞여 있다가 운이나 타이밍 등 여러 흐름의 영향에 의해 의사결정이 이루어진다는 입장이며, 결정자의 비일관적 행동과 우연성에 더 주의를 기울인 모형이다.
③ 가장 합리적인 대안을 선택하는 모형은 순수합리모형이다.
④ 합리성과 비합리성을 절충한 모형은 혼합모형이다.

의사결정방법 및 기술에 관한 설명으로 옳은 것은?

① 대안선택흐름도표는 집단적 의사결정기법에 해당한다.
② 브레인스토밍은 지도자만 주제를 알고 그 집단에는 문제를 제시하지 않은 상태에서 장시간 자유롭게 토론하는 방법이다.
③ 판단적 결정은 정보수집, 연구, 분석과 같은 합리적이고 과학적인 절차를 통해 이루어진다.
④ 직관적 결정은 개인의 지식과 경험에 의해 이루어진다.
⑤ 비정형적(non-programmed) 의사결정은 의사결정자의 직관과 판단에 의해 이루어진다.

답 ⑤

✅ 응시생들의 선택

① 9%	② 4%	③ 23%	④ 40%	⑤ 24%

① 대안선택흐름도표는 개인적 의사결정기법에 해당한다.
② 브레인스토밍이라고 해서 주제가 제시되지 않는 것은 아니다.
③ 판단적 결정은 개인이 가지고 있는 지식과 경험에 의존하여 결정하는 방법이다.
④ 직관적 결정은 직감, 감정에 따라 결정하는 방법이다.

의사결정에 관한 설명으로 옳지 않은 것은?

① 직관적(intuitive) 방법은 합리성보다는 감정이나 육감에 근거하여 결정된다.
② 문제해결적(problem-solving) 방법은 정보수집, 연구, 분석과 같은 합리적인 절차를 통해 이루어진다.
③ 판단적(judgemental) 방법은 비정형적 방법이며 기존 지식과 경험에 의해 기계적으로 결정하는 것이다.
④ 정형적(programmed) 의사결정은 절차, 규정, 방침에 따라 규칙적인 의사결정행위가 전개된다.
⑤ 비정형적(non-programmed) 의사결정은 사전에 결정된 기준 없이 이루어지며 보통 단발적이고 예상하지 못한 상황에 대한 결정이다.

답 ③

✅ 응시생들의 선택

① 10%	② 15%	③ 68%	④ 1%	⑤ 6%

③ 판단적 방법은 개인이 가지고 있는 지식과 경험에 의존하여 의사결정을 내리는 방법이다. 대체로 일상적으로 진행되는 업무나 정해진 절차를 따르는 업무를 수행함에 있어 적용되는 의사결정 방법으로 정형적인 방법이다.

의사결정 방법에 관한 설명으로 옳지 않은 것은?

① 브레인스토밍은 아이디어의 양보다 질이 중요하며 능동적 참여가 중요하다.
② 변증법적 토의는 사안의 찬성과 반대를 이해함을 기본으로 한다.
③ 델파이 기법은 전문가로부터 정보를 수집하여 합의를 얻으려 할 때 적용할 수 있다.
④ 대안선택 흐름도표는 '예'와 '아니오'로 답할 수 있는 연속적 질문을 통해 예상되는 결과를 결정한다.
⑤ 명목집단기법은 감정이나 분위기상의 왜곡현상을 피할 수 있다.

답 ①

✅ 응시생들의 선택

① 60%	② 10%	③ 2%	④ 5%	⑤ 23%

① 브레인스토밍에서는 아이디어의 질보다 양을 더 중요하게 여기는 면이 있다.

문제해결을 위해 선택 가능한 대안들을 놓고, 각 대안별로 선택할 경우와 선택하지 않을 경우에 나타날 결과를 분석하여, 각 대안들이 갖게 될 장·단점에 대해 균형된 시각을 갖도록 돕는 의사결정기법은?

① 의사결정나무분석(decision tree analysis)
② 대안선택흐름도표(alternative choice flowchart)
③ 델파이 기법(Delphi technique)
④ 명목집단 기법(nominal group technique)
⑤ 동의달력(consent calendar)

답 ①

✅ 응시생들의 선택

① 53%	② 38%	③ 2%	④ 5%	⑤ 2%

① 의사결정나무분석은 대안을 선택했을 때와 선택하지 않았을 때를 확률적으로 계산하여 결정하는 것이다.

➕ 덧붙임

의사결정나무분석과 대안선택흐름도표를 헷갈려하는 수험생들이 꽤 많다. 의사결정나무분석은 대안들을 나열해 놓고, 각 대안에 대한 확률을 계산해서 최적의 결과를 찾아가는 방식이다. 반면, 대안선택흐름도표는 '예' 혹은 '아니요'로 답할 수 있는 질문을 연속적으로 만들어 선택해나가는 방법이다.

다음 내용이 왜 틀렸는지를 확인해보자

15-07-02

01 직관적 결정은 **개인의 지식과 경험에 의해** 이루어진다.

> 직관적 결정은 개인의 직감, 감정 등에 따라 이루어진다.

02 직원채용에 있어 직관적 의사결정은 **적절하지 않다.**

> 직원을 채용함에 있어서는 직관적 의사결정이 크게 작용하기도 한다. 요건이 엇비슷한 두 사람이 경합할 때 '이 사람의 인상이 더 좋다'라고 하는 경우가 직관적 결정에 해당한다.

03 실무자들이 일상적 업무에 대해 자신의 지식과 경험에 따라 결정하는 방법을 **직관적 의사결정**이라고 한다.

> 실무자들이 일상적 업무에 대해 자신의 지식과 경험에 따라 결정하는 것은 판단적 의사결정 방법이다.

04 문제해결적 결정은 **즉각적인 결정이 필요한 경우**에 주로 사용된다.

> 문제해결적 결정은 정보수집, 연구, 분석 등의 과학적 과정과 합리적인 절차를 통한 의사결정 방법이다. 따라서 즉각적인 결정이 필요한 경우에는 적합하지 않다.

14-07-03

05 **정형적 의사결정**은 사전에 결정된 기준 없이 이루어지며 보통 단발적이고 예상하지 못한 상황에 대한 결정이다.

> 비정형적 의사결정에 대한 설명이다.
> 정형적 의사결정은 명시적인 업무규정에 따르는 것을 말한다.

다음 내용이 옳은지 그른지 판단해보자

01 대안선택흐름도표, 의사결정나무분석, 델파이 기법 등은 개인적 의사결정기법에 해당한다.

`15-07-02`
02 브레인스토밍은 지도자만 주제를 알고 그 집단에는 문제를 제시하지 않은 상태에서 장시간 자유롭
게 토론하는 방법이다.

`14-07-25`
03 델파이 기법은 이메일이나 우편을 통해 전문가들의 의견을 묻고 결과를 반복적으로 환류(feed-
back)하여 만족스런 결과를 얻을 때까지 계속하여 합의점을 만들어내는 방식이다.

04 개인이 생각할 수 있는 대안들을 열거하고 각 대안들에 대한 확률을 계산하여 그것을 선택했을 때
와 선택하지 않았을 때의 결과를 파악하면서 의사결정을 하는 방식은 대안선택흐름도표이다.

`06-07-15`
05 명목집단 기법은 한 장소에 모인 전문가들이 의견을 무기명으로 제출하면 진행자가 제출된 의견을
정리하여 발표한다. 이후 각자 각 의견에 대한 투표를 하거나 우선순위를 매기면 진행자는 이를 합
산하여 최종결론을 도출한다.

06 명목집단 기법과 델파이 기법은 참여자들 간의 영향력을 차단할 수 있다는 장점이 있다.

 **답** **01**× **02**× **03**○ **04**× **05**○ **06**○

해설 **01** 델파이 기법은 집단적 의사결정기법에 해당한다.
02 브레인스토밍은 참여자들이 한 자리에 모여 자유롭게 의사를 개진하며 아이디어를 나누는 방법이지만 그렇다고 해서 참여자들에게
주제를 공개하지 않는 것은 아니다.
04 의사결정나무분석에 대한 설명이다. 대안선택흐름도표는 '예' '아니요'로 답할 수 있는 질문들을 연속적으로 만들어 예상되는 결과를
결정하는 도표이다.

리더십과 조직문화

이 장에서는

특성이론 → 행동이론(대표: 블레이크와 머튼의 관리격자이론) → 상황이론(대표: 허시와 블랜차드의 상황이론) 등 전통적 리더십 이론을 비롯해 거래적 리더십과 변혁적 리더십, 경쟁가치 모델 등의 리더십 이론을 학습한다. 참여적 리더 유형은 지시적 리더 및 자율적 리더와 구분할 수 있도록 하자. 이따금씩 조직문화에 대한 문제가 출제되기도 했다.

10년간 출제분포도

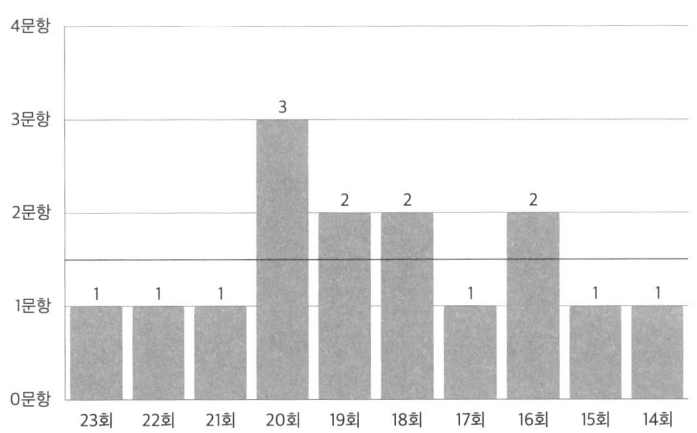

1.5
문항

평균 출제문항수

KEYWORD

206

리더십 이론

강의 QR코드

1회독	2회독	3회독
월 일	월 일	월 일

최근 10년간 **11문항** 출제

복습
1

이론요약

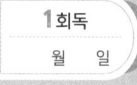
23회 기출 22회 기출 21회 기출 20회 기출 19회 기출

특성이론(특성론적 접근, 자질이론)

기본개념

사회복지행정론
pp.141~

- 리더만이 갖는 고유한 개인적인 특성을 살펴본 이론
- 초기 특성이론은 성공적인 리더가 보통사람들과 다른 구별되는 자질이 무엇인지에 초점을 둠
- 후기 특성이론은 선천적 특성뿐만 아니라 <u>후천적 노력으로도 리더의 특성을 획득할 수 있다고 봄</u>
- 신체적 특성, 사회적 배경, 지능, 성격, 과업과 관련된 특성, 사회적 특성 등에서 나타나는 성공적인 리더의 특징을 살펴봄

행동이론(행태론적 접근)

<u>지도자가 어떻게 행동하는가에 주목</u>하여 리더십의 행동 유형을 밝히고자 한 접근

▶ **오하이오 연구**
- 리더 행동을 구조주도 행동과 배려 행동이라는 2가지 차원으로 구분
- 어느 한 쪽에 치우치거나 부족함 없는 리더가 높은 성과를 가져온다고 봄

▶ **미시간 연구**
- 직무 중심적 리더와 구성원 중심적 리더의 유형으로 구분
- <u>구성원 중심적 리더가 더 성과가 큰 것으로 결론</u>

▶ **블레이크와 머튼의 관리격자모형**
- '인간'에 대한 관심과 '생산'에 대한 관심이라는 2가지 차원에서 5가지 행동 유형 제시
- **팀형 리더가 가장 생산성이 높다고 결론**
  - 무기력형(1-1): 생산 ↓ 인간 ↓
  - 과업형(9-1): 생산 ↑ 인간 ↓
  - 중도형(5-5): 생산과 인간에 대한 관심 모두 중간 수준
  - 컨트리 클럽형(1-9): 생산 ↓ 인간 ↑
  - 팀형(9-9): 생산 ↑ 인간 ↑

상황이론(상황론적 접근)

성공적인 리더의 특징이나 행동은 **상황변수에 따라 달라짐**을 강조한 접근

▶피들러의 상황적합이론

- 과업지향적 리더와 관계지향적 리더 유형으로 구분
- 더 효과적인 리더는 상황에 따라 다르게 나타남을 설명

▶하우스의 경로−목표이론

업무환경의 특성과 직원의 특성이라는 2가지 상황적 요인에 따라 리더 유형 제시

- 지시적 리더십: 업무 비구조화, 직원들의 경험이 부족할 때
- 지지적 리더십: 업무 구조화, 난이도 높아 직원의 스트레스가 클 때
- 참여적 리더십: 업무 구조화, 자율성 욕구가 높을 때
- 성취지향 리더십: 업무 비구조화, 직원의 참여를 통해 목표를 달성할 때

▶허시와 블랜차드의 상황이론

부하직원의 능력과 의지에 따라 적절한 리더십 유형을 제시한 이론

- 능력과 의지 둘 다 없는 경우: **지시형**
- 능력은 없고 의지만 있는 경우: **제시형**
- 의지는 없고 능력만 있는 경우: **참여형**
- 능력과 의지 둘 다 있는 경우: **위임형**

거래적 리더십과 변혁적 리더십

- 거래적 리더십: 현상유지 강조, 적절한 보상에 의한 관리
- **변혁적 리더십: 환경변화에 대처, 혁신, 위험 감수**

경쟁가치 모델(Quinn)

내부지향−외부지향의 가로축과 유연성−통제성의 세로축으로 구분하여 4가지 영역별 리더십을 제시

- 1 영역. 경계잇기기술: 외부지향적인 동시에 조직활동의 유연성을 추구하는 리더십. 비전제시가
- 2 영역. 지휘기술: 외부지향적인 동시에 합리성, 생산성, 능률성 향상을 강조하는 리더십. 목표달성가
- 3 영역. 조정기술: 내부지향적이면서 조직의 안정과 유지에 초점을 둔 통제적인 리더십. 분석가
- 4 영역. 인간관계기술: 내부지향저인 동시에 인간관계이 향상에 관심을 두는 리더십 동기부여가

서번트 리더십(섬김 리더십)

- 구성원들을 인격적으로 존중하고 봉사하며, 그들이 잠재력을 발휘할 수 있도록 이끔
- 경청하는 자세, 공감대 형성을 위한 노력, 부하들의 고통치유에 대한 관심, 분명한 인식을 통한 대안 제시, 설득에 의한 동반 추구, 폭넓은 사고를 통한 비전 제시, 예리한 통찰력으로 미래예측을 지원, 청지기적인 태도로 봉사, 부하들의 능력개발에 대한 노력, 구성원들 간 공동체 형성을 위한 조력

01 (23-07-09) 블레이크와 머튼의 관리격자(Managerial Grid) 리더십 유형 분류에서 중도형(5.5)은 인간적 요소와 조직성과 간의 타협과 균형을 추구한다.

02 (22-07-09) 섬김 리더십은 인간 존중, 정의, 정직성, 공동체적 윤리성 등을 강조한다.

03 (22-07-09) 섬김 리더십은 청지기 의식을 바탕으로 한 책무적 활동을 강조한다.

04 (21-07-10) 상황이론에 의하면 상황에 따라 적합하게 대응하는 리더십이 효과적이다.

05 (21-07-10) 행동이론에서 과업형은 일에만 관심이 있고 사람에 대해서는 전혀 관심이 없는 리더이다.

06 (21-07-10) 생산성 측면에서 서번트 리더십은 자발적 행동의 정도를 중시한다.

07 (20-07-18) 변혁적 리더십은 구성원들 스스로 혁신할 수 있도록 비전을 제시해주는 것을 강조한다.

08 (20-07-20) 허시와 블랜차드의 상황적 리더십 모형에서는 구성원의 성숙도를 중요하게 고려한다.

09 (19-07-09) 관리격자이론에서 생산에 대한 관심은 낮지만 인간에 대한 관심은 높은 유형은 컨트리클럽형 리더이다.

10 (18-07-09) 거래적 리더십은 교환관계를 기반으로 하여 조직성과를 높이고자 한다.

11 (18-07-09) 상황이론은 과업환경에 따라 적합하게 대응하는 리더십이 효과적이라고 가정한다.

12 (18-07-09) 섬김의 리더십(servant leadership)은 힘과 권력에 의한 조직지배를 지양한다.

13 (18-07-17) 변혁적 리더십은 새로운 비전제시 및 지적 자극, 조직 문화 창출을 지향한다.

14 (16-07-15) 상황이론: 한 조직에서 성공한 리더가 타 조직에서도 반드시 성공하는 것은 아니다. 리더의 지위권력 정도, 직원과의 관계, 과업의 구조화가 중요하다. 직원의 성숙도가 중요하다.

15 (14-07-17) 변혁적 리더십이론: 리더의 개혁적·변화지향적인 모습과 비전 제시는 조직구성원에게 높은 수준의 동기를 부여한다.

16 (12-07-23) 행동이론: 바람직한 리더십 행동은 훈련을 통해서 개발된다.

17 (12-07-23) 상황이론: 업무의 환경 특성에 따라서 필요한 리더십이 달라진다.

18 (12-07-23) 특성이론: 리더십은 타고나야 한다.

19 (12-07-23) 변혁이론: 리더십은 지도자와 추종자가 협력하는 과정에서 형성된다.

20 (11-07-05) 상황적 리더십 이론은 리더는 팔로워의 성숙도에 따라 리더십 행동을 변화시켜 나간다고 보았다.

21 (10-07-09) 상황이론은 주어진 상황에 따라 요구되는 지도자의 행태와 자질이 달라진다고 본다.

22 (09-07-27) 신임 사회복지기관의 장이 직원들의 업무수행 능력을 평가한 결과, 직원들의 직무수행 능력은 전반적으로 높게 나타났다. 한편, 직원들은 대체로 조직발전을 바라고 있으나 솔선수범하여 일을 하려는 의지는 매우 약한 것으로 나타났다. ⇒ 허쉬와 블랜차드의 리더십 유형 중 참여형 리더십이 적합

23 (07-07-09) 관리격자 이론: 리더의 생산에 대한 관심과 인간에 대한 관심으로 나누어 살펴본다.

24 (07-07-09) 경로−목표 이론: 핵심적인 리더의 유형과 상황 요소들을 다루고 있다.

25 (07-07-09) 특성이론: 성공적 리더의 특성과 자질을 탐구하였다.

26 (06-07-20) 관리격자이론에서 리더십 유형을 분류하는 2가지 차원은 생산과 인간이다.

27 (05-07-12) 부하직원이 일에 대한 의지는 강하나 직무수행능력에 개선 여지가 많은 경우 제시형 리더십이 적절하다.

28 (03-07-12) 관리격자이론은 행동이론에 속한다.

29 (03-07-23) 변혁적 리더십은 도덕적 가치와 이상에 호소하여 개인의 관심을 바꾸려고 한다.

기출확인

21-07-10   난이도 ★★☆

리더십 이론에 관한 설명으로 옳지 않은 것은?

① 상황이론에 의하면 상황에 따라 적합하게 대응하는 리더십이 효과적이다.

② 행동이론에서 컨트리클럽형(country club management)은 사람에 대한 관심과 일에 대한 관심이 모두 높은 리더이다.

③ 행동이론에서 과업형은 일에만 관심이 있고 사람에 대해서는 전혀 관심이 없는 리너이나.

④ 서번트 리더십(servant leadership)은 사회복지조직 관리에 적합한 리더십이 될 수 있다.

⑤ 생산성 측면에서 서번트 리더십은 자발적 행동의 정도를 중시한다.

▶ 알짜확인

- 특성이론 → 행동이론 → 상황이론 등의 주요 특징을 발달 흐름에 따라 정리해두어야 한다.
- 관리격자이론은 행동이론에 속하며, 가장 이상적인 리더 유형은 팀형 리더라는 점 기억해두자.
- 상황이론에서는 허시와 블랜차드의 리더십 유형이 사례제시형 문제로도 심심치 않게 등장했으므로 어떤 상황에 어떤 리더십 유형이 적합한지 적용할 수 있도록 해야 한다.
- 변혁적 리더십은 거래적 리더십과 대치되는 개념은 아니라는 점도 헷갈릴 수 있으므로 유의하자.

답 ②

✔ 응시생들의 선택

① 2%	② 72%	③ 12%	④ 6%	⑤ 8%

② 컨트리클럽형은 사람에 대한 관심은 많지만 일(생산)에 대한 관심은 낮은 리더 유형이다.

23-07-09   난이도 ★★☆

블레이크와 머튼(R. Blake & J. Mouton)의 관리격자(Managerial Grid) 리더십 유형 분류에 관한 설명으로 옳은 것은?

① 효과성과 효율성에 대한 관심을 교차하여 유형화하였다.

② 이상적 유형은 컨트리클럽형(1.9)이다.

③ 팀형(9.9)은 과업성과보다는 구성원의 사기와 공동체 의식을 중시한다.

④ 중도형(5.5)은 인간적 요소와 조직성과 간의 타협과 균형을 추구한다.

⑤ 무기력형(1.1)은 인간적 요소에 최대의 관심을 갖는다.

답 ④

✔ 응시생들의 선택

① 13%	② 3%	③ 14%	④ 68%	⑤ 2%

① 리더십의 유형화 기준은 효과성과 효율성이 아니라 생산에 대한 관심과 인간에 대한 관심이다.

② 리더십의 유형을 5가지로 제시했으며, 이 중 이상적인 유형은 팀형(단합형)이다.

③ 팀형(9.9)은 '과업성과(생산에 대한 관심 9)'와 '사기와 공동체의식(인간에 대한 관심 9)' 모두 중시한다.

⑤ 무기력형(1.1)은 생산에 대한 관심과 인간에 대한 관심 모두 관심을 보이지 않는다.

섬김 리더십(servant leadership)에 관한 설명으로 옳은 것을 모두 고른 것은?

> ㄱ. 인간 존중, 정의, 정직성, 공동체적 윤리성 강조
> ㄴ. 가치의 협상과 계약
> ㄷ. 청지기(stewardship) 책무 활동
> ㄹ. 지능, 사회적 지위, 교육 정도, 외모 강조

① ㄱ, ㄷ　　　　　② ㄴ, ㄹ
③ ㄷ, ㄹ　　　　　④ ㄱ, ㄴ, ㄷ
⑤ ㄱ, ㄴ, ㄷ, ㄹ

답 ①

✅ 응시생들의 선택

① 53%	② 3%	③ 3%	④ 30%	⑤ 11%

ㄴ. 부하직원과의 관계에서 협상, 교환, 계약 등을 바탕으로 하는 것은 거래적 리더십이다.
ㄹ. 리더의 지능, 사회적 지위, 교육 정도, 외모 등과 같은 특성에 초점을 둔 것은 리더십 특성이론이다.

리더십 이론에 관한 설명으로 옳은 것은?

① 블레이크와 머튼의 관리격자 모형은 자질이론 중 하나이다.
② 블레이크와 머튼의 관리격자 모형에서 가장 바람직한 행동유형은 극단에 치우치지 않는 중도형이다.
③ 허시와 블랜차드의 상황적 리더십 모형에서는 구성원의 성숙도를 중요하게 고려한다.
④ 퀸의 경쟁가치 리더십 모형은 행동이론의 대표적 모형이다.
⑤ 퀸의 경쟁가치 리더십 모형에서는 조직환경의 변화에 따라 리더십이 달라져서는 안 된다는 것을 강조한다.

답 ③

✅ 응시생들의 선택

① 13%	② 14%	③ 51%	④ 15%	⑤ 7%

① 블레이크와 머튼의 관리격자 모형은 행동이론 중 하나이다.
② 블레이크와 머튼의 관리격자 모형에서 가장 바람직한 행동유형은 생산에 대한 관심과 인간에 대한 관심이 모두 높은 팀형이다.
④ 퀸의 경쟁가치 리더십 모형은 특성이론(자질이론), 행동이론, 상황이론 등 전통적인 3가지 분류에 따라 제시된 것은 아니다.
⑤ 퀸의 경쟁가치 리더십 모형은 내부지향 대 외부지향, 분권성 대 집권성 등의 두 가지 축에 따라 리더십을 제시하였다.

변혁적 리더십에 관한 설명으로 옳은 것을 모두 고른 것은?

> ㄱ. 구성원들에게 봉사하는 것을 핵심적 가치로 한다.
> ㄴ. 구성원들에 대한 상벌체계를 강조한다.
> ㄷ. 구성원들 스스로 혁신할 수 있도록 비전을 제시해주는 것을 강조한다.

① ㄱ　　　　　② ㄴ
③ ㄷ　　　　　④ ㄱ, ㄴ
⑤ ㄴ, ㄷ

답 ③

✅ 응시생들의 선택

① 3%	② 3%	③ 86%	④ 2%	⑤ 6%

ㄱ. 변혁적 리더는 구성원들에게 봉사하는 것이 아니라 상호독립적이면서 추종자로부터 지지와 신뢰를 확보하고 변화를 주도한다. 구성원들에게 봉사하는 것을 핵심적 가치로 삼는 것은 서번트 리더십이다.
ㄴ. 구성원들에 대한 상벌체계를 강조하는 것은 거래적 리더십이다.

관리격자(managerial grid) 이론에 따르면 다음에 해당하는 리더십 유형은?

> A사회복지관의 관장은 직원 개인의 문제와 상황에 관심을 갖고 적극적으로 지원한다. 관장은 조직 내 인간관계도 중요하게 여겨서 공식·비공식적 방식으로 직원들의 공동체의식을 키우기 위해 노력한다. 사회복지관 사업관리는 서비스제공 팀장에게 일임하고 있으며, 자신은 화기애애한 조직 분위기를 조성하는 역할에 전념한다.

① 무력형(impoverished management)
② 과업형(task management)
③ 팀형(team management)
④ 중도형(middle of the road management)
⑤ 컨트리클럽형(country club management)

답 ⑤

✅ 응시생들의 선택

① 1%	② 2%	③ 47%	④ 6%	⑤ 44%

⑤ 컨트리클럽형은 생산에 대한 관심은 낮지만 인간에 대한 관심은 높은 유형이다.

리더십이론에 관한 설명으로 옳은 것은?

① 블레이크와 머튼(R. Blake & J. Mouton)의 관리격자이론에 의하면 과업형(1.9)이 가장 이상적인 리더이다.
② 피들러(F. E. Fiedler)의 상황이론에 의하면 상황의 호의성이 모두 불리하면 리더가 인간중심의 행동을 해야 효과적이다.
③ 허시와 블랜차드(P. Hersey & K. H. Blanchard)의 상황이론에 의하면 구성원의 성숙도가 낮을 경우 위임형 리더십이 적합하다.
④ 퀸(R. Quinn)의 경쟁적 가치 리더십에 의하면 동기부여형 리더십은 목표달성가 리더십과 상반된 가치를 추구한다.
⑤ 배스(B. M. Bass)의 변혁적 리더십에 의하면 변혁적 리더는 구성원의 욕구와 보상에 주된 관심을 갖는다.

답 ④

✔ **응시생들의 선택**

① 5%	② 24%	③ 15%	④ 36%	⑤ 20%

① 팀형/단합형(9-9형)이 가장 이상적인 리더이다.
② 상황의 호의성이 모두 불리하면 과업지향적 리더가 더 높은 성과를 올리는 경향이 있다.
③ 구성원의 성숙도와 의지가 모두 낮은 경우에는 지시형 리더십이, 성숙도는 낮지만 의지가 높은 경우에는 제시형 리더십이 효과적이다.
⑤ 구성원의 욕구와 보상에 관심을 갖는 것은 거래적 리더십이다.

다음에서 설명하는 리더십이론은?

• 리더의 지위권력 정도, 직원과의 관계, 과업의 구조화가 중요하다.
• 직원의 성숙도가 중요하다.
• 한 조직에서 성공한 리더가 타 조직에서도 반드시 성공하는 것은 아니다.

① 행동이론　　　　② 상황이론
③ 특성이론　　　　④ 공동체이론
⑤ 카리스마이론

답 ②

✔ **응시생들의 선택**

① 7%	② 58%	③ 6%	④ 19%	⑤ 10%

② 상황이론은 상황에 따라 성공적인 리더 유형은 달라질 수 있다고 보았다. 상황적 요인으로는 조직의 목표와 성격, 조직의 구조, 조직의 유형, 발전 정도, 구성원의 자질과 행동 등 제시한 학자마다 다르다.

(　)에 들어갈 리더십에 대한 접근방식과 그 설명의 연결이 옳은 것은?

• (ㄱ) – 바람직한 리더십 행동은 훈련을 통해서 개발된다.
• (ㄴ) – 업무의 환경 특성에 따라서 필요한 리더십이 달라진다.
• (ㄷ) – 리더십은 타고나야 한다.
• (ㄹ) – 리더십은 지도자와 추종자가 협력하는 과정에서 형성된다.

① ㄱ: 행동이론　　　ㄴ: 상황이론
　 ㄷ: 특성이론　　　ㄹ: 변혁이론
② ㄱ: 상황이론　　　ㄴ: 행동이론
　 ㄷ: 특성이론　　　ㄹ: 경쟁가치이론
③ ㄱ: 행동이론　　　ㄴ: 상황이론
　 ㄷ: 경쟁가치이론　ㄹ: 변혁이론
④ ㄱ: 경쟁가치이론　ㄴ: 행동이론
　 ㄷ: 상황이론　　　ㄹ: 특성이론
⑤ ㄱ: 행동이론　　　ㄴ: 상황이론
　 ㄷ: 변혁이론　　　ㄹ: 경쟁가치이론

답 ①

✔ **응시생들의 선택**

① 51%	② 6%	③ 11%	④ 1%	⑤ 31%

• 행동이론: 바람직한 리더십 행동은 훈련을 통해서 개발된다.
• 상황이론: 업무의 환경 특성에 따라서 필요한 리더십이 달라진다.
• 특성이론: 리더십은 타고나야 한다.
• 변혁이론: 리더십은 지도자와 추종자가 협력하는 과정에서 형성된다.

다음 내용이 **왜 틀렸는지**를 확인해보자

01 리더십이론은 <u>행동이론 → 특성이론 → 상황이론</u>의 순서로 발달했다.

> 특성이론 → 행동이론 → 상황이론의 순서로 발달했다.

07-07-09
02 행동이론에는 오하이오 연구, 미시간 연구, **호손실험** 등이 있다.

> 호손연구는 인간관계이론의 시작이 된 연구이다.

11-07-05
03 상황적 리더십 이론은 **참여적 리더십 스타일**을 선호한다.

> 상황적 리더십 이론은 상황변수에 따라 효과적인 리더의 특성이나 행동이 다르다고 보았기 때문에 특정 리더십을 선호한다고 말할 수 없다.

10-07-09
04 관리격자이론에서는 **중도형이 최적의 리더십** 스타일이다.

> 관리격자이론에서는 팀형 리더십이 가장 높은 생산성을 보인다고 설명한다.

05 오하이오 연구에서는 **직원에 대한 배려 행동을 강조하는 리더가 더 높은 성과를 낸다**고 보았다.

> 리더 행동을 구조주도 행동과 배려 행동이라는 2가지 차원으로 구분하여 어느 한 쪽에 치우치거나 부족함 없는 리더가 높은 성과를 가져온다고 보았다.

10-07-09
06 거래적 리더십은 <u>높은 도덕적 가치와 이상에 호소하여 추종자의 의식을 변화시킨다.</u>

> 변혁적 리더십에 대한 설명이다.

07 **변혁적 리더십**은 성과에 대한 금전적인 보상을 통해 구성원의 높은 헌신을 가능하게 한다.

18-07-17

> 거래적 리더십에 해당한다.

08 퀸의 경쟁가치 모델은 내부지향과 외부지향의 가로축, **효과성과 효율성**의 세로축에 따라 4가지 영역의 리더십을 제시하였다.

> 세로축은 유연성(분권성)과 통제성(집권성)을 토대로 한다.

09 퀸의 경쟁가치 모델에서 **목표달성가 리더십**은 내부지향적이면서 조직의 안정과 유지에 초점을 둔다.

> 목표달성가 리더십은 외부지향적이면서 생산성 향상을 강조한다. 내부지향적이면서 조직의 안정과 유지에 초점을 두는 것은 분석가 리더십에 해당한다.

빈칸에 들어갈 알맞은 말을 채워보자

06-07-20

01 블레이크와 머튼의 관리격자이론은 (①)에 대한 관심과 (②)에 대한 관심에 따라 리더십의 유형을 구분하였다.

02 거래적 리더십은 조직의 안정을 추구하는 반면, ( )적 리더십은 조직의 변화와 개혁을 추구한다.

05-07-12

03 허시와 블랜차드가 제시한 리더십 유형 중 부하직원이 일에 대한 의지는 강하지만 업무수행능력에 있어서 개선의 여지가 많은 경우에는 ( )형 리더십이 적합하다.

04 하우스의 경로-목표이론은 (①)의 특성 및 (②)의 특성 등 두 요인을 바탕으로 지시적 리더십, 지지적 리더십, 참여적 리더십, 성취지향적 리더십 등 4가지 유형의 리더십을 살펴보았다.

답 **01** ① 인간 ② 생산　**02** 변혁　**03** 제시　**04** ① 직원 ② 업무환경

다음 내용이 옳은지 그른지 판단해보자

08-07-30

01 입사성적은 뛰어나지만 잦은 지각을 하는 직원에게는 참여형 리더십이 적절하다. ⊙⊗

18-07-09

02 관리격자이론은 조직원의 특성과 같은 상황적 요소를 고려하고 있다. ⊙⊗

16-07-15

03 상황이론은 한 조직에서 성공한 리더가 타 조직에서도 반드시 성공하는 것은 아니라고 보았다. ⊙⊗

05-07-13

04 미시간 연구에서는 직무위주 리더십이 구성원 중심적 리더십보다 효과적이라고 보았다. ⊙⊗

14-07-17

05 특성이론은 구성원의 성장에 대한 헌신과 공동체 의식 형성에 초점을 둔다. ⊙⊗

답 **01** ○ **02** × **03** ○ **04** × **05** ×

해설 **02** 관리격자이론은 행태론적 접근(행동이론)으로, 상황적 요소를 고려하지는 않았다.
04 미시간 연구에서는 구성원 중심적 리더십이 직무위주 리더십보다 효과적이라고 보았다.
05 구성원의 성장에 대한 헌신과 공동체 의식 형성에 초점을 두는 것은 섬김 리더십의 주요 특징이다.

KEYWORD 207 리더십 유형

최근 10년간 **4문항** 출제

1회독 월 일 2회독 월 일 3회독 월 일

 **이론요약**

지시적 리더십

- 명령과 복종을 강조하고 독선적, 보상과 처벌로 통제
- 장점: 일관성, 신속한 결정, 위기 시에 유리함
- 단점: 경직성, 구성원들의 사기저하

참여적(민주적) 리더십

- **민주적 리더십**, 의사결정 과정에 부하직원의 **참여 유도**
- 장점: 동기유발적, 개인의 지식과 기술이 반영될 수 있음
- 단점: 긴급한 결정이 필요할 때는 불리함

자율적(방임적) 리더십

- 대부분의 의사결정이 **부하직원에게 위임**되는 형태
- 장점: 개개인의 자율성이 극대화됨
- 단점: 구성원 간 갈등 상황에 개입하기 어려움

기본개념

사회복지행정론
pp.149~

01 (20-07-21) 참여적 리더십은 하급자가 의사결정에 참여하는 것을 강조한다.

02 (20-07-21) 참여적 리더십은 동기부여 수준이 높은 업무자로 구성된 조직에서 효과적이다.

03 (20-07-21) 참여적 리더십은 책임성 소재가 모호해질 수 있다.

04 (20-07-21) 참여적 리더십은 사회복지의 가치와 부합한다.

05 (19-07-10) 참여적 리더십의 특징: 조직의 목표에 대한 구성원의 참여동기가 증대될 수 있다. 조직의 리더와 구성원 간 의사소통이 활발해질 수 있다. 집단의 지식, 경험, 기술의 활용이 용이하다.

06 (15-07-04) 참여적 리더십은 직원들의 지식과 기술 활용이 용이하고, 리더와 직원들 간의 양방향 의사소통이 가능하다.

07 (15-07-04) 참여적 리더십은 책임 분산으로 인해 조직이 무기력하게 될 수 있다.

08 (10-07-11) 참여적 리더십에서는 지시적 리더십에서보다 구성원들 간 정보교환이 활발하게 일어난다.

09 (04-07-12) 참여형 리더십은 구성원들의 동기를 이끌어내는 데에 유리한 측면이 있다.

10 (02-07-25) 참여적 리더십은 부하 직원을 의사결정 과정에 참여시켜 개인의 지식과 기술을 활용하는 민주적 리더 유형이다.

대표기출 확인하기

참여적 리더십에 관한 설명으로 옳지 않은 것은?

① 의사결정의 시간과 에너지가 절약될 수 있다.
② 하급자가 의사결정에 참여하는 것을 강조한다.
③ 동기부여 수준이 높은 업무자로 구성된 조직에서 효과적이다.
④ 책임성 소재가 모호해질 수 있다.
⑤ 사회복지의 가치와 부합한다.

 알짜확인

- 지시적 리더십, 참여적 리더십, 자율적(방임적) 리더십 등의 주요 특징 및 장단점을 구분해두어야 한다.
- 주로 참여적 리더십의 특징을 파악하는 문제로 출제되어 왔지만, 결국 지시적 리더십, 참여적 리더십, 자율적 리더십의 특징을 비교하여 옳은 내용 혹은 옳지 않은 내용을 추려낼 수 있는지를 확인하도록 출제되고 있다. 따라서 참여적 리더십에 대해서만 집중해서 학습하기보다는 3가지 리더십 유형의 특징을 구분할 수 있도록 해야 한다.

답 ①

✔ 응시생들의 선택

① 64%	② 13%	③ 7%	④ 12%	⑤ 4%

① 참여적 리더십은 민주적 방식의 의사결정을 강조하기 때문에 히급자의 참여를 강조한다. 이로 인해 구성원들이 이견을 수렴하는 과정에서 시간과 에너지가 소요된다는 단점도 있다.

관련기출 더 보기

참여적 리더십에 관한 설명으로 옳지 않은 것은?

① 집단지식과 기술 활용이 용이하다.
② 상급자의 권한과 책임을 포기하는 것이다.
③ 소요시간과 책임소재 문제 등이 단점이다.
④ 기술수준이 높고, 동기부여 된 직원들이 있을 때 효과적이다.
⑤ 직원들을 의사결정에 참여시켜 일에 대한 적극적 동기부여가 가능아다.

답 ②

✔ 응시생들의 선택

① 1%	② 92%	③ 3%	④ 3%	⑤ 1%

② 참여적 리더십은 민주적 리더십으로 결정에 있어 부하직원을 결정과정에 참여시킨다. 그렇다고 해서 상급자의 권한과 책임을 하급자에게 미루는 것은 아니다.

참여적 리더십에 관한 설명으로 옳지 않은 것은?

① 직원들의 지식과 기술 활용이 용이하다.
② 직원들의 사명감이 증진될 수 있다.
③ 책임 분산으로 인해 조직이 무기력하게 될 수 있다.
④ 하급자들이 의사결정을 적극적으로 주도한다.
⑤ 리더 직원들 간의 양방향 의사소통이 가능하다.

답 ④

✔ 응시생들의 선택

① 1%	② 2%	③ 73%	④ 23%	⑤ 1%

④ 참여적 리더십은 하급자들의 의견을 모아 리더가 최종적인 결정을 내린다. 결정권한이 하급자들에게 이양된 것은 위임형 리더십이다.

➕ 덧붙임
③번을 선택한 응시생들이 많았는데, ③의 내용은 참여적 리더십의 단점이다.

다음 내용이 **왜 틀렸는지**를 확인해보자

---

01 위임적 리더십은 **민주적 리더십**으로 대부분의 의사결정 권한이 부하직원에게 위임된다.

> 민주적 리더십은 참여적 리더십이며, 직원들의 참여를 강조하지만 권한을 위임하지는 않는다.

`04-07-12`

02 참여형 리더십 하에서는 **조정과 결정이 신속히 이루어진다.**

> 참여형 리더십은 직원들의 의견수렴 과정을 거침에 따라 조정과 결정에 많은 시간이 소요될 수 있다.

`19-07-10`

03 **방임적 리더십**은 리더와 구성원 간 의사소통이 활발하게 일어나며 집단의 지식, 경험, 기술을 활용하기에 용이하다.

> 참여적 리더십에 해당한다.
> 방임적 리더십에서는 집단의 협력적 분위기가 약해 의사소통이 활발하지 않다. 개인의 역량을 자주적으로 펼치는 데에 용이하다.

`10-07-11`

04 **참여적 리더십**은 명령과 복종을 강조하므로 통제와 조정이 쉽다.

> 지시적 리더십에 해당한다.

---

05 자율적 리더는 **직원들에게 다양하고 풍부한 정보를 적극적으로 제공**함으로써 직원들의 효과적인 판단과 결정을 이끌어낸다.

> 자율적 리더십은 직원들이 스스로 판단하고 결정할 수 있도록 책임과 권한을 위임한다. 리더가 직원들에게 제공하는 정보는 거의 없거나 제한적이다.

`07-07-15`

06 **지시적 리더십은 참여적 리더십에 비해** 의사결정에 많은 시간과 비용이 부과된다.

> 참여적 리더십은 지시적 리더십에 비해 의사결정에 많은 시간과 비용이 부과된다.

인적자원관리

이 장에서는

인적자원관리 전반을 종합적으로 다룬 문제가 자주 출제된다. 직무분석을 토대로 직무기술서 및 직무명세서를 작성한다는 점이나 소진의 단계(열성 – 침체 – 좌절 – 무관심)를 기억해두자. 순환보직, 계속교육, OJT 등의 훈련방법이나 동기–위생이론, ERG이론, 성취동기이론, 형평성이론, 목표설정이론 등의 동기부여이론 등은 단독으로도 출제된다. 최근 출제빈도는 낮아졌지만 슈퍼비전의 행정적 · 지지적 · 교육적 기능도 놓치지 말자.

10년간 출제분포도

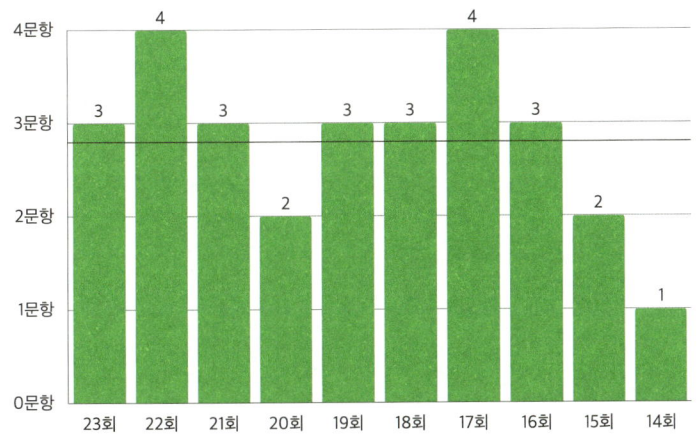

2.8
문항

평균 출제문항수

강의 QR코드

1회독
월 일

2회독
월 일

3회독
월 일

최근 10년간 **16문항** 출제

 **이론요약**

 23회 기출 22회 기출 21회 기출 20회 기출 19회 기출

인적자원관리란?

- 구성원의 **성과관리, 보상관리, 개발관리 등을 포함**
- 성과에 따른 보상을 중심으로 했던 인사관리에서 **구성원을 인적자원으로 보고** 인적 자원을 관리한다는 개념으로 확장됨

기본개념

사회복지행정론
pp.158~

인사관리의 과정

충원계획 수립 → 모집·선발 → 채용 및 배치 → 오리엔테이션 → 평가 → 승진

모집·선발

- **직무기술서와 직무명세서: 직무분석을 바탕으로 작성**
  - 직무기술서: 직무의 성격, 내용, 수행방법, 직무에서 기대되는 결과, 임무와 책임 명시
  - 직무명세서: 직무수행에 필요한 지식, 능력 및 교육수준, 경력, 자격증 등에 대한 요건 명시
- 시험의 종류
  - 필기시험: 객관식 시험은 채점의 객관도 확보 및 채점이 용이하지만 출제에 많은 시간이 걸림. 주관식 시험은 복잡한 사고능력 측정이 가능하지만 채점에 시간과 비용이 들고 채점자의 주관에 영향을 받게 됨
  - 실기시험: 채점에 있어 객관성을 확보하기 어려우며, 다수에게 적용하기는 어려움
  - 면접: 응시자의 태도, 성격 등을 파악할 수 있으나 면접관의 선입견이 개입될 여지가 큼

직원능력개발의 방법

- 신디케이트(syndicate, 분임토의): 소집단으로 나누어 따로 토의를 진행한 후 전체가 모여 발표 및 토론을 진행
- OJT: 직장 내 훈련, 직무상 훈련, 현장훈련
- 사례발표: 직원들이 돌아가며 사례를 발표
- 역할연기: 실제 연기 후 여러 직원들이 평가, 토론
- 임시대역(understudy): 상사의 부재를 대비하여 직무수행 대리
- 순환보직: 일정한 기간 간격을 두고 여러 보직을 돌아가며 수행
- 계속교육: 정규교육을 모두 수료한 사람들에게 지속적으로 교육을 제공하여 전문성 유지 및 향상

직무평가 순서

직무수행 기준 확립 → 직원에게 직무수행의 기대치 전달 → 평가도구를 통해 직무수행 측정 → 직무수행 기준과 실제 직무수행 비교 → 평가회의: 평가결과에 대한 토의 (→ 직무수행 기대치 및 직무수행 기준 등을 수정)

소진

- 직업에서 경험하는 스트레스와 고통들에 대한 반응으로 직무에서부터 멀어져 가는 과정을 의미
- 직업에 대한 이상, 열정, 목적의식이나 관심을 점차적으로 상실해가는 과정
- 소진의 4단계: 열성 → 침체 → 좌절 → 무관심

기출문장 CHECK

01 (23-07-10) 직무설계란 직무 내용, 수행방법, 직무간의 관계 등을 설정하는 것이다.

02 (22-07-11) 인적자원관리의 구성요소로는 확보, 개발, 보상, 유지 등이 있다.

03 (21-07-11) 인적자원관리에는 직원채용, 직무수행 평가, 직원개발을 포함한다.

04 (21-07-11) 인적자원관리에는 직무만족도 개선과 소진관리가 포함된다.

05 (21-07-12) 직무기술서는 직무의 성격, 내용, 수행 방법 등을 정리한 문서이다.

06 (21-07-12) 직무기술서는 작업조건을 파악해서 작성한다.

07 (21-07-12) 직무기술서에는 직무수행을 위한 책임과 행동을 명시한다.

08 (20-07-19) 직무명세는 특정 직무수행을 위해 필요한 지식과 기능, 능력 등을 작성하는 것이다.

09 (20-07-19) 직무평가에서는 조직목표 달성에 대한 구성원의 기여도를 고려한다.

10 (19-07-11) 인적자원관리의 영역에는 채용, 배치, 평가, 승진 등이 포함된다.

11 (19-07-12) 직무를 통한 연수(OJT)는 조직의 상사나 선배를 통해 일상적인 업무 과정에서 이루어진다.

12 (19-07-13) 직무기술서에는 직무 명칭, 직무 내용 및 수행방법, 핵심 과업 등을 작성한다.

13 (18-07-12) 직무수행평가는 조직원들에게 직무수행의 기대치를 전달하는 목적을 지니고 있다.

14 (18-07-15) 계속교육: 지속적이고 새로운 전문지식 습득 방법, 지역사회의 필요 및 구성원의 욕구에 따라 융통성 있게 실시 가능, 사회복지사에게 직무연수 방식으로 제공

15 (18-07-16) 소진은 직무에서 비롯되는 스트레스에 대한 반응이다.

16 (18-07-16) 소진은 목적의식이나 관심을 점차적으로 상실하는 과정이다.

17 (18-07-16) 소진은 감정이입이 업무의 주요 기술인 직무현장에서 발생하는 현상이다.

18 (17-07-13) 소진은 일반적으로 열성 – 침체 – 좌절 – 무관심의 단계로 진행된다.

19 (17-07-14) 직무분석: 직무에 대한 업무내용과 책임을 종합적으로 분류한다. 직무명세서 작성의 전 단계이다.

20 (15-07-13) 직무기술서는 직무 자체에 대한 기술이다. 직무명세서는 직무수행자의 요건에 대한 기술이다.

21 (15-07-13) 인사관리는 성과관리, 개발관리, 보상관리 등을 포함한다.

22 (14-07-14) 인적자원관리는 인적자원 확보와 조직구성원에 대한 훈련, 교육, 보상관리 등을 의미한다.

23 (14-07-14) 인적자원관리는 조직구성원의 혁신적 사고와 행동이 조직의 경쟁력이라고 전제한다.

24 (14-07-14) 조직구성원의 능력과 성향이 조직성과에 주는 영향이 크기 때문에 인적자원관리가 중요하다.

25 (10-07-12) 직원을 모집하기 위해서는 단기 · 중기 · 장기의 충원계획 수립이 필요하다.

26 (10-07-12) 직무기술서(job description)는 직무명칭과 개요 등 직무 자체에 관한 내용이다.

27 (07-07-07) 사회복지사의 소진은 서비스의 질 저하 및 클라이언트에 대한 부정적 태도 등을 야기할 수 있다.

28 (07-07-20) 직원의 전문성 개발을 위해 사례발표, 보수교육, 역할연기, 슈퍼비전 등의 실시를 고려해볼 수 있다.

29 (06-07-18) 직무분석에는 구체적인 업무 내용 함께 수행에 필요한 시간, 업무 및 감독에 대한 책임 등을 포함한다.

30 (05-07-14) 인사관리의 핵심요소: 개발관리, 성과관리, 보상관리

31 (02-07-13) 사회복지조직에서 활동하는 직원들의 소양과 능력을 개발하고 필요한 지식과 기술을 향상시키는 것은 직원들의 직무수행력을 높이기 위한 것이며, 이에 따라 적절한 업무 배치와 업무수행에 따른 보상이 주어져야 직무만족도가 높아진다.

32 (01-07-07) 소진: 과도한 스트레스에 노출되어 신체적 · 정신적 기력이 고갈되어 직무수행능력이 떨어지고 단순 업무에만 치중하게 되는 현상이다.

대표기출 확인하기

23-07-10 난이도 ★★★

인적자원관리체계에 관한 설명으로 옳은 것은?

① 직무설계: 직무 내용, 수행방법, 직무간의 관계 등 설정
② 직무분석: 일의 종류, 난이도, 책임수준이 유사한 직급으로 묶음
③ 직무평가: 평가대상 직무에 종사하는 직원들 평가
④ 직무기술서: 직무수행자 자격요건 기술
⑤ 직무명세서: 직무싱격, 내용, 수행빙법 등 기술

 알짜확인

- 어렵게 출제되는 편은 아니지만 직원선발, 교육, 훈련, 소진 등 다양한 내용이 한 문제에 종합적으로 다뤄지고 있다.
- 직무에 대한 분석을 진행한 후 그 내용을 바탕으로 직무기술서와 직무명세서가 작성된다는 순서를 기억하면서 직무기술서와 직무명세서의 차이점도 파악해두자.
- OJT, 신디케이트처럼 이름만 봐서는 알 수 없는 교육·훈련 방법을 확인해두어야 한다.

답 ①

✔ **응시생들의 선택**

| ① 29% | ② 13% | ③ 40% | ④ 7% | ⑤ 11% |

② 일의 종류, 난이도, 책임수준이 유사한 직급으로 묶는 것은 직무등급회에 대한 설명이다.
③ 평가대상 직무에 종사하는 직원들을 평가하는 것은 직원평가이다. 직무평가는 직무자체의 상대적 가치를 분석·평가하는 것으로 직원을 평가하는 것이 아니라 직무의 중요도와 난이도, 책임과 필요 등을 기준으로 평가하여 공정한 임금체계를 구축하는 데 활용한다.
④ 직무수행자 자격요건에 대한 기술은 직무명세서에 포함되어야 하는 내용이다.
⑤ 직무성격, 내용, 수행방법 등에 대한 기술은 직무기술서에 포함되어야 하는 내용이다.

관련기출 더 보기

22-07-13 난이도 ★★☆

직무수행평가 순서로 옳은 것은?

> ㄱ. 실제 직무수행을 직무수행 평가기준과 비교
> ㄴ. 직원과 평가결과 회의 진행
> ㄷ. 평가도구를 사용하여 직원의 실제 직무수행을 측정
> ㄹ. 직무수행 기준 확립
> ㅁ. 직무수행 기대치를 직원에게 전달

① ㄷ－ㄹ－ㅁ－ㄱ－ㄴ ② ㄹ－ㄷ－ㄴ－ㅁ－ㄱ
③ ㄹ－ㅁ－ㄷ－ㄱ－ㄴ ④ ㅁ－ㄱ－ㄷ－ㄴ－ㄹ
⑤ ㅁ－ㄹ－ㄴ－ㄷ－ㄱ

답 ③

✔ **응시생들의 선택**

| ① 3% | ② 9% | ③ 74% | ④ 5% | ⑤ 9% |

③ ㄹ－ㅁ－ㄷ－ㄱ－ㄴ의 순으로 진행된다.

21-07-11 난이도 ★☆☆

사회복지조직의 인적자원관리에 관한 설명으로 옳지 않은 것은?

① 동기부여를 위한 보상관리는 해당되지 않는다.
② 직원채용, 직무수행 평가, 직원개발을 포함한다.
③ 목표관리법(MBO)으로 직원을 평가할 수 있다.
④ 직무수행 과정에서 경력을 개발해 나갈 수 있도록 한다.
⑤ 직무만족도 개선과 소진관리가 포함된다.

답 ①

✔ **응시생들의 선택**

| ① 89% | ② 2% | ③ 6% | ④ 1% | ⑤ 2% |

① 인사관리의 핵심적인 요소로 업무분석 및 업무성과에 대한 평가, 직원개발 및 보상 등을 꼽을 수 있다. 구성원의 채용·배치부터 교육 및 훈련, 업무평가, 동기부여 및 사기진작, 근무시간·급여·성과급·승진·퇴직금, 노사협조 등에 관한 사항을 포함한다.

직무기술서에 관한 설명으로 옳은 것을 모두 고른 것은?

> ㄱ. 작업조건을 파악해서 작성한다.
> ㄴ. 직무수행을 위한 책임과 행동을 명시한다.
> ㄷ. 종사자의 교육수준, 기술, 능력 등을 포함한다.
> ㄹ. 직무의 성격, 내용, 수행 방법 등을 정리한 문서이다.

① ㄱ, ㄴ   ② ㄱ, ㄷ
③ ㄱ, ㄴ, ㄹ   ④ ㄴ, ㄷ, ㄹ
⑤ ㄱ, ㄴ, ㄷ, ㄹ

답 ③

✓ 응시생들의 선택

① 3%	② 5%	③ 53%	④ 7%	⑤ 32%

ㄷ. 종사자의 교육수준, 기술, 능력 등을 포함하여 작성하는 것은 직무 명세서이다.

인적자원관리에 관한 설명으로 옳은 것을 모두 고른 것은?

> ㄱ. 직무분석은 직무명세 이후 가능하다.
> ㄴ. 직무명세는 특정 직무수행을 위해 필요한 지식과 기능, 능력 등을 작성하는 것이다.
> ㄷ. 직무평가에서는 조직목표 달성에 대한 구성원의 기여도를 고려한다.

① ㄴ   ② ㄱ, ㄴ
③ ㄱ, ㄷ   ④ ㄴ, ㄷ
⑤ ㄱ, ㄴ, ㄷ

답 ④

✓ 응시생들의 선택

① 6%	② 3%	③ 4%	④ 68%	⑤ 19%

ㄱ. 직무분석의 결과를 토대로 직무명세서를 작성한다.

직무를 통한 연수(OJT)에 관한 설명으로 옳은 것을 모두 고른 것은?

> ㄱ. 직원이 지출한 자기개발 비용을 조직에서 지원한다.
> ㄴ. 일반적으로 조직의 상사나 선배를 통해 이루어진다.
> ㄷ. 일상적인 업무를 통해 이루어지는 경우가 많다.
> ㄹ. 조직 외부의 전문교육 기관에서 제공된다.

① ㄱ, ㄴ   ② ㄱ, ㄷ
③ ㄱ, ㄹ   ④ ㄴ, ㄷ
⑤ ㄷ, ㄹ

답 ④

✓ 응시생들의 선택

① 3%	② 5%	③ 22%	④ 64%	⑤ 6%

ㄱ. OJT는 직장 내에서 해당 업무를 수행하면서 그에 대한 지도와 교육을 받는 것이기 때문에 비용이 별도로 발생하지 않는다.
ㄹ. OJT는 외부기관에서 받는 교육이 아닌 회사 내에서 직무를 수행하면서 받게 되는 교육훈련 방법이다.

사회복지조직의 인적자원관리에 관한 설명으로 옳은 것은?

① 직무만족은 조직몰입에 부정적인 영향을 미친다.
② 신규채용은 비공개모집을 원칙으로 한다.
③ 브레인스토밍은 제시된 아이디어의 양보다는 질을 더욱 중시한다.
④ 갈등은 조직 내에 비능률을 가져오는 역기능만을 갖는다.
⑤ 소진은 일반적으로 열성 – 침체 – 좌절 – 무관심의 단계로 진행된다.

답 ⑤

✓ 응시생들의 선택

① 1%	② 2%	③ 10%	④ 3%	⑤ 84%

① 직무만족은 조직몰입에 긍정적인 영향을 미친다. 조직몰입은 구성원 개인이 조직에 대해 갖는 애착 정도라고 말할 수 있다. 대체로 직무에 대한 만족이 높을수록 조직몰입도 높게 나타난다.
② 채용은 대체로 공개적으로 진행된다.
③ 브레인스토밍은 아이디어의 양이 많을수록 좋다.
④ 갈등은 역기능적일 수도 있지만, 대립적인 생각들 속에서 유의미한 대안이 창출되기도 한다는 점에서 역기능만 있는 것은 아니다.

다음 내용이 왜 틀렸는지를 확인해보자

01 직무수행평가는 직원의 승진 및 해임을 결정하기 위해 실시되어야 한다.

> 직무수행평가의 결과가 직원의 승진 및 해임을 결정하는 데에 자료가 되기는 하지만, 직무수행평가의 주된 목적은 직원의 직무수행능력, 전문성을 발전시키는 것에 있다.

02 구성원의 전문성을 강화하기 위해서는 끊임없는 순환보직을 통해 역량을 개발한다.

> 순환보직을 통해 다양한 업무를 경험해볼 수 있지만, 지나치게 잦거나 많으면 전문성과 능률성, 책임성이 저하되고 행정의 일관성을 해칠 우려도 있다.

10-07-12

03 직무명세서를 작성한 후 해당 직무에 대한 직무분석이 이루어져야 한다.

> 직무분석의 결과를 바탕으로 직무명세서를 작성한다.

04 직원능력개발의 대상은 신규채용자 및 일반 직원에 한정된다.

> 상급자 및 관리자에 대해서도 슈퍼바이저 혹은 멘토로서의 역할이나 리더십에 관한 교육, 환경변화에 맞는 조직의 정책 수립을 위한 교육 등이 진행된다.

05 인력개발에 관한 교육 및 훈련이 길어지면 업무에 지장을 줄 수 있으므로 1회성 혹은 단기간에 진행해야 한다.

> 교육 및 훈련이 어떤 목적으로 어떤 내용으로 진행되는가에 따라 1회 혹은 단기적으로 진행될 수도 있으며 장기적으로 진행될 수도 있다.

11-07-07

06 인력의 소진을 최소화하기 위한 전략으로 개인별 성과평가에 기초한 연봉제 임금 방식을 도입한다.

> 개인별 성과평가로 인해 구성원 간 불필요한 경쟁이 심화될 수 있다는 점에서 오히려 소진이 촉진될 수 있다.

빈칸에 들어갈 알맞은 말을 채워보자

01 `18-07-16`

( )은/는 직무에서 비롯되는 스트레스에 대한 반응으로, 목적의식이나 관심을 점차적으로 상실하는 과정이다.

02 `17-07-13`

소진은 열성 → ( ) → 좌절 → 무관심의 단계로 진행된다.

03 `18-07-15`

( )은/는 새로운 전문지식을 습득할 수 있도록 하는 직원능력 개발방법으로, 구성원의 욕구에 따라 융통성 있게 실시할 수 있으며, 사회복지사에게 직무연수 방식으로 제공할 수 있다.

04 `21-07-12`

( )은/는 작업조건을 파악하여 작성하며, 직무의 성격, 내용, 수행 방법 등과 함께 직무수행을 위한 책임과 행동을 명시하는 문서이다.

05 `19-07-12`

( )은/는 조직의 상사나 선배를 통해 일상적인 업무 과정에서 이루어지는 직원능력개발 방법이다.

06 `22-07-12`

( )은/는 짧은 시간에 많은 사람을 대상으로 교육내용을 체계적으로 전달할 때 사용하는 방법으로, 예를 들어 직원들에게 사회복지시설 평가제도에 대한 이해를 높여 기관평가에 좋은 결과를 얻도록 하기 위해 실시할 수 있다.

답 **01** 소진 **02** 침체 **03** 계속교육 **04** 직무기술서 **05** OJT **06** 강의

다음 내용이 옳은지 그른지 판단해보자

01 `19-07-13`
직무기술서에는 급여 수준, 직무 명칭, 직무 내용, 직무 수행방법, 핵심 과업 등이 포함되어야 한다. ◎ ✕

02 `05-07-14`
인사관리의 핵심요소로 개발관리, 성과관리, 보상관리 등을 꼽을 수 있다. ◎ ✕

03 `17-07-14`
직무평가는 직무명세서를 작성하기에 앞서 직무에 대한 업무내용과 책임을 종합적으로 살펴보는 것으로, 이는 인적자원관리의 기초가 된다. ◎ ✕

04 `09-07-21`
구성원의 사기 진작을 위해 인력개발 프로그램에 대한 평가는 하지 않는다. ◎ ✕

05 `03-07-27`
승진 기회 제공, 급여 인상 및 각종 포상 제도를 비롯해 슈퍼비전, 의사결정 과정에의 참여 등은 직무만족에 영향을 준다. ◎ ✕

06 `15-07-13`
직무분석 이전에 직무명세서와 직무기술서를 작성한다. ◎ ✕

07 `15-07-13`
직무명세서는 직무수행자의 요건에 대한 기술이다. ◎ ✕

08 `14-07-14`
인적자원관리는 인적자원 확보와 조직구성원에 대한 훈련, 교육, 보상 관리 등을 의미한다. ◎ ✕

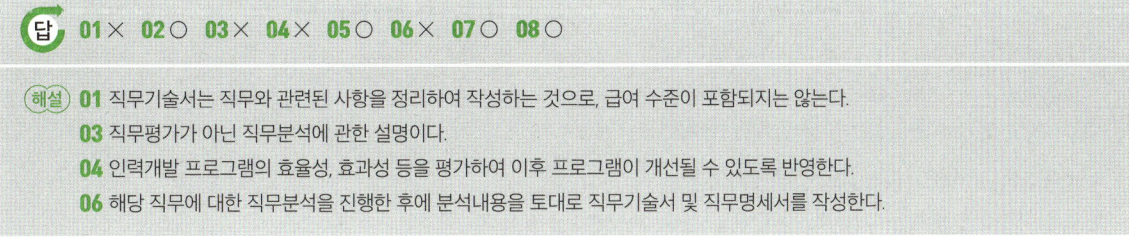

답 01 ✕ 02 ○ 03 ✕ 04 ✕ 05 ○ 06 ✕ 07 ○ 08 ○

해설 01 직무기술서는 직무와 관련된 사항을 정리하여 작성하는 것으로, 급여 수준이 포함되지는 않는다.
03 직무평가가 아닌 직무분석에 관한 설명이다.
04 인력개발 프로그램의 효율성, 효과성 등을 평가하여 이후 프로그램이 개선될 수 있도록 반영한다.
06 해당 직무에 대한 직무분석을 진행한 후에 분석내용을 토대로 직무기술서 및 직무명세서를 작성한다.

1회독
월 일

2회독
월 일

3회독
월 일

최근 10년간 **8문항** 출제

복습
1 **이론요약**

 23회 기출 22회 기출 20회 기출

내용이론

기본개념

강의로 보는
기본개념

사회복지행정론
pp.166~

▶ 매슬로우(Maslow)의 욕구계층이론

· 욕구를 <u>위계적으로</u> 제시
· 1단계: 생리적 욕구 → 2단계: 안전의 욕구 → 3단계: 사랑과 소속에 대한 욕구(사회적 욕구) → 4단계: 자기존중의 욕구 → 5단계: 자아실현의 욕구

▶ 허즈버그(Herzberg)의 동기 – 위생이론(2요인이론)

불만족요인과 만족요인은 다른 차원으로, **불만족요인의 충족이 만족상태는 아님**

· 위생요인(=불만족요인): <u>조직의 정책과 경영, 감독기술, 급여, 인간관계, 작업조건 등</u>. 매슬로우의 욕구 중 저차원적 욕구와 관련
· 동기요인(=만족요인): <u>일에 대한 책임, 일 그 자체, 승진 등</u>을 통한 성장 및 자기실현. 매슬로우의 욕구 중 고차원적 욕구와 관련

▶ 알더퍼(Alderfer)의 ERG이론

욕구가 순서대로 나타나는 것은 아니지만, **고순위 욕구가 좌절되면 저순위 욕구가 중요해진다는 좌절–퇴행 접근** 주장

· E(존재욕구, Existence): 급여, 육체적 작업에 대한 욕구, 물질적 욕구 등
· R(관계욕구, Relatedness): 소속감, 인간관계 등
· G(성장욕구, Growth): 자아실현, 잠재력 개발 등

▶ 맥클리랜드(McClelland)의 성취동기이론

<u>욕구가 위계적인 관계는 아니라고 하면서도 성취욕구가 가장 중요하다고 봄</u>

· 성취욕구: 어려운 일을 달성하려는 욕구, 다른 사람들과 경쟁하여 이기고 싶은 욕구, 자신의 능력을 최대한 발휘하고자 하는 욕구 등
· 권력욕구: 구성원들에게 통제력을 행사하거나 행동에 영향을 미치려는 욕구
· 친화욕구(귀속욕구): 다른 사람과 친근하고 밀접한 관계를 맺으려는 욕구

▶ 맥그리거(McGregor)의 X · Y이론

· X이론: 매슬로우의 하위욕구와 관련. 권위적 관리
· Y이론: 매슬로우의 상위욕구와 관련. '자율에 의한 통제'를 강조한 민주적 관리

과정이론

▶ **아담스(Adams)의 형평성/공평성이론**
• 자신의 투입과 자신이 받은 보상 사이의 균형을 맞추는 방향으로 동기가 발생
• 자신의 투입/산출과 다른 사람의 투입/산출을 비교함으로써 그 차이를 줄이기 위해 동기가 발생

▶ **브룸(Vroom)의 기대이론(VIE이론)**
인간이 행동하는 방향과 강도는 그 행동이 일정한 성과(O: Outcome)로 이어진다는 '기대(E)'의 강도와 실제로 이어진 '결과(I)'에 대해 느끼는 '매력(V)'에 달림

▶ **로크(Locke)의 목표설정이론**
• 목표설정 자체가 동기화에 결정적인 역할을 함
• 더 높은 목표를 달성하면 더 좋은 평가를 받는다는 점에서 동기가 발생

기출문장 CHECK

01 (23-07-08) 성취에 대한 인정(recognition)은 허즈버그의 동기-위생이론에 따른 동기유발요인에 해당한다.

02 (22-07-10) 허즈버그의 동기위생이론 예: 사회복지행정가 A는 직원의 불만족 요인을 낮추기 위하여 급여를 높이고, 업무환경 개선을 위한 사무실 리모델링을 진행하여 조직의 성과를 높이고자 하였다.

03 (20-07-17) 알더퍼(C. Alderfer)의 ERG이론은 고순위 욕구가 충족되지 못하면 저순위 욕구를 더욱 원하게 된다는 좌절퇴행 (frustration regression) 개념을 제시한다.

04 (18-07-10) 형평성이론의 예: A는 자신보다 승진이 빠른 입사 동기인 사회복지사 B와의 비교로, 보충해야 할 업무역량을 분석 하였다. A는 B가 가진 프로그램 기획력과 사례관리 역량의 필요성을 알게 되었고, 직무 향상과 승진을 위해 대학 원 진학을 결정하였다.

05 (17-07-12) 매슬로우의 욕구단계이론에서 최상위 단계는 자아실현욕구이다.

06 (17-07-12) 알더퍼의 ERG이론은 인간의 욕구를 세 가지 범주로 나누었다.

07 (17-07-12) 허즈버그의 동기-위생이론에 의하면 감독, 안전은 위생요인에 해당한다.

08 (17-07-12) 아담스는 공평성이론에서 조직이 공평성을 실천함으로써 구성원을 동기부여 할 수 있다고 하였다.

09 (16-07-14) 목표설정이론: 인지에 초점을 둔 이론이다. 동기 형성을 위한 목표설정이 필요하다고 본다. 목표가 구체적일수록 효과적이라고 본다. 의미 있는 목표는 동기유발을 일으켜 조직성과 달성에 기여한다고 본다.

10 (15-07-25) 맥클리랜드(McClelland)는 성취동기이론을 제시한 학자이다.

11 (10-07-02) 허즈버그(Herzberg)의 이론에서 봉급과 작업조건은 위생요인에 해당된다.

12 (10-07-02) 공평성 이론은 개인의 투입·산출에 대해 형평에 맞게 보상하는 동기부여를 강조한다.

13 (10-07-02) X이론의 인간관은 생리적 수준에서 동기가 부여되므로 하위욕구 관리전략이 필요하다.

14 (09-07-22) 매슬로우의 욕구이론에서는 하위욕구가 충족되어야 상위욕구가 나타난다.

15 (09-07-22) 아담스의 형평성 이론에서는 노력과 보상 간의 공정성이 동기부여의 핵심요소이다.

16 (09-07-22) 알더퍼의 ERG이론에서 존재욕구, 관계욕구, 성장욕구는 동시에 추구될 수 있다.

17 (09-07-22) 허즈버그의 동기위생이론에서 봉급과 근무환경은 위생요인이다.

18 (04-07-15) 동기이론은 내용이론과 과정이론으로 나눌 수 있다.

19 (04-07-15) 동기-위생이론에서 금전, 근무여건 등은 소극적 동기, 즉 위생요인에 해당한다.

대표기출 확인하기

20-07-17   난이도 ★★★

동기부여 이론에 관한 설명으로 옳은 것은?

① 알더퍼(C. Alderfer)의 ERG이론은 고순위 욕구가 충족되지 못하면 저순위 욕구를 더욱 원하게 된다는 좌절퇴행(frustration regression) 개념을 제시한다.

② 맥그리거(D. McGregor)의 X·Y이론은 조직에 대한 기대와 현실 간 차이가 동기수준을 결정한다는 점을 강조한다.

③ 허즈버그(F. Herzberg)의 동기-위생요인 이론은 불만 초래 요인을 동기요인으로 규정한다.

④ 맥클리랜드(D. McClelland)의 성취동기이론은 조직 공정성을 성취동기 고취를 위한 핵심요소로 간주한다.

⑤ 매슬로우(A. Maslow)의 욕구단계 이론은 욕구가 존재, 관계, 성장욕구의 세 단계로 구성된다고 주장한다.

▶ 알짜확인

• 동기부여이론들이 갖는 핵심은 직원들의 업무 욕구를 어떻게 발생시켜 생산성을 향상시킬 것인가에 초점을 둔다는 것이다. 각 이론마다 제시한 욕구 단계나 접근방법이 다르기 때문에 이러한 특징들을 구분해서 정리해두기 바란다.

답 ①

✓ 응시생들의 선택

① 30%	② 15%	③ 13%	④ 36%	⑤ 6%

② 조직에 대한 기대와 현실 간 차이가 동기수준을 결정한다는 점을 강조한 것은 브룸(V. Vroom)의 기대이론이다.

③ 허즈버그의 동기-위생요인 이론에서 충족되지 않았을 때 불만을 초래하는 요인은 위생요인이며, 충족되었을 때 만족을 주고 동기를 일으키는 요인이 동기요인이다.

④ 조직의 공정성을 성취동기 고취를 위한 핵심요소로 간주한 것은 아담스(Adams)의 공평성이론이다.

⑤ 욕구를 존재, 관계, 성장욕구의 세 가지로 설명한 것은 알더퍼(Alderfer)의 ERG이론이다.

관련기출 더 보기

23-07-08   난이도 ★★☆

허즈버그(F. Herzberg)의 동기-위생이론에 따른 동기유발요인에 해당하는 것은?

① 성취에 대한 인정(recognition)

② 기술적 감독(technical supervision)

③ 급여(salary)

④ 근로조건(working condition)

⑤ 인간관계(interpersonal relations)

답 ①

✓ 응시생들의 선택

① 57%	② 4%	③ 15%	④ 15%	⑤ 9%

① 성취에 대한 인정은 동기요인에 해당한다. 허즈버그가 제시한 동기-위생이론은 동기요인(만족요인)과 위생요인(불만족요인)으로 구분하는데, ② 기술적 감독, ③ 급여, ④ 근로조건, ⑤ 인간관계는 모두 위생요인(불만족요인)에 해당한다.

22-07-10   난이도 ★★☆

사회복지행정가 A는 직원의 불만족 요인을 낮추기 위하여 급여를 높이고, 업무환경 개선을 위한 사무실 리모델링을 진행하여 조직의 성과를 높이고자 하였다. 이때 적용한 이론은?

① 브룸(V. H. Vroom)의 기대이론

② 허즈버그(F. Herzberg)의 동기위생이론

③ 스위스(K. E. Swiss)의 TQM이론

④ 맥그리거(D. McGregor)의 XY이론

⑤ 아담스(J. S. Adams)의 형평성 이론

답 ②

✓ 응시생들의 선택

① 14%	② 76%	③ 6%	④ 3%	⑤ 1%

② 허즈버그는 구성원에게 불만족을 주는 요인을 위생요인, 만족을 주는 요인을 동기요인으로 구분하면서 동기위생이론을 제시하였다. 문제에 제시된 급여 인상과 업무환경 개선은 모두 불만족 요인인 위생요인에 해당한다. 허즈버그는 위생요인의 충족은 불만족스럽지 않은 상태일 뿐 그것이 만족스러운 상태인 것은 아니라고 보았으며, 동기요인의 충족이 만족을 일으켜 동기가 발생한다고 보았다.

다음 (　　)에 들어갈 내용으로 옳은 것은?

맥클랜드(D. McClelland)의 성취동기이론을 자원봉사자관리에 적용할 경우 자원봉사자의 욕구 유형에 따라 배정할 업무가 다를 것이다. 가령 (ㄱ)욕구가 강한 자원봉사자에게는 말벗되기 등 대면서비스를 담당하도록 배정하고, (ㄴ) 욕구가 강한 자원봉사자에게는 팀장 등 관리 업무를 맡기고, (ㄷ)욕구가 강한 자원봉사자에게는 후원자 개발 등 다소 어려운 업무를 배정한다.

① ㄱ: 인간관계, ㄴ: 성취, ㄷ: 권력
② ㄱ: 친교, ㄴ: 권력, ㄷ: 성취
③ ㄱ: 관계, ㄴ: 성장, ㄷ: 자아실현
④ ㄱ: 사회적, ㄴ: 권력, ㄷ: 성장
⑤ ㄱ: 친교, ㄴ: 존경, ㄷ: 권력

답 ②

✅ 응시생들의 선택

① 4%	② 59%	③ 12%	④ 24%	⑤ 19%

② ㄱ은 친교, ㄴ은 권력, ㄷ은 성취에 해당한다.

동기부여이론에 관한 설명으로 옳지 않은 것은?

① 매슬로우(A. Maslow)의 욕구단계이론에서 최상위 단계는 자아실현욕구이다.
② 알더퍼(C. Alderfer)의 ERG이론은 인간의 욕구를 세 가지 범주로 나누었다.
③ 허즈버그(F. Herzberg)의 동기－위생이론에 의하면 감독, 안전은 위생요인에 해당한다.
④ 맥클랜드(D. McClelland)의 성취동기이론에 의하면 성장욕구는 관계욕구보다 상위 단계이다.
⑤ 아담스(J. Adams)는 공평성이론에서 조직이 공평성을 실천함으로써 구성원을 동기부여 할 수 있다고 하였다.

답 ④

✅ 응시생들의 선택

① 2%	② 8%	③ 42%	④ 29%	⑤ 19%

④ 성취동기이론은 욕구를 계층화하지는 않았다.

목표설정(Goal Setting)이론에 관한 설명으로 옳지 않은 것은?

① 위계적 욕구이론이다.
② 인지에 초점을 둔 이론이다.
③ 동기 형성을 위한 목표설정이 필요하다고 본다.
④ 목표가 구체적일수록 효과적이라고 본다.
⑤ 의미 있는 목표는 동기유발을 일으켜 조직성과 달성에 기여한다고 본다.

답 ①

✅ 응시생들의 선택

① 63%	② 34%	③ 1%	④ 1%	⑤ 1%

① 욕구를 위계직으로 제시하지는 않았다.

동기부여에 관한 설명으로 옳지 않은 것은?

① X이론의 인간관은 생리적 수준에서 동기가 부여되므로 하위욕구 관리전략이 필요하다.
② 과업환경상의 동기부여를 위해서는 작업환경의 개선이 필요하다.
③ 공평성 이론은 개인의 투입·산출에 대해 형평에 맞게 보상하는 동기부여를 강조한다.
④ 허즈버그(Herzberg)의 이론에서 봉급과 작업조건은 위생요인에 해당된다.
⑤ Y이론에 의하면 안전의 욕구가 강한 계층에서 동기부여가 가능하다.

답 ⑤

✅ 응시생들의 선택

① 8%	② 5%	③ 4%	④ 14%	⑤ 69%

⑤ Y이론은 매슬로우의 상위욕구에 초점을 맞춘 이론으로, 자아실현 수준의 욕구를 가진 인간을 대상으로 고차원적인 욕구를 충족시킬 수 있는 민주적 방식으로 동기부여를 해야 한다고 보았다.

다음 내용이 **왜 틀렸는지**를 확인해보자

`15-07-25`

01 맥그리거(McGregor)는 욕구를 계층화하여 제시하였다.

> 맥그리거는 X·Y이론을 제시한 학자이다. 욕구를 계층화하여 설명한 학자는 매슬로우이다.

`09-07-22`

02 맥클랜드의 성취동기이론은 X·Y이론에 바탕을 두고 있다.

> X·Y이론에 바탕을 두고 있는 이론은 매슬로우의 욕구단계이론이다. 매슬로우의 욕구 위계 중 생리적 욕구, 안전에 대한 욕구, 사회적 욕구는 X이론에 바탕을 두고 있으며, 자기존중의 욕구와 자아실현의 욕구는 Y이론에 바탕을 두고 있다.

`04-07-15`

03 ERG이론은 낮은 수준의 욕구가 좌절되면 높은 수준의 욕구가 중요해진다고 설명했다.

> ERG이론에서는 좌절-퇴행 접근에 따라 상위욕구가 충족되지 않거나 좌절될 때 그보다 낮은 하위욕구의 중요성이 커진다고 설명했다.

---

04 공평성(형평성) 이론은 다른 사람과의 비교가 아닌 자신의 투입과 산출을 비교하여 동기를 부여한다고 설명한다.

> 자신의 투입과 산출을 비교하기도 하지만, 한편으로는 자신의 투입 대비 산출과 다른 사람의 투입 대비 산출을 비교하여 그 차이를 줄일 수 있는 방향으로 동기를 부여한다고 설명했다.

---

05 로크(Locke)는 목표설정만으로는 동기를 일으킬 수 없다고 보았다.

> 로크는 목표설정 자체가 동기화에 결정적인 역할을 할 수 있다고 보면서 목표설정이론을 제시하였다.

`15-07-25`

06 알더퍼(Alderfer)는 X·Y이론을, 허즈버그(Herzberg)는 ERG이론을 제시하였다.

> 알더퍼는 ERG이론을, 허즈버그는 동기위생이론을 제시하였다.

빈칸에 들어갈 알맞은 말을 채워보자

01 매슬로우의 5가지 욕구계층: 생리적 욕구 → 안전의 욕구 → 사회적 욕구 → (①   )의 욕구 → (②   )의 욕구

02 허즈버그의 2요인이론에서 (   )요인은 일 그 자체, 일에 대한 책임, 승진 등 3요소를 통해 만족과 동기를 이끌어낼 수 있는 요인이다.

03 존재욕구, 관계욕구, 성장욕구 등을 제시하면서 각 욕구는 순서대로 나타나지는 않지만, 고순위 욕구가 좌절될 경우 저순위 욕구가 중요해진다는 좌절－퇴행 접근을 주장한 학자는 (   )이다.

04 브룸이 제시한 기대이론은 인간의 행동이 어떤 성과로 이어진다는 기대(E)의 강도와 실제로 이어진 결과(I)에 대해 느끼는 (   )에 달려 있다고 본다.

05 맥클리랜드는 성취욕구, 권력욕구, 친회욕구 등에 대해 제시히면서 각 욕구를 위계적으로 설명하지는 않았지만 (   )욕구가 가장 중요하다고 보았다.

06 아담스의 (   )이론은 노력과 보상의 간극, 다른 사람과의 투입 대비 산출 비교 등을 통해 동기가 발생하게 됨을 설명한 것으로, 조직은 구성원들에 대해 보상하는 과정에서 이를 인식하고 공정성을 확보해야 한다고 보았다.

07 (   )의 목표설정이론은 목표설정 자체가 인간의 행동이 동기화하는 데에 결정적인 역할을 할 수 있다고 본 것이다.

답 **01** ① 자기존중 ② 자아실현   **02** 동기(만족)   **03** 알더퍼   **04** 매력(V)   **05** 성취(달성)   **06** 형평성(공평성)   **07** 로크

210 슈퍼비전

강의 QR코드

최근 10년간 **3문항** 출제

복습 1 이론요약

 23회기출 21회기출

슈퍼비전의 3가지 기능

- **행정적 기능**: 직원채용, 선발, 임명, 업무 위임, 서비스 제공에 대한 **감독·평가**
- **교육적 기능**: 기관의 기본가치, 목적, 실천이론과 모델에 대한 **교육 훈련, 정보제공**
- **지지적 기능**: 스트레스 및 긴장감 해소 지원, **동기부여 및 사기진작**

슈퍼바이저의 조건과 자질

풍부한 지식, 기술, 접근의 용이성, 진지한 자세, 솔직함, 칭찬과 인정

슈퍼비전의 모형(왓슨)

- 동료집단 슈퍼비전: 특정한 슈퍼바이저의 지정 없이 모든 집단 구성원이 동등한 자격으로 참여
- 직렬 슈퍼비전: 두 업무자가 동등한 자격으로 상호간에 슈퍼비전을 제공
- 팀 슈퍼비전: 다양한 성격을 가진 구성원으로 팀을 구성하여 진행
- 개인교습 모델: 개인교사와 학생의 관계처럼 1:1의 관계로 슈퍼비전을 진행
- 슈퍼비전 집단: 한 명의 슈퍼바이저와 한 집단의 슈퍼바이지로 구성(개인교습 모델에서 발전된 방식)
- 케이스 상담: 업무자와 상담인의 체계로 형성

기본개념

사회복지행정론
pp.171~

기출문장 CHECK

01 (23-07-11) 슈퍼비전의 지지적 기능은 직원의 정신적·심리적 부담을 완화한다.

02 (12-07-20) 슈퍼바이저는 풍부한 지식, 실천기술과 경험, 개방적 접근의 용이성, 솔직성 등의 자질을 갖춰야 한다.

03 (11-07-24) 슈퍼비전은 인적 자원의 개발에 관심을 두는 행정행위의 일종으로, 리더십과 연결성을 갖는다.

04 (11-07-24) 슈퍼바이저는 행정적 상급자, 교육자, 상담자로서의 복수 역할 간 갈등을 겪을 수 있다.

05 (09-07-18) 슈퍼바이저는 업무에 대한 조정과 통제의 임무를 수행한다.

06 (05-07-16) 슈퍼바이저는 행정적 상급자로서 업무계획 수립 및 업무지시에 관여하며 직무수행에 대해 모니터링 한다.

대표기출 확인하기

23-07-11
난이도 ★★☆

사회복지조직에서 수행되는 슈퍼비전에 관한 설명으로 옳지 않은 것은?

① 조직구성원 훈련 및 개발에 유용한 도구이다.
② 교육적 기능은 직원의 정신적·심리적 부담을 완화한다.
③ 행정적 기능은 효율적으로 일하는 구조와 자원을 제공한다.
④ 슈퍼바이저는 관리지, 중재자, 멘토 역할을 한다.
⑤ 슈퍼비전 구성요소는 슈퍼바이지, 슈퍼바이저, 클라이언트, 조직 등이다.

> **알짜확인**
> • 슈퍼비전은 출제율이 높지는 않지만 인적자원관리에 관한 종합적인 문제에서도 다뤄질 수 있으므로 슈퍼비전의 3가지 기능 및 슈퍼바이저의 역할, 자질, 슈퍼비전의 유형 등 기본적인 내용은 알아두도록 해야 한다.
> • 슈퍼바이저의 역할과 관련해서는 슈퍼바이저가 다양한 역할을 수행함에 따라 역할갈등을 느낄 수도 있다는 점 같이 기억해두자.

답 ②

✅ **응시생들의 선택**

① 3%	② 49%	③ 7%	④ 4%	⑤ 37%

② 슈퍼비전의 기능에는 행정적, 교육적, 지지적 슈퍼비전이 있다. 이 중 직원의 정신적·심리적 부담을 완화하는 것은 지지적 기능이다.

관련기출 더 보기

21-07-13
난이도 ★☆☆

사회복지 슈퍼비전에 관한 설명으로 옳지 않은 것은?

① 행정적 기능, 교육적 기능, 지지적 기능이 있다.
② 소진 발생 및 예방에 영향을 미친다.
③ 동료집단 간에는 슈퍼비전이 수행되지 않는다.
④ 슈퍼바이저는 직속상관이나 중간관리자가 주로 담당한다.
⑤ 직무를 수행하면서 훈련을 받을 수 있다는 장점이 있다.

답 ③

✅ **응시생들의 선택**

① 0%	② 3%	③ 92%	④ 3%	⑤ 2%

③ 슈퍼비전은 항상 슈퍼바이저와 슈퍼바이지가 1:1의 관계로 진행되어야 하는 것은 아니다. 특정한 슈퍼바이저를 지정하지 않고 슈퍼비전 집단을 구성한 사람들끼리 서로 동등한 자격으로 슈퍼비전을 제공하는 동료집단 슈퍼비전의 방식도 있다.

13-07-18
난이도 ★★☆

사회복지서비스 기관에서의 슈퍼비전에 관한 설명으로 옳지 않은 것은?

① 카두신(A. Kadushin)은 슈퍼비전을 행정적, 지지적, 교육적 기능으로 설명한다.
② 긍정적 슈퍼비전은 사회복지사의 소진 예방에 도움을 준다.
③ 슈퍼바이지(Supervisee) 간 동료 슈퍼비전은 인정되지 않는다.
④ 사회복지사의 관리 및 통제의 수단으로도 활용된다.
⑤ 슈퍼비전의 질은 슈퍼바이저의 역량에 좌우된다.

답 ③

✅ **응시생들의 선택**

① 35%	② 3%	③ 52%	④ 7%	⑤ 3%

③ 동료집단 슈퍼비전, 직렬 슈퍼비전 등 동료 간 서로가 서로에게 슈퍼바이저의 역할을 할 수 있다.

다음 내용이 왜 틀렸는지를 확인해보자

01 슈퍼바이저는 슈퍼바이지가 맡은 업무에 대해 최종적인 책임을 지며, 슈퍼바이지가 업무 과정에서 어려워하는 결정을 대신한다.

> 슈퍼바이저는 슈퍼바이지가 업무 과정에 필요한 지식과 기술을 잘 사용할 수 있도록 지원하는 역할을 수행한다. 책임을 공유하지만 전적으로 책임을 지는 것은 아니며, 결정이나 업무를 대신하는 것은 아니다.

02 카두신이 제시한 슈퍼비전의 기능 중 업무수행에 대한 책임 공유, 정보 제공 등은 교육적 슈퍼비전에 해당한다.

> 업무수행에 대한 책임을 공유함으로써 슈퍼바이지가 갖는 부담감이 완화될 수 있다는 점에서 지지적 슈퍼비전에 해당한다.

05-07-16

03 슈퍼바이저가 일선 사회복지사에게 새로운 이론과 모델에 대해 알려주는 것은 행정적 기능에 해당한다.

> 교육적 기능에 해당한다.

11-07-24

04 사회복지기관의 슈퍼비전은 가치와 감정의 문제를 배제하고, 전문적 기술의 전수를 중심에 둔다.

> 사기를 진작시키고, 좌절과 불만에 대해 도움을 제공하며, 전문가로서의 가치를 느끼고 기관에 대한 소속감과 직무수행에 있어 안정감을 갖도록 한다는 점에서 가치와 감정의 문제를 배제하기보다 오히려 강조한다.

05 슈퍼비전은 반드시 한 명의 슈퍼바이저와 한 명의 슈퍼바이지로 진행되어야 한다.

> 슈퍼비전은 1:1 관계가 아니더라도 다양한 형태로 이루어질 수 있다.

09-07-18

06 슈퍼바이저는 개별 사례에 대한 목표 및 과업을 결정한다.

> 개별 사례에 대한 목표나 과업 결정에 있어 정보를 제공할 뿐이다.

재정관리/재무관리

이 장에서는

가장 많이 출제되는 내용은 예산 기법이다. 품목별 예산, 성과주의 예산, 프로그램 기획예산(PPBS), 영기준 예산 등의 주요 특징을 정리해두어야 한다. 그 밖에 예·결산, 회계 등과 관련해「사회복지법인 및 사회복지시설 재무·회계 규칙」상 준예산, 예산 첨부서류, 결산 첨부서류, 예산 집행 과정 및 후원금 관리 규정 등도 다뤄진 바 있다.

10년간 출제분포도

1.6
문항

평균 출제문항수

KEYWORD

빈출

211

예산모형

1회독 월 일 | 2회독 월 일 | 3회독 월 일

최근 10년간 **6문항** 출제

 복습 1 **이론요약**

 23회 기출 21회 기출 19회 기출

항목/품목별 예산(LIB)

- 구입하고자 하는 **물품 또는 서비스별로 편성하는 예산**
- 프로그램의 목표나 내용, 결과 등을 알 수 없음
- **항목별로 정리되어 예산 통제에 효과적**
- 전년도의 예산을 참고하여 물가상승률 정도를 반영하는 **점증주의적 성격이 강하게 나타남**

기본개념

사회복지행정론 pp.180~

성과주의 예산(PB, 기능적 예산)

- 활동을 기능별 또는 프로그램별로 나누고 **각 프로그램의 단위원가와 업무량을 계산하여 편성**
- 예산에 **표시된 업무량을 실제로 달성했는가에 따라 성과를 관리**
- 단위원가를 계산하여 합리적 배분이 가능하지만, 단위원가 계산이 어려운 경우도 있음
- 성과가 예산 할당의 기준이 되기 때문에 효율성을 기할 수 있음

프로그램기획 예산(PPBS, 계획예산)

- **프로그램의 목표를 달성하기 위해 예산을 편성하는 방식**
- **프로그램의 계획과 예산이 결합**되어 조직 운영의 통합성을 꾀할 수 있음
- 예산편성이 독립적으로 이루어지는 것이 아니라 조직 차원에서 이루어지기 때문에 중앙집권화의 우려가 있음
- 사업에 필요한 품목이나 단위원가가 직접 제시되지 않음

영기준 예산(ZBB)

- **전년도 예산을 고려하지 않고 올해 운영될 모든 프로그램에 대해 우선순위에 따라 예산을 편성**
- 낭비되는 예산을 줄일 수 있지만 다음 연도의 예산을 예측하기 어려워 **장기적으로 진행될 프로그램에는 불리함**

01 (23-07-12) 기획예산제도(PPBS)는 장기적 기획과 단기적 예산 편성을 프로그램 작성을 통해 결합한다.

02 (23-07-12) 성과주의 예산은 '단위원가 × 업무량 = 예산액'으로 편성한다.

03 (21-07-14) 품목별 예산은 수입과 지출을 항목별로 명시하여 수립한다.

04 (19-07-14) 영기준 예산은 예산의 효율성을 중요시 한다. 전년도 예산을 고려하지 않는다.

05 (19-07-14) 성과주의 예산은 업무에 중점을 두는 관리지향의 예산제도이다.

06 (19-07-14) 품목별 예산은 전년도 예산을 근거로 한다.

07 (18-07-24) 품목별 예산: 예산의 남용을 방지할 수 있다. 회계책임을 명백히 할 수 있다. 급여와 재화 및 서비스 구매에 효과적이다.

08 (15-07-23) 성과주의 예산: 사업별 예산통제가 가능하다. 목표수행에 중점을 두는 관리지향 예산제도이다. 예산집행에 있어 신축성을 부여한다. 실적을 평가하기에 용이하다.

09 (14-07-19) 성과주의 예산은 각 세부사업을 '단위원가 × 업무량 = 예산액'으로 표시하여 편성을 한다.

10 (14-07-19) 성과주의 예산은 기관의 사업과 목표를 이해하는 데 도움을 주며, 예산집행에 신축성을 부여한다.

11 (12-07-22) 계획예산제도: 목표개발에서부터 시작된다. 조직의 통합적 운영이 편리하다. 조직품목과 예산이 직접 연결되지 않아 환산작업에 어려움이 있다. 의사결정에 있어서 과학적이고 합리적인 기법을 활용한다.

12 (10-07-17) 영기준 예산: 전년도 예산과 무관하게 매년 프로그램 우선순위에 따라 예산을 편성한다. 사업의 우선순위에 따라 합리적으로 재원을 배분한다.

13 (08-07-09) 항목별 예산: 간편성으로 인해 가장 오랫동안 사용해 온 예산 방식이다.

14 (08-07-09) 성과주의 예산: 개별예산과 지출을 조직활동과 연결시킴으로써 산출에 관심을 둔다.

15 (08-07-09) 프로그램기획 예산: 개별예산과 지출을 사업의 목표에 연결한다.

16 (06-07-10) 성과주의 예산: 1990년대 후반부터 우리나라 예산계획에서 활용하고 있는 예산제도로 목표와 프로그램을 분명히 하고 프로그램별 단위원가를 화폐가치로 환산하여 이를 기반으로 예산을 책정하는 방식이다.

17 (03-07-24) 성과주의 예산: 예산편성 방법 중 '기능 → 세부기능 및 활동 → 단위원가와 업무량 계산'의 순서로 예산을 측정한다.

18 (02-07-15) 품목별 예산방식은 점증주의적 특징이 강하게 나타난다.

19 (02-07-16) 영기준 예산방식은 점증주의적 예산에서 나타나는 단점을 보완하기 위해 만들어졌으며, 합리성에 기반하여 예산을 수립한다.

20 (01-07-08) 영기준 예산방식: 점증모형의 단점을 보완하기 위한 방법으로 전년도의 예산방식을 전혀 고려하지 않는다.

대표기출 확인하기

23-07-12   난이도 ★☆☆

예산 유형에 관한 설명으로 옳지 않은 것은?

① 품목별 예산은 수입과 지출목록마다 예상되는 금액을 명시한다.

② 영기준 예산은 전년도 예산을 고려하지 않고 편성한다.

③ 기획예산제도(PPBS)는 장기적 기획과 단기적 예산편성을 프로그램 작성을 통해 결합한다.

④ 프로그램 예산은 사업 목적보다 지출품목을 강조한다.

⑤ 성과주의 예산은 '단위원가 × 업무량 = 예산액'으로 편성한다.

> ▶ **알짜확인**
>
> • 항목별 예산은 점증주의적 성격이 강하게 나타나지만 작성이 용이하다는 점, 성과주의 예산은 단위원가를 계산한다는 점, PPBS는 조직의 기획과 목표를 연결하여 예산을 편성한다는 점, 영기준 예산은 전년도 예산을 고려하지 않는다는 점 등 주요 특징을 정리해두자.

답 ④

✅ **응시생들의 선택**

① 4%	② 10%	③ 10%	④ 71%	⑤ 5%

④ 지출품목을 강조하고 지출항목을 일일이 통제하는 예산유형은 품목별 예산(LIB)이다. 품목별 예산은 금액을 투입하여 무엇을 구입할 것인가에 초점을 두어 지출의 항목별로 금액을 구체적으로 제시하며 전년도 예산을 토대로 하는 점증주의적 특성을 강하게 나타낸다.

관련기출 더 보기

21-07-14   난이도 ★★☆

예산에 관한 설명으로 옳은 것은?

① 영기준 예산(Zero Based Budgeting)은 전년도 예산 내역을 반영하여 수립한다.

② 계획 예산(Planning Programming Budgeting System)은 국가의 단기적 계획 수립을 위한 장기적 예산 편성 방식이다.

③ 영기준 예산(Zero Based Budgeting)은 비용-편익분석, 비용-효과분석을 거치지 않고 수립한다.

④ 성과주의 예산(Performance Budgeting)은 전년도 사업의 성과를 고려하지 않고 수립한다.

⑤ 품목별 예산(Line Item Budgeting)은 수입과 지출을 항목별로 명시하여 수립한다.

답 ⑤

✅ **응시생들의 선택**

① 5%	② 7%	③ 10%	④ 3%	⑤ 75%

①③ 영기준 예산은 전년도 사업 및 예산배분을 고려하지 않고 비용-편익분석, 비용-효과분석 등을 통해, 즉 사업의 효율성 평가를 통해 사업의 우선순위를 결정하여 예산을 편성한다.

② 계획 예산은 계획지향 또는 기획지향적 입장에서 장기적인 계획수립과 단기적인 예산편성을 프로그램 계획의 작성을 통해 유기적으로 결합시키는 방식이다.

④ 성과주의 예산은 사업계획을 세부사업으로 분류하고 각 세부사업별 단위원가와 제공량을 계산하여 예산액으로 표시하는 방식이다. 지난해 성과를 토대로 올해 예산에서의 단위원가 및 제공량이 증가할 수 있다.

예산에 관한 설명으로 옳지 않은 것은?

① 영기준 예산(Zero Based Budgeting)은 예산의 효율성을 중요시 한다.
② 영기준 예산(Zero Based Budgeting)은 전년도 예산을 고려하지 않는다.
③ 성과주의 예산(Performance Budgeting)은 업무에 중점을 두는 관리지향의 예산제도이다.
④ 기획예산제도(Planning programming Budgeting System)는 미래의 비용을 고려하지 않는다.
⑤ 품목별 예산(Line Item Budgeting)은 전년도 예산을 근거로 한다.

답 ④

✅ 응시생들의 선택

① 8%	② 6%	③ 8%	④ 75%	⑤ 3%

④ 기획예산제도는 조직의 장기적인 비전이나 계획을 고려하여 예산을 편성하기 때문에 미래의 비용이 많이 고려된다.

품목별 예산에 관한 설명으로 옳지 않은 것은?

① 예산의 남용을 방지할 수 있다.
② 회계책임을 명백히 할 수 있다.
③ 신축성 있게 예산을 집행할 수 있다.
④ 급여와 재화 및 서비스 구매에 효과적이다.
⑤ 정책 및 사업의 우선순위를 소홀히 할 수 있다.

답 ③

✅ 응시생들의 선택

① 3%	② 7%	③ 42%	④ 4%	⑤ 44%

③ 품목별 예산은 지출항목에 따라 예산을 편성하는 방식으로 해당 항목에 해당 예산을 집행하는 것을 원칙으로 한다. 실제 사용에 있어 어떤 품목에서 예산을 증감해야 할지를 판단하기가 어렵기 때문에 상황변화에 따라 예산을 탄력적으로 집행하기에는 불리하다.

성과주의 예산모형에 관한 설명으로 옳지 않은 것은?

① 사업별 예산통제가 가능하다.
② 예산 배정에 있어서 직관적 성격이 강하다.
③ 목표수행에 중점을 두는 관리지향 예산제도이다.
④ 예산집행에 있어 신축성을 부여한다.
⑤ 실적의 평가를 용이하게 한다.

답 ②

✅ 응시생들의 선택

① 9%	② 44%	③ 17%	④ 25%	⑤ 5%

② 성과주의 예산모형은 단위원가와 수량이라는 객관적인 산출 근거를 토대로 예산을 수립한다.

계획예산제도(PPBS)에 관한 설명으로 옳지 않은 것은?

① 목표개발에서부터 시작된다.
② 조직의 통합적 운영이 편리하다.
③ 조직품목과 예산이 직접 연결되지 않아 환산작업에 어려움이 있다.
④ 단위원가계산이 쉬워 단기적 예산변경이 유리하다.
⑤ 의사결정에 있어서 과학적이고 합리적인 기법을 활용한다.

답 ④

✅ 응시생들의 선택

① 3%	② 2%	③ 22%	④ 40%	⑤ 33%

④ PPBS에는 구체적으로 사업에 필요한 품목들이나 단위원가를 제시하지 않는다.

다음 내용이 왜 틀렸는지를 확인해보자

`07-07-25`

01 품목별 예산은 <u>프로그램의 성과 및 산출물에 관심</u>을 둔다.

> 프로그램의 성과 및 산출물에 관심을 두는 예산 방식은 성과주의 예산이다.

`05-07-18`

02 품목별 예산방법은 <u>기관의 목적이나 사업을 이해하는 데 용이</u>하다.

> 품목별 예산은 지출 항목에 따라 작성되기 때문에 지출근거는 명확하지만 목표나 내용 등이 나타나지는 않는다.

`05-07-18`

03 성과주의 예산은 <u>비용절감에 용이</u>하다.

> 점증주의적 성격이 남아 있기 때문에 비용절감에 효과적이라고 보기는 어렵다.

`14-07-19`

04 성과주의 예산은 <u>간편하고 주로 점증식으로 평가</u>된다.

> 성과주의 예산은 단위원가를 계산해야 하는데 단위를 정하는 과정부터 어려울 수 있기 때문에 간편한 방식은 아니다. 실제 성과주의 예산을 활용함에 있어서 점증적인 특성이 미약하게 나타나기는 한다.

---

05 프로그램 기획 예산 방식은 프로그램의 목표에 예산을 통합적으로 고려하면서도 **사업에 필요한 품목과 단위원가를 직접 제시하여 예산관리가 용이**하다.

> PPBS 방식에서는 품목이나 단위원가가 제시되지 않기 때문에 관리적 측면에서는 불리하다.

`02-07-16`

06 영기준 예산방식은 애초에 **예산절감을 목적으로 개발**된 것이다.

> 전년도 예산과 무관하게 현재의 시점에서 합리적으로 예산을 수립함에 따라 예산을 절약하는 효과를 가져올 수는 있지만, 예산절감 자체가 영기준 예산의 목적이라고 볼 수는 없다.

빈칸에 들어갈 알맞은 말을 채워보자

14-07-19
01 성과주의 예산은 각 세부사업을 '(　　　　　　) × 업무량 = 예산액'으로 표시하여 편성한다.

06-07-13
02 품목별 예산 – 통제기능, 성과주의 예산 – (　　　　　　) 기능, 프로그램기획 예산 – 기획기능

08-07-09
03 간편성으로 인해 가장 오랫동안 사용해 온 예산 형식은 (① 　　　　　) 예산이고, 개별예산과 지출을 조직활동과 연결시킴으로써 산출에 관심을 두는 예산 형식은 (② 　　　　　) 예산이며, 개별예산과 지출을 사업의 목표에 연결하는 예산 형식은 (③ 　　　　　) 예산이다.

 답 **01** 단위원가 **02** 관리 **03** ① 항목별 ② 성과주의 ③ 프로그램기획

다음 내용이 옳은지 그른지 판단해보자

21-07-14
01 영기준 예산방법은 전년도 예산을 고려한다.

14-07-19
02 성과주의 예산은 예산집행에 신축성을 부여한다.

03 기획예산제도(PPBS)는 사업의 목적과 내용을 고려하여 합리적인 예산을 추구하지만, 기관의 목적에 따라 결정될 가능성도 높다.

07-07-10
04 품목별 예산제도는 예산통제에 불리하다.

10-07-17
05 영기준 예산은 효율적이고 탄력적으로 재정운영이 가능하다는 장점이 있다.

답 **01** ✕ **02** ○ **03** ○ **04** ✕ **05** ○

해설 **01** 영기준 예산은 모든 사업을 처음 시작하는 것처럼 모두 '0'으로 놓고 예산을 책정하기 때문에 전년도 예산을 고려하지 않는다.
04 품목별 예산제도는 항목별로 비용이 계산되어 예산통제에 용이하다.

사회복지조직에서의 재정관리

강의 QR코드

1회독	2회독	3회독
월 일	월 일	월 일

최근 10년간 **10문항** 출제

복습 1 이론요약

 23회 기출   22회 기출   20회 기출

제정관리 관련 개념

▶ 예산의 개념 등
- 예산은 일반적으로 다음 1년 동안의 조직목표를 금전적으로 표시한 것을 말한다.
- 예산의 기능: 통제기능, 관리기능, 기획기능
- 예산의 원칙: 공개성, 명료성, 사전의결, 정확성, 한정성, 통일성, 단일성, 포괄성, 연례성, 배타성
- 예산 통제의 원칙: 개별화, 강제, 예외, 보고, 개정, 효율성, 의미, 환류, 생산성

▶ 회계
- 회계는 금전 거래 등 어떤 조직체의 재정적 활동과 수지에 관한 사실을 확인하는 것이다.
  - 재무회계: 일정기간 동안의 수입과 지출 사항을 측정하여 외부의 이해관계자에게 보고
  - 관리회계: 예산의 실행성과 분석을 비롯한 회계정보를 정리하여 내부 행정책임자에게 보고
- 회계감사는 수입·지출 결과에 관한 사실의 확인, 검증, 보고를 위해 장부 및 기타 기록을 검사하는 것이다.
  - 규정순응감사: 기관의 재정운영이 적절한 절차를 따르고 있는지, 각종 규칙과 규제들을 잘 준수하고 있는지를 확인
  - 운영감사: 예산과 관련하여 바람직한 프로그램 운영의 산출 여부, 조직의 목표달성에 있어서 효과성과 능률성 등에 초점

▶ 결산
회계기간이 경과한 시점의 재정상태를 파악하기 위해 장부를 마감하고 결산서를 작성하는 절차이다.

기본개념

사회복지행정론
pp.176~

「사회복지법인 및 사회복지시설 재무·회계 규칙」 중 주요 사항

▶ 예산에 관한 규정
- **예산총계주의 원칙**: 세입과 세출은 모두 예산에 계상하여야 한다.
- 법인의 대표이사 및 시설의 장은 예산을 편성하여 각각 법인 이사회의 의결 및 시설운영위원회에의 보고를 거쳐 확정한다. 법인의 대표이사 및 시설의 장은 확정한 예산을 매 회계연도 개시 5일전까지 관할 시·군·구청장에게 제출하여야 한다.
- 법인회계 및 시설회계의 예산은 **세출예산이 정한 목적 외에 이를 사용하지 못한다.**
- 법인의 대표이사 및 시설의 장은 **관·항·목간의 예산을 전용할 수 있다.**

- 법인의 대표이사 및 시설의 장은 연도 내에 지출하지 못한 경비를 각각 이사회의 의결 및 시설운영위원회에의 보고를 거쳐 **다음 연도에 이월하여 사용할 수 있다.**
- **준예산:** 회계연도 개시전까지 법인 및 시설의 예산이 성립되지 아니한 때에는 법인의 대표이사 및 시설의 장은 시·군·구청장에게 그 사유를 보고하고 예산이 성립될 때까지 1. 임·직원의 보수, 2. 법인 및 시설운영에 직접 사용되는 필수적인 경비, 3. 법령상 지급의무가 있는 경비에 대해 **전년도 예산에 준하여 집행**할 수 있다.
- 법인의 대표이사 및 시설의 장은 2회계연도 이상에 걸쳐서 그 재원을 적립할 필요가 있는 때에는 회계연도마다 일정액을 예산에 계상하여 **특정목적사업을 위한 적립금으로 적립할 수 있다.**

▶ **결산에 관한 규정**
- 법인의 대표이사는 법인회계와 시설회계의 **세입·세출결산보고서를 작성하여 각각 이사회의 의결 및 시설운영위원회에의 보고를 거친 후** 다음 연도 3월 31일까지 **시장·군수·구청장에게 제출**하여야 한다.
- 시장·군수·구청장은 제출받은 결산보고서의 개요를 시·군·구의 게시판과 홈페이지에 20일 이상 공고하고, 법인의 대표이사도 당해 법인과 시설의 게시판과 홈페이지에 20일 이상 공고해야 한다.

▶ **회계에 관한 규정**
- 회계는 법인회계, 시설회계, 수익사업회계로 구분한다.
- 법인 및 시설의 회계연도는 **정부의 회계연도에 따른다.**
- 회계는 단식부기에 의한다. 다만, 법인회계와 수익사업회계에 있어서 복식부기의 필요가 있는 경우에는 복식부기에 의한다.

▶ **후원금 관리에 관한 규정**
- 법인의 대표이사와 시설의 장은 후원금을 받은 때에는 기부금영수증 서식에 따라 **후원금 영수증을 발급해야 한다.**
- 법인의 대표이사와 시설의 장은 계좌입금을 통해 후원금을 받은 때에는 후원금전용계좌나 시설의 명칭이 부기된 시설장 명의의 계좌를 사용해야 한다.
- 법인의 대표이사와 시설의 장은 연 1회 이상 해당 후원금의 수입 및 사용내용을 후원금을 낸 법인·단체 또는 개인에게 통보하여야 한다(정기간행물 또는 홍보지 등을 통한 일괄통보 가능).
- 법인의 대표이사와 시설의 장은 후원금을 **후원자가 지정한 사용용도 외의 용도로 사용하지 못한다.** 보건복지부장관은 후원자가 사용용도를 지정하지 아니한 후원금에 대하여 그 사용기준을 정할 수 있다. 후원금의 수입 및 지출은 세입·세출예산에 편성하여 사용하여야 한다.

▶ **감사에 관한 규정**
- 법인의 감사는 당해 법인과 시설에 대하여 **매년 1회 이상 감사를 실시**하여야 한다.

01 (23-07-13) 사회복지조직의 재무 · 회계에 관하여 보건복지부는 「국가재정법」을 적용한다.

02 (23-07-13) 사회복지조직의 재무 · 회계에 있어서 법인회계와 수익사업회계는 필요시 복식부기도 할 수 있다.

03 (23-07-14) 사회복지시설 예산 편성 및 결정 절차를 순서대로 나열하면 '예산편성 → 시설운영위원회 보고 → 이사회 의결 → 지방자치단체 제출 → 예산공고'의 순이다.

04 (22-07-14) 사회복지조직의 재정관리는 「사회복지법인 및 사회복지시설 재무 · 회계 규칙」을 따른다.

05 (22-07-14) 사회복지법인과 시설은 매년 1회 이상 감사를 실시한다.

06 (22-07-14) 사회복지법인의 회계년도는 정부의 회계년도를 따른다.

07 (22-07-14) 사회복지법인이 설치 · 운영하는 시설의 경우 시설운영위원회에 보고하고 법인 이사회의 의결을 통해 예산편성을 확정한다.

08 (20-07-11) 예산총칙, 세입 · 세출명세서, 임직원 보수 일람표, 예산을 의결한 이사회 회의록 또는 예산을 보고받은 시설운영위원회 회의록 사본 등은 사회복지법인 및 시설 재무 · 회계 규칙상 사회복지관에서 예산서류를 제출할 때 첨부하는 서류이다.

09 (18-07-19) 과목 전용조서, 사업수입명세서, 사업비명세서, 인건비명세서 등은 사회복지관의 결산보고서에 첨부해야 하는 서류이다.

10 (17-07-09) 직원 급여, 전기요금, 국민연금 보험료 사용자 부담분 등은 준예산으로 집행할 수 있다.

11 (16-07-12) 준예산: 회계연도 개시 전까지 법인 예산이 성립되지 아니한 때에는 시장 · 군수 · 구청장에게 그 사유를 보고하고 예산 성립 전까지 임 · 직원의 보수, 법인 및 시설운영에 직접 사용되는 필수경비, 법령상 지급의무가 있는 경비는 전년도 예산에 준하여 집행할 수 있다.

12 (13-07-06) 예산통제의 원칙 중 강제의 원칙은 재정통제가 명시적 강제규정에 근거해야 함을 의미하며, 환류의 원칙은 재정통제의 결과를 환류받아 개정의 기초로 사용해야 함을 의미한다.

13 (10-07-16) 관리회계는 행정적 의사결정을 내리는 데 필요하도록 재정관계 자료를 정리하는 것이다.

14 (10-07-16) 운영회계감사는 조직목표 달성을 위해 규정준수 회계감사의 약점을 보완하는 감사이다.

15 (10-07-16) 재정활동에 대한 보고의 원칙이 없으면 재정관련 행위를 공식적으로 감시하고 통제할 수 없다.

16 (10-07-24) 법인의 대표이사는 법인회계와 시설회계의 세입 · 세출 결산보고서를 작성해야 한다.

17 (10-07-24) 결산은 예산집행의 경제성, 효율성, 효과성과 같은 평가 내용까지 포함한다.

18 (10-07-24) 결산심사 결과는 다음 연도 예산편성 및 심의에 반영된다.

19 (09-07-24) 후원금은 후원자가 지정한 용도 외에는 사용하지 못한다.

20 (06-07-14) 예산에 첨부해야 할 서류: 예산총칙, 세입 · 세출명세서, 추정대차대조표, 추정수지계산서, 임직원 보수 일람표, 당해 예산을 의결한 이사회 회의록 또는 해당 예산을 보고받은 시설운영위원회 회의록 사본

21 (05-07-17) 법인회계연도는 정부의 회계연도에 의한다.

22 (04-07-19) 세입과 세출은 모두 예산에 계상하여야 한다.

23 (04-07-19) 법인의 대표이사는 법인회계와 시설회계의 세입 · 세출 결산보고서를 작성하여 각각 이사회의 의결 및 시설운영위원회에의 보고를 거친 후 다음연도 3월 31일 까지 시장 · 군수 · 구청장에게 제출하여야 한다.

24 (04-07-19) 법인의 대표이사와 시설의 장은 후원금을 후원자가 지정한 사용용도 외의 용도로 사용하지 못한다.

대표기출 확인하기

22-07-14 난이도 ★★☆

사회복지조직의 재정관리에 관한 설명으로 옳지 않은 것은?

① 「사회복지법인 및 사회복지시설 재무·회계 규칙」을 따른다.
② 사회복지법인과 시설은 매년 1회 이상 감사를 실시한다.
③ 시설운영 사회복지법인인 경우, 시설회계와 법인회계는 통합하여 관리힌다.
④ 사회복지법인의 회계년도는 정부의 회계년도를 따른다.
⑤ 사회복지법인이 설치·운영하는 시설의 경우 시설운영위원회에 보고하고 법인 이사회의 의결을 통해 예산편성을 확정한다.

▶ **알짜확인**

• 「사회복지법인 및 사회복지시설 재무·회계 규칙」의 규정들 중 예산총계주의 원칙, 확정 예산의 제출 및 공고, 예산의 전용 및 이월, 준예산 등에 관한 내용을 확인해두자.
• 예산을 수립·집행함에 있어 고려해야 할 사항들이나 재정 활동과 관련된 주요 개념들도 간혈적으로 출제되곤 했다.

답 ③

✅ **응시생들의 선택**

① 2%	② 13%	③ 69%	④ 5%	⑤ 11%

③ 법인이 시설을 운영하는 경우 법인의 회계는 법인회계로, 시설의 회계는 시설회계로 구분해야 한다.

관련기출 더 보기

23-07-13 난이도 ★★☆

사회복지조직의 재무·회계에 관한 설명으로 옳지 않은 것은?

① 보건복지부는 「국가재정법」을 적용한다.
② 사회복지시설은 「사회복지법인 및 사회복지시설 재무·회계규칙」을 적용한다.
③ 사회복지법인 회계는 법인회계, 시설회계, 수익사업회계로 구분한다.
④ 법인회계와 수익사업회계는 필요시 복식부기도 할 수 있다.
⑤ 사회복지법인 대표이사는 관·항·목간 예산을 전용할 수 없다.

답 ⑤

✅ **응시생들의 선택**

① 11%	② 2%	③ 5%	④ 14%	⑤ 68%

⑤ 사회복지법인 대표이사 및 시설의 장은 관·항·목간 예산을 전용할 수 있다. 다만, 소규모 시설을 제외한 법인 및 시설의 관간 전용 또는 동일 관내의 항간 전용을 하려면 각각 법인 이사회의 의결 또는 시설운영위원회에의 보고를 거쳐야 하되, 법인이 설치·운영하는 시설의 경우에는 시설운영위원회에 보고한 후 법인 이사회의 의결을 거쳐야 한다.

사회복지시설 예산 편성 및 결정 절차를 순서대로 나열한 것은?

> ㄱ. 시설운영위원회 보고　　ㄴ. 예산공고
> ㄷ. 예산편성　　　　　　　ㄹ. 이사회 의결
> ㅁ. 지방자치단체 제출

① ㄱ - ㅁ - ㄹ - ㄴ - ㄷ
② ㄴ - ㄷ - ㄱ - ㄹ - ㅁ
③ ㄷ - ㄱ - ㄹ - ㅁ - ㄴ
④ ㄷ - ㄱ - ㅁ - ㄹ - ㄴ
⑤ ㅁ - ㄱ - ㄹ - ㄷ - ㄴ

답 ③

✔ 응시생들의 선택

① 1%	② 27%	③ 61%	④ 8%	⑤ 3%

③ 사회복지시설 예산 편성 및 결정 절차를 순서대로 나열하면 'ㄷ. 예산편성 → ㄱ. 시설운영위원회 보고 → ㄹ. 이사회 의결 → ㅁ. 지방자치단체 제출 → ㄴ. 예산공고'의 순이다.

사회복지조직의 예산 수립 원칙으로 옳은 것은?

① 회계연도 개시와 동시에 결정되어야 한다.
② 수지 균형을 맞춰 흑자 예산이 되어야 한다.
③ 회계연도가 중첩되도록 다년도로 수립하여야 한다.
④ 예산이 집행된 후 즉시 심의·의결을 거쳐야 한다.
⑤ 세입과 세출은 모두 예산에 계상하여야 한다.

답 ⑤

✔ 응시생들의 선택

① 8%	② 5%	③ 2%	④ 18%	⑤ 67%

①④ 예산은 집행 전에 승인을 받아야 한다.(사전의결의 원칙)
② 예산과 결산은 가급적 일치해야 한다.(정확성의 원칙)
③ 예산은 회계연도 단위로 작성되어야 한다.(예산단연주의)

사회복지법인 및 사회복지시설 재무·회계규칙상 준예산 체제 하에서 집행할 수 있는 항목을 모두 고른 것은?

> ㄱ. 직원 급여
> ㄴ. 전기요금
> ㄷ. 한국사회복지관협회 회비
> ㄹ. 국민연금 보험료 사용자 부담분

① ㄱ, ㄴ　　　　　　② ㄱ, ㄷ
③ ㄱ, ㄴ, ㄹ　　　　④ ㄴ, ㄷ, ㄹ
⑤ ㄱ, ㄴ, ㄷ, ㄹ

답 ③

✔ 응시생들의 선택

① 18%	② 15%	③ 29%	④ 12%	⑤ 26%

준예산은 예산이 미처 성립되지 못한 채 올해 연도 사업을 진행해야 하는 경우 작년 예산에 준하여 집행할 수 있는 항목을 말한다. 임·직원 보수, 법인 및 시설운영에 직접 사용되는 필수적인 경비, 법령상 지급 의무가 있는 경비 등의 경우 준예산으로 집행할 수 있다.

사회복지조직의 결산에 관한 설명으로 옳지 않은 것은?

① 법인의 대표이사 및 시설의 장은 법인회계와 시설회계의 세입·세출 결산보고서를 작성하여야 한다.
② 시장·군수·구청장에게 결산보고서를 제출한 후 이사회의 의결 및 시설운영위원회에의 보고를 거쳐야 한다.
③ 결산은 예산집행의 경제성, 효율성, 효과성과 같은 평가 내용까지 포함한다.
④ 결산심사 결과는 다음 연도 예산편성 및 심의에 반영된다.
⑤ 결산은 회계연도 기간 동안의 재정보고서를 작성하기 위한 과정이다.

답 ②

✔ 응시생들의 선택

① 6%	② 62%	③ 15%	④ 3%	⑤ 14%

② 법인의 대표이사 및 시설의 장은 법인회계와 시설회계의 세입·세출 결산보고서를 작성하여 각각 이사회의 의결 및 시설운영위원회에의 보고를 거친 후 다음 연도 3월 31일까지(어린이집은 5월 31일까지) 시장·군수·구청장에게 제출하여야 한다.

다음 내용이 왜 틀렸는지를 확인해보자

10-07-16

01 사회복지재정은 민주성을 강하게 띠고 있으며 **기획기능보다 통제기능이 강조**된다.

> 재정관리를 하는 목적은 통제, 관리, 기획의 세 가지가 있다. 통제는 재정이 예정대로 쓰이고 있는가, 관리는 의도한 산출을 도출했는가(생산성), 기획은 목표를 달성할 수 있는가(효과성)에 대한 관리이다. 따라서 기획기능보다 통제기능이 더 강조된다는 설명은 적절하지 않다.

13-07-06

02 예산통제의 원칙 중 개별화의 원칙은 **예외적인 상황에 적용할 수 있는 예외적 규칙이 있어야 함**을 의미힌디.

> 예외적인 상황에 적용할 수 있는 예외적 규칙이 있어야 함을 의미하는 원칙은 예외의 원칙이다.
> 개별화의 원칙은 재정통제 체계는 기관의 제약조건, 요구사항 및 기대사항에 맞게 고안해야 함을 의미한다.

04-07-18

03 회계 및 사업 내용이 기관의 목표에 맞게 잘되었는지 평가하는 것을 **결산**이라고 한다.

> 감사에 해당한다.

04 재정감사에 가까우며, 전형적인 품목예산 방식과 잘 맞지만 프로그램의 목표달성 여부나 효율성 문제를 다루기 어려운 감사 방식은 **운영감사**이다.

> 규정순응 감사에 해당한다.

18-07-19

05 사회복지법인 및 사회복지시설 재무·회계 규칙에 따라 결산보고서에 **세입·세출명세서**를 **첨부**해야 한다.

> 세입·세출명세서는 예산서류 제출 시 첨부해야 한다.

다음 내용이 옳은지 그른지 판단해보자

01 법인회계 및 시설회계의 예산은 세출예산이 정한 목적 외에 이를 사용하지 못한다. ◎ ✕

`05-07-17`
02 법인 및 시설의 회계연도는 정부의 회계연도에 따라 매년 1월 1일에 시작해 동년 12월 31일에 종료된다. ◎ ✕

`03-07-14`
03 단식부기를 사용하는 사회복지기관에서는 총계정원장, 현금출납부, 대차대조표 등의 회계장부를 비치해야 한다. ◎ ✕

`09-07-24`
04 사회복지법인의 법인회계, 시설회계, 수익사업회계는 통합하여 예산을 편성한다. ◎ ✕

`09-07-24`
05 후원금은 후원자가 지정한 용도 외에는 사용하지 못한다. ◎ ✕

06 법인의 대표이사와 시설의 장은 계좌입금을 통해 후원금을 받을 때 후원금전용계좌나 시설의 명칭이 부기된 시설장 명의의 계좌를 사용해야 한다. ◎ ✕

07 후원자가 후원금 영수증의 발급을 원하지 않더라도 회계관리를 위해 영수증 발급을 해야 한다. ◎ ✕

08 예산총계주의 원칙에 따라 세입과 세출은 모두 예산에 계상하여야 한다. ◎ ✕

`09-07-24`
09 동일 관 내의 항간의 전용은 시장·군수·구청장의 승인을 얻어야 한다. ◎ ✕

10 예산성립과정에서 이사회에서 삭감한 관·항·목으로는 전용하지 못한다. ◎ ✕

🔄 **답** 01 ◯ 02 ◯ 03 ✕ 04 ✕ 05 ◯ 06 ◯ 07 ✕ 08 ◯ 09 ✕ 10 ◯

📝 **해설** **03** 대차대조표는 복식부기를 하는 기관에서 결산보고서에 첨부해야 할 서류이다.
04 법인의 회계는 법인회계, 해당 법인이 설치·운영하는 시설의 시설회계 및 수익사업회계로 구분해야 한다.
07 후원자가 후원금 영수증 발급을 원하지 않을 때에는 생략할 수 있다.
09 법인의 대표이사는 관·항·목간의 예산을 전용할 수 있다. 관·항 간 예산을 전용한 경우에는 관할 시·군·구청장에게 과목 전용조서를 첨부하여 결산보고서를 제출해야 한다.

CHAPTER 10

프로그램 개발과 평가

이 장에서는

해마다 출제되는 효과성, 효율성, 노력성, 공평성, 서비스 질 등 평가기준을 헷갈리지 않게 해야 하고, 형성평가와 총괄평가의 차이를 정리하자. 효율성 평가 방식인 비용-효과 분석과 비용-편익 분석도 구분해야 한다. 투입 - 전환 - 산출 - 성과로 진행되는 논리모델은 사례에 적용할 수 있도록 해야 하며, 그 밖에 브래드쇼의 욕구유형, 욕구조사 방법, 대상집단 구분(일반 - 위험 - 표적 - 클라이언트) 등도 살펴보자.

10년간 출제분포도

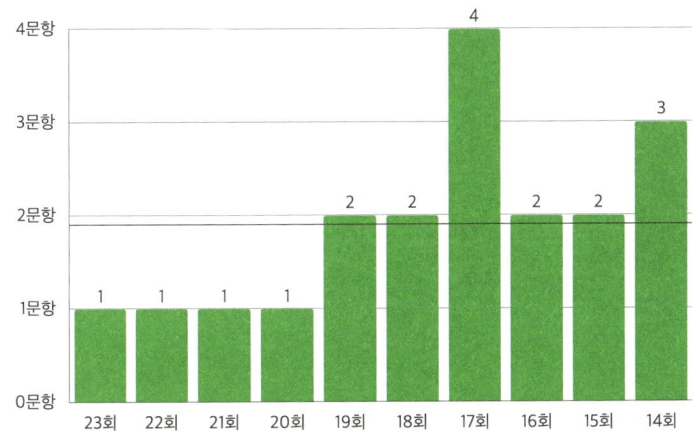

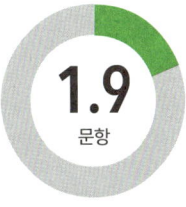

1.9
문항

평균 출제문항수

평가 유형 및 기준

강의 QR코드

최근 10년간 **11문항** 출제

복습
1

이론요약

 23회 기출 21회 기출 20회 기출 19회 기출

프로그램 평가 유형

- **형성평가**: 프로그램 진행 과정 중에 실시하여 이후에 수정, 보완할 사항을 살펴볼 수 있는 기회가 됨(모니터링도 형성평가에 속함)
- **총괄평가**: 프로그램이 끝난 뒤에 진행되는 평가
- 메타평가: 평가에 대한 평가

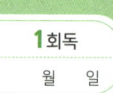
기본개념

사회복지행정론
pp.211~

프로그램 평가 기준

- **노력성 평가**: 얼마나 많은 서비스가 제공되었으며, 어떤 활동들이 있었는지를 평가
- **효율성 평가**: 투입된 비용 대비 산출된 서비스의 양을 평가
  - **비용-편익분석**: 대안이 초래할 비용과 편익을 비교하여 분석하는 기법(편익: 금전적 가치로 환산한 이익)
  - **비용-효과분석**: 편익 또는 산출을 금전적 가치로 환산하지 않고 산출물 그대로 분석에 활용
- **효과성 평가**: 제공된 프로그램과 서비스에 의해 의도했던 목표들이 달성되었는지에 대한 평가
  - 목표달성모형: 계획한 목표를 달성하는 조직이 효과적인 조직이라는 관점의 모형. 조직 내부의 효율성보다는 고객만족에 집중하며, 외부환경적 요인에 큰 관심을 두지 않음
  - 체계모형: 목표나 산출 자체보다는 목표달성을 위해 필요로 하는 수단이나 과정에 초점을 두는 모형. 모든 조직을 상호연관된 하위체계들로 이루어져 있다고 보며, 외부환경적 요인을 고려함
- **서비스의 질 평가**: 제공되는 서비스들이 전문적인 지식과 기술을 가진 직원들에 의해 제공되었는지의 여부를 평가
- **영향 평가**: 사회문제 해결에 어느 정도 영향을 미쳤는지(지역사회 내 파급효과) 등을 평가
- **공평성 평가**: 프로그램의 효과와 비용이 사회집단 간에 공평하게 배분되었는지에 대한 평가
- 과정 평가: 한 프로그램의 성공이나 실패의 이유를 평가
- 성과 평가: 프로그램으로 인해 나타나는 궁극적인 클라이언트의 변화에 초점을 두어 목표달성의 측면 및 목표달성을 위한 비용적 측면 등을 종합적으로 평가

01 (23-07-24) 비용-편익분석과 비용-효과분석은 모두 효율성 평가에 해당한다.

02 (21-07-22) 효과성 평가는 프로그램의 목표 달성 정도를 평가한다.

03 (21-07-22) 노력성 평가는 프로그램 수행에 투입된 인적·물적 자원 등을 기준으로 평가한다.

04 (21-07-22) 비용-편익분석은 프로그램의 비용과 결과를 금전적 가치로 환산하여 평가한다.

05 (20-07-14) 노력성: 서비스를 받은 클라이언트 수, 목표달성을 위해 투입된 시간 및 자원의 양, 프로그램 담당자의 제반활동 등

06 (19-07-22) 형성평가는 과정을 파악하는 동태적 분석으로 프로그램 진행 중에 실시할 수 있다.

07 (19-07-22) 효율성 평가를 위하여 비용편익분석을 실시할 수 있다.

08 (19-07-24) 효율성 평가: 투입한 자원과 산출된 결과의 비율을 측정한다. 자금이나 시간의 투입과 서비스 제공 실적의 비율을 파악한다. 최소한의 비용으로 최대한의 효과를 거둘 수 있도록 한다.

09 (17-07-23) 과징 평가는 절차나 규정준수 여부 등으로 측정된다.

10 (17-07-24) 총괄평가는 성과와 비용에 관심이 크다.

11 (16-07-23) 효과성은 목표달성 정도를 의미한다.

12 (16-07-23) 노력성은 프로그램을 위해 동원된 자원 정도를 의미한다.

13 (16-07-23) 서비스 질은 이용자의 욕구 충족 수준과 전문가의 서비스 제공여부 등을 의미한다.

14 (16-07-23) 효율성은 투입 대비 산출을 의미한다.

15 (15-07-07) 효과성 평가는 서비스의 목표 달성 정도에 초점이 있다.

16 (15-07-07) 과정 평가에서는 프로그램 진행과정에서의 환경적 조건을 살펴본다.

17 (15-07-07) 영향 평가는 사회문제 해결에 미친 영향 정도를 파악한다.

18 (14-07-07) 서비스 제공 인력이 자격증을 갖추도록 하는 것은 서비스의 질 평가와 관련된다.

19 (14-07-22) 형성평가는 프로그램의 수정·변경·중단에 대한 여부를 결정한다.

20 (13-07-20) 비용-편익분석: 효율성 평가를 위하여 성과를 화폐적 가치로 환산해서 비용과 대비해 보는 방법

21 (12-07-12) 목표달성척도를 통해 효과성은 평가할 수 있다.

22 (12-07-14) 형성평가는 프로그램 진행 과정 중 개선을 위한 정보수집이 강조된다.

23 (11-07-20) 형성평가는 프로그램 운영 과정 중 개선이나 변화 필요성에 대한 결정을 돕는다.

24 (11-07-30) 노력성: 프로그램에 참여한 사회복지사의 수와 활동시간

25 (11-07-30) 효율성: 프로그램 단위 요소 당 투입된 예산

26 (11-07-30) 효과성: 클라이언트의 문제해결 능력 향상도

27 (09-07-29) 효과성 평가 모형 중 하나인 체계모형은 조직의 환경적응력에 관심을 두며, 목표 자체보다 조직의 하위체계 간의 관계와 과정에 초점을 둔다.

28 (09-07-29) 효과성 평가 모형 중 하나인 목표달성모형은 조직을 특정한 목표달성을 위한 합리적인 도구로 보며, 조직의 활동이나 과업의 지향점을 구체화한다.

29 (08-07-02) 효과성 평가는 사회복지관의 직원을 평가할 때 클라이언트의 목표달성 정도에 얼마나 기여했는지를 평가하는 기준이다.

30 (08-07-08) 효율성 평가는 서비스 단위당 비용절감을 고려한다.

대표기출 확인하기

23-07-24 　　난이도 ★★★

프로그램 평가에 관한 설명으로 옳은 것을 모두 고른 것은?

> ㄱ. 비용−편익분석은 효율성 평가이다.
> ㄴ. 비용−효과분석은 효과성 평가이다.
> ㄷ. 프로그램 종결 후 실시하는 성과평가는 총괄평가이다.
> ㄹ. 효과발생의 인과 경로를 밝히는 것은 형성평가이다.

① ㄱ, ㄴ　　　　　② ㄱ, ㄷ
③ ㄱ, ㄷ, ㄹ　　　④ ㄴ, ㄷ, ㄹ
⑤ ㄱ, ㄴ, ㄷ, ㄹ

▶ 알짜확인

- 효율성, 효과성, 노력성, 서비스의 질, 전문성, 영향 등 각 평가기준의 초점이 어디에 있는지를 잘 파악해두고, 효율성 평가 도구 및 효과성 평가 모형에 대해서도 살펴봐야 한다.
- 형성평가와 총괄평가의 차이점을 파악해두고, 평가에 대해 평가하는 메타평가의 개념도 기억해두도록 하자.

답 ③

✔ 응시생들의 선택

① 4%	② 26%	③ 15%	④ 4%	⑤ 51%

ㄴ. 비용−효과분석은 효율성 평가(분석 방법)에 해당한다. 즉, ㄱ의 비용−편익분석과 ㄴ의 비용-효과분석은 모두 효율성 평가에 해당한다. 비용−효과분석은 특정 프로젝트에 투입되는 비용은 금전적 가치로 환산하지만, 프로젝트로부터 얻게 되는 편익 또는 산출은 금전적 가치로 환산하지 않고 산출물 그대로 분석한다. 이와 달리 비용−편익분석은 프로그램과 관련된 편익과 비용을 모두 금전적 가치로 환산한 다음 이 결과를 토대로 프로젝트의 소망성을 평가하는 방법이다.

관련기출 더 보기

21-07-22 　　난이도 ★★★

프로그램 평가에 관한 설명으로 옳은 것을 모두 고른 것은?

> ㄱ. 비용−효과분석은 프로그램의 비용과 결과의 금전적 가치를 고려하지 않는다.
> ㄴ. 비용−편익분석은 프로그램의 비용과 결과를 금전적 가치로 환산하여 평가한다.
> ㄷ. 노력성 평가는 프로그램 수행에 투입된 인적 · 물적 자원 등을 기준으로 평가한다.
> ㄹ. 효과성 평가는 프로그램의 목표 달성 정도를 평가한다.

① ㄱ, ㄴ　　　　　② ㄱ, ㄷ
③ ㄴ, ㄹ　　　　　④ ㄴ, ㄷ, ㄹ
⑤ ㄱ, ㄴ, ㄷ, ㄹ

답 ④

✔ 응시생들의 선택

① 2%	② 1%	③ 11%	④ 50%	⑤ 36%

ㄱ. 비용−효과분석은 투입 비용은 금전적 가치로 환산하고, 산출 효과는 금전적 가치로 환산하지 않고 그대로 분석에 활용하는 것이다.

19-07-24 　　난이도 ★☆☆

사회복지평가의 기준이 되는 효율성에 관한 설명으로 옳지 않은 것은?

① 사회복지조직의 책임성 평가 방식이다.
② 투입한 자원과 산출된 결과의 비율을 측정한다.
③ 자금이나 시간의 투입과 서비스 제공 실적의 비율을 파악한다.
④ 비용 절감은 서비스 이용자의 욕구 충족을 위한 목표와 관련성이 없다.
⑤ 최소한의 비용으로 최대한의 효과를 거둘 수 있도록 한다.

답 ④

✔ 응시생들의 선택

① 13%	② 1%	③ 1%	④ 84%	⑤ 1%

④ 비용 부담으로 이용을 망설이던 클라이언트가 서비스를 이용할 수 있게 된다는 점에서 비용 절감은 이용자의 욕구 충족과 관련된다.

난이도 ★★☆

사회복지 평가기준과 내용이 바르게 연결된 것은?

① 노력: 클라이언트의 변화정도로 측정됨
② 효율성: 목표 달성 정도로 측정됨
③ 효과성: 대안비용과의 비교로 측정됨
④ 영향: 서비스가 인구집단에 형평성 있게 배분된 정도로 측정됨
⑤ 과정: 절차나 규정준수 여부 등으로 측정됨

답 ⑤

✓ 응시생들의 선택

① 7%	② 4%	③ 3%	④ 5%	⑤ 81%

① 노력: 얼마나 많은 양의 서비스가 제공되었는지
② 효율성: 비용 대비 산출(혹은 성과)을 비교
③ 효과성: 목표 달성 정도로 평가
④ 영향: 의도했던 사회문제의 해결에 끼친 영향

난이도 ★★☆

사회복지평가의 유형에 관한 설명으로 옳은 것은?

① 총괄평가는 주로 프로그램 개발을 목적으로 한다.
② 형성평가의 대표적인 예는 효과성 평가이다.
③ 총괄평가는 모니터링 평가라고도 한다.
④ 형성평가는 목표달성도에 주된 관심을 갖는다.
⑤ 총괄평가는 성과와 비용에 관심이 크다.

답 ⑤

✓ 응시생들의 선택

① 6%	② 9%	③ 11%	④ 10%	⑤ 64%

• 형성평가: 프로그램 진행 과정에서 피드백을 받아 이후에 진행될 프로그램에 반영하기 위한 목적으로 실시된다. 개선할 점에 주목하기 때문에 과정지향적 특징을 갖는다. 모니터링은 형성평가의 대표적인 방식이다.
• 총괄평가: 프로그램의 결과에 해당하는 성과의 발생 여부와 그 성과에 수반된 비용의 문제에 초점을 둔다.

난이도 ★★☆

프로그램 평가기준에 관한 내용으로 옳지 않은 것은?

① 노력성: 비용-효과분석
② 효율성: 비용-편익분석
③ 효과성: 서비스 목표 달성 정도
④ 과정: 프로그램 환경 조건
⑤ 영향: 사회문제 해결에 미친 영향 정도

답 ①

✓ 응시생들의 선택

① 76%	② 2%	③ 1%	④ 20%	⑤ 1%

① 비용-효과분석은 효율성을 분석하는 방법이다. 노력성은 얼마나 많은 양의 서비스가 제공되었는지, 어떤 활동들이 있었는지 등을 의미한다.

난이도 ★★★

다음에 해당하는 평가기준은?

• 프로그램의 전문성을 강조하며 제대로 된 서비스가 주어졌는지 여부를 판단하는 것
• 서비스의 우월성과 관련된 전반적인 판단

① 노력성(effort)
② 효율성(efficiency)
③ 효과성(effectiveness)
④ 질(quality)
⑤ 영향(impact)

답 ④

✓ 응시생들의 선택

① 5%	② 7%	③ 46%	④ 39%	⑤ 3%

④ 질(quality)은 제공된 서비스들이 전문적인 지식과 기술을 가진 직원들에 의해 제공되었는지 여부와 서비스를 제공받은 사람들의 신체적·정서적·인지적·사회적·경제적 욕구를 충족시킬 수 있는 수준으로 제공되었는지를 평가하는 기준이다.

➕ 덧붙임

효과성은 목표 대비 성과를 파악하는 것에 초점이 있기 때문에 전문성이나 우월성 같은 서비스의 질에 초점을 두지는 않는다.

다음 내용이 **왜 틀렸는지**를 확인해보자

`16-07-23`

01 영향성은 사회집단 간 <u>얼마나 공평하게 배분되었는가</u>를 의미한다.

> 영향성은 해당 서비스가 관련된 사회문제의 해결에 얼마나 영향을 미쳤는가에 대해 판단하는 것이다. 사회집단 간 얼마나 공평하게 배분되었는가는 공평성에 해당한다.

`12-07-14`

02 형성평가는 <u>전문적인 외부 평가가 우선</u>된다.

> 형성평가는 대체로 내부적으로 진행되며, 총괄평가는 전문적인 외부 평가를 우선으로 한다.

`12-07-14`

03 형성평가는 <u>목표지향적</u>이다.

> 형성평가는 진행과정을 점검하고 피드백하기 위해 실시되는 것이기 때문에 과정지향적이다.

`19-07-22`

04 <u>효과성</u> 평가를 위하여 비용편익분석을 실시한다.

> 비용편익분석 및 비용효과분석은 효율성 평가를 위한 방법이다.

`14-07-22`

05 비용-편익 분석은 <u>효과성을 측정하며 타 프로그램과의 비교를 포함한다.</u>

> 비용-편익 분석은 투입된 비용 대비 산출을 모두 금전적 가치로 환산하여 효율성을 측정하는 방법이다. 타 프로그램과 비교하는 방식은 아니다.

`17-07-23`

06 노력성은 <u>클라이언트의 변화정도</u>로 측정된다.

> 노력성은 얼마나 많은 양의 서비스가 제공되었는지를 중심으로 한다.

빈칸에 들어갈 알맞은 말을 채워보자

11-07-30

01 프로그램에 참여한 사회복지사의 수와 활동시간 등에 초점을 두는 것은 (　　　　　　) 평가이다.

17-07-23

02 (　　　　　　) 평가는 프로그램 참여자의 행동변화에 초점을 두고 살펴본다.

03 서비스의 (　　　　　　)에 대한 평가는 서비스가 전문성 있게 제공되었는지와 함께 이용자의 욕구충족 수준을 파악하기 위해 진행된다.

04-07-28

04 평가기준 중 사회문제 해결에 어느 정도 기여했는지를 파악하는 것은 (　　　　　　) 평가이다.

05 (　　　　　　) 평가는 프로그램이 종료된 후 그 과정상에 문제는 없었는지를 되짚어보며 프로그램의 성공 혹은 실패의 이유를 탐색해보는 평가이다.

11-07-20

06 (　　　　　　) 평가는 평가에 대한 평가이다.

07 (　　　　　　) 평가는 프로그램 초기나 중기에 실시하여 이후에 수정할 사항은 없는지 등을 파악할 목적으로 실시한다.

08 형성평가가 과정지향적이라면, 총괄평가는 (　　　　　　)지향적이다.

09 (　　　　　　)모형은 목표나 산출 그 자체보다는 목표달성을 위해 필요로 하는 수단이나 과정에 초점을 두어 효과성을 평가한다.

13-07-20

10 비용(　　　　　　)분석은 프로그램의 효율성 평가를 위하여 성과를 화폐적 가치로 환산해서 비용과 대비해 보는 방법이다.

↻ 답　**01** 노력성　**02** 효과성　**03** 질　**04** 영향　**05** 과정　**06** 메타　**07** 형성　**08** 목표(혹은 결과)　**09** 체계　**10** 편익

214 논리모델

강의 QR코드

최근 10년간 **4문항** 출제

1회독	**2**회독	**3**회독
월 일	월 일	월 일

이론요약

특징

- 체계이론을 기반으로 한다.
- **'투입 – 전환 – 산출 – 성과'**의 흐름으로 이루어진다.
- 프로그램의 목표와 결과 사이의 인과관계를 설명하기 위한 것이다.
- 각 단계별 인과관계가 성립되어야 한다.

단계

- 투입: 프로그램에 투여되는 인적·물적 자원
- 전환(활동, 과정): 투입된 요소들이 클라이언트에게 전달되는 과정으로 프로그램에서 제공하는 서비스 및 개입방법 등을 의미
- **산출**: 프로그램을 통해 **제공된 실적**(주로 양적으로 표시됨)
- **성과**: 프로그램 종결 후 **클라이언트에게서 나타나는 변화**(주로 질적 측면으로 제시됨)
- 영향: 장기적, 거시적 차원의 성과
- 환류(피드백): 프로그램 전반에 대한 재검토

기본개념

사회복지행정론
pp.215~

기출문장 CHECK

01 (16-07-22) 산출: 프로그램 활동 후 얻은 양적인 최종 실적을 의미한다. 서비스 제공시간과 프로그램 참가자 수 등으로 나타난다.

02 (14-07-23) 성과: 태도, 지식, 기술 등 프로그램 종료 후 구체적으로 나타나는 참여자의 내적인 변화를 의미한다.

03 (13-07-13) 프로그램 체계에서 성과와 산출은 혼잡스럽게 사용된다. 그럼에도 이를 구분하는 것은 프로그램의 이론적 발전뿐만 아니라, 내·외부적 책임성을 제시하는 데도 중요하다. 성과는 프로그램이 의도하는 변화 목적의 성취 상태를 나타내야 하고, 산출은 성과를 위한 프로그램 활동의 직접적 결과 상태를 제시하는 것이어야 한다.

04 (10-07-07) 장애인 직업재활프로그램을 논리모델로 구성하였을 때 프로그램 참가자들의 취업은 성과에 해당한다.

대표기출 확인하기

17-07-20 　　　　난이도 ★★☆

논리모델을 적용하여 치매부모부양 가족원 스트레스 완화 프로그램을 설계했을 때, 옳은 것을 모두 고른 것은?

ㄱ. 투입: 스트레스 완화 프로그램 실행 비용 1,500만원
ㄴ. 활동: 프로그램 참여자의 스트레스 완화
ㄷ. 산출: 상담전문가 10인
ㄹ. 성과: 치매부모부양 가족원 삶의 질 향상

① ㄱ
② ㄱ, ㄹ
③ ㄴ, ㄷ
④ ㄷ, ㄹ
⑤ ㄴ, ㄷ, ㄹ

▶ **알짜확인**

· 투입, 전환, 산출, 성과로 이어지는 논리모델의 흐름을 이해하고 각 요소가 의미하는 바에 대해 파악해두어야 한다.
· 산출과 성과는 쉽게 헷갈려하는 개념이므로 이 둘의 차이를 꼭 이해해두자.

답 ②

✅ **응시생들의 선택**

① 8%	② 80%	③ 2%	④ 4%	⑤ 6%

ㄴ. 프로그램 참여자의 스트레스 완화는 성과에 해당한다.
ㄷ. 상담전문가 10인은 투입에 해당한다.

➕ **덧붙임**

수험생들이 가장 많이 헷갈려 하는 개념이 산출과 성과인데, 산출은 프로그램 진행에 따른 사회복지사의 실적이라고 보면 되고 성과는 클라이언트의 변화라고 구분하면 된다. 간혹 투입을 비용으로만 생각하는데 인적, 물적 자원을 모두 포함한다는 것도 기억해두자.

관련기출 더 보기

15-07-21 　　　　난이도 ★★★

논리모델(logic model)을 적용한 '독거노인 사회관계형성 프로그램'의 내용으로 옳지 않은 것은?

① 투입: 독거노인 20명, 사회복지사 2명
② 활동: 자원봉사자 모집, 사회성 향상 프로그램 실시
③ 산출: 교육시간, 출석률
④ 성과: 노인의 자살률 감소, 노인부양의식 향상
⑤ 영향: 지역의 독거노인 관심도 향상

답 ④

✅ **응시생들의 선택**

① 11%	② 26%	③ 23%	④ 31%	⑤ 9%

④ 노인의 자살률 감소나 노인부양의식의 향상은 문제에 제시된 프로그램인 독거노인의 사회관계형성과 관련된 성과 내용이라고 보기는 어렵다.

13-07-07 　　　　난이도 ★★★

프로그램 논리모델에서 산출(outputs)을 나타내는 기준으로 적절하지 않은 것은?

① 이용자의 서비스 참여 횟수
② 서비스 종료 여부
③ 서비스에 소요된 비용
④ 서비스 제공자와 이용자 간 접촉 건수
⑤ 이용자가 서비스를 활용한 총시간

답 ③

✅ **응시생들의 선택**

① 2%	② 60%	③ 20%	④ 17%	⑤ 1%

③ 서비스를 위해 투입된 비용은 투입에 해당한다.

➕ **덧붙임**

'② 서비스 종료 여부가 왜 산출인가요?'라는 질문을 정말 많이 받았는데, 산출 요소를 구분하는 가장 쉬운 방법은 사회복지사가 서비스를 종료함에 따라 나타난 결과물들, 실적들인가를 살펴보면 된다. 따라서 서비스가 계획대로 종료되었는가, 계획한 만큼의 회기가 진행되었는가를 비롯해 전체 참여자의 수, 출석률, 이용시간 등이 산출 내용이 된다.

다음 내용이 왜 틀렸는지를 확인해보자

08-07-03

01 논리모델의 흐름: 투입 → 목표 → 전환 → 성과 → 산출

> 목표 → 투입 → 전환 → 산출 → 성과

02 프로그램 논리모델에서 서비스에 소요된 인적, 물적 자원은 활동에 해당한다.

> 인적, 물적 자원은 투입에 해당하며, 그 자원을 어떻게 활용하여 어떤 서비스를 제공하는가가 활동이 된다.

03 투입과 전환 사이에는 인과관계가 나타나지만, 전환과 산출 사이에는 인과관계가 나타나지 않는다.

> 논리모델은 각 단계 사이에 인과관계가 설명될 수 있어야 한다.

03-07-26

04 사회복지사, 장비, 클라이언트, 서비스 전달, 참여한 클라이언트의 수 중에서 전환에 해당하는 요소는 참여한 클라이언트의 수이다.

> 이 중에서 서비스 전달이 전환에 해당하는 요소이다.
> 사회복지사, 장비, 클라이언트는 투입에 해당하며, 참여한 클라이언트의 수는 산출에 해당한다.

12-07-07

05 학교폭력예방 교육프로그램을 논리모델(Logic Model)로 구성하였을 때, '학생들의 참여율'은 산출, '학교 내 안전감 증가'는 성과에 해당한다.

> 성과보다 더 장기적이고 거시적인 영향에 해당한다.

10-07-07

06 장애인 직업재활프로그램을 논리모델로 구성하였을 때 '장애발생률 감소'는 영향에 해당한다.

> 영향 역시 해당 프로그램과 논리적인 인과관계를 가져야 한다. 이 프로그램의 영향으로는 장애인의 자아존중감 고취, 장애인 고용에 대한 인식 개선 등이 더 적절하다.

215 프로그램 설계 과정 등

강의 QR코드

1회독 월 일 2회독 월 일 3회독 월 일

최근 10년간 **4문항** 출제

복습 1 이론요약

22회 기출

프로그램 설계 과정

문제확인과 욕구사정 → 목표설정 → 대안모색 및 개입전략 선정 → 구체적 프로그램 설계 및 구성 → 예산 편성 → 평가 계획

기본개념

사회복지행정론
pp.200~

대상자 집단 선정

- 문제확인 단계 및 욕구사정 단계에서는 자원배분의 기준을 세우고 잠재적 수요를 파악해야 함
- '일반집단 > 위기(위험)집단 > 표적집단 > 클라이언트집단'으로 범위를 좁혀가며 대상자 집단을 선정함(이때 표적집단과 클라이언트집단은 동일할 수 있음)

욕구조사

▶ 브래드쇼의 욕구유형

- 규범적 욕구: 전문가 혹은 정부의 판단에 따른 욕구
- 인지적(감촉적) 욕구: 개인이 느끼는 욕구(주로 사회조사를 통해 파악된 선호도)
- 표출적(표현적) 욕구: 클라이언트가 적극적으로 서비스를 찾아나섰는가를 기준으로 하는 욕구(서비스를 알아본다고 해서 실제 수요로 이어지는 것은 아니라는 한계가 있음)
- 상대적(비교적) 욕구: 다른 사람이 받는 서비스 혹은 다른 지역의 서비스와 비교하여 느끼게 되는 욕구(형평성 가치와 관련됨)

▶ 욕구조사 방법

- 델파이 기법: 전문가들에게 이메일이나 우편으로 의견을 묻고 답변을 받는 방식을 반복
- 명목집단기법: 참석자들이 각자의 의견을 적어서 제출하면 진행자가 취합하여 발표한 후 투표를 통해 최종안을 선택
- 초점집단조사 기법: 문제를 경험하는 개인들을 위주로 선발하여 문제에 관한 정보 및 의견을 듣는다(직접적 욕구조사)
- 기타: 지역사회 포럼, 참여관찰, 공식 인터뷰, 비공식 인터뷰, 서베이 등

목표설정

▶ 목표설정을 위한 SMART 기준
- Specific: **구체적으로 명료하게** 작성한다.
- Measurable: **측정가능하게 양적으로** 작성한다.
- Achievable/Appropriate: **달성가능성을 고려**하여 적절하게 작성한다.
- Realistic: **현실적으로** 작성한다.
- Time-frame: **시간구조**를 갖도록 작성한다. 시간의 제한이 있어야 한다.

▶ 목표의 위계
- '소비자목표 → 활동목표 → 성취(성과)목표 → 영향목표'의 순으로 위계화할 수 있음(모든 프로그램들이 반드시 이 목표들을 포함해야 함을 의미하는 것은 아님)

▶ 결과에 따른 목표 구분
- 산출(output) 목표: 프로그램에 따른 직접적인 산출물을 중심으로 한다.
- 성과(outcome) 목표: 프로그램의 결과로 나타난 변화와 관련된 내용으로 기술한다.

기출문장 CHECK

01 (18-07-23) 성과목표의 예: 자아존중감을 10% 이상 향상한다.

02 (17-07-25) 대상인구 규정에서 클라이언트인구란 프로그램에 실제 참여하는 사람을 말한다.

03 (13-07-04) 프로그램 설계 과정: 문제 확인 → 목적 설정 → 프로그래밍 → 실행 → 평가

04 (13-07-16) 브래드쇼가 제시한 욕구 중 비교적 욕구는 집단 간 상대적 수준의 차이를 고려한다. 느껴진(감촉적) 욕구는 잠재적 대상자들이 스스로 인지하는 것을 기준으로 한다. 표현된 욕구는 대기자 명단 등에 나타난 사람들의 욕구 행위를 근거로 한다.

05 (13-07-16) 브래드쇼가 제시한 욕구 유형이 중첩적으로 나타날수록 프로그램화의 필요성은 증가한다.

06 (11-07-01) SMART 기준: 구체적(Specific), 측정가능(Measurable), 획득가능(Attainable), 현실성(Realistic), 시간제한(Time-related)

07 (11-07-16) 주요 정보제공자 기법의 예: 종합사회복지관이 학업 중도탈락 청소년 대상의 프로그램 개발을 시도한다. 이때 학교 교사들과 학교사회복지사들을 대상으로 심층면접과 간담회를 통해 필요한 서비스를 파악하고자 한다.

08 (11-07-28) 결혼이주여성의 사회경제적 자립을 목적으로 하는 프로그램에서는 '참여자의 취업률을 50% 이상으로 한다'고 성과목표로 설정할 수 있다.

09 (08-07-17) 성과목표의 예: 노인복지 프로그램 참가자의 자기만족도를 70% 향상시킨다.

10 (08-07-17) 산출목표의 예: 아동집단상담 프로그램에 25명이 참여하도록 한다.

11 (07-07-13) SMART 기준: 구체성, 측정가능, 달성가능, 현실성, 시간제한

12 (03-07-07) 목표는 정확하고 명료하며 쉽게 작성되어야 한다.

13 (02-07-21) 프로그램 설계의 과정: 문제확인 – 목표설정 – 대안확인 – 실행

14 (02-07-22) 대상집단의 크기: 일반집단 > 위기집단 > 표적집단 > 클라이언트집단

대표기출 확인하기

18-07-23 난이도 ★★☆

사회복지 프로그램 목표에서 성과목표로 옳은 것은?

① 1시간씩 학습지도를 제공한다.
② 월 1회 요리교실을 진행한다.
③ 자아존중감을 10% 이상 향상한다.
④ 10분씩 명상훈련을 실시한다.
⑤ 주 2회 물리치료를 제공한다.

 알짜확인

• 문제확인, 대상자 선정, 브래드쇼의 욕구 유형, 욕구사정 방법, 목표설정, 프로그램 구성 등과 관련된 내용들이 이따금씩 출제되고 있다.

답 ③

✅ **응시생들의 선택**

① 3%	② 3%	③ 91%	④ 1%	⑤ 2%

①②④⑤는 활동목표에 해당한다.

➕ **덧붙임**

목표의 위계에서 활동목표와 성과목표는 앞서 논리모델에서 공부한 활동, 성과와 같다고 봐도 무방하다.

관련기출 더 보기

17-07-25 난이도 ★★☆

사회복지프로그램 기획과정에서 대상인구 규정에 관한 설명으로 옳은 것은?

① 위험인구란 프로그램 수급 자격을 갖춘 사람을 말한다.
② 클라이언트인구란 프로그램에 실제 참여하는 사람을 말한다.
③ 일반인구란 프로그램이 해결하려는 문제에 취약성이 있는 사람을 말한다.
④ 일반저으로 표저인구가 일반인구보다 많다.
⑤ 자원이 부족하면 클라이언트인구가 표적인구보다 많아진다.

답 ②

✅ **응시생들의 선택**

① 8%	② 78%	③ 2%	④ 1%	⑤ 11%

① 위험인구란 문제에 노출되었거나 문제를 경험한 사람들을 말한다.
③ 일반인구란 대상집단이 속한 모집단을 말한다.
④ 표적인구보다 일반인구가 많다.
⑤ 자원이 부족하면 제공할 수 있는 서비스의 수가 줄어들기 때문에 표적인구보다 클라이언트인구는 적어지게 된다.

브래드쇼(J. Bradshaw)의 다차원적 욕구 규정에 관한 설명으로 옳지 않은 것은?

① 규범적(normative) 욕구는 지역 주민의 원함(wants)에서 파악된 문화적 규준을 따른다.
② 비교적(comparative) 욕구는 집단 간 상대적 수준의 차이를 고려한다.
③ 느껴진(felt) 욕구는 잠재적 대상자들이 스스로 인지하는 것을 기준으로 삼는다.
④ 표현된(expressed) 욕구는 대기자 명단 등에 나타난 사람들의 요구 행위를 근거로 한다.
⑤ 위의 욕구들이 중첩될수록 프로그램화의 필요성은 증가한다.

답 ①

✅ **응시생들의 선택**

① 59%	② 19%	③ 9%	④ 5%	⑤ 8%

① 규범적 욕구는 정부나 전문가 등에 의해 정의된 욕구이다.

소수의 이해관계자(12~15명 정도)를 모아 자유롭게 의견을 개진하고 토론하게 하여 문제를 깊이 파악할 수 있는 욕구조사 방법은?

① 델파이
② 지역사회 공개토론회
③ 명목집단기법
④ 서베이조사
⑤ 초점집단조사

답 ⑤

✅ **응시생들의 선택**

① 47%	② 8%	③ 10%	④ 1%	⑤ 34%

① 델파이 기법은 우편이나 이메일로 의견을 받기 때문에 한 자리에 모이지 않는다.
② 공개토론회는 주민에게 개방되므로 규모 있게 진행된다.
③ 명목집단기법은 한 자리에 모이기는 하지만 자유롭게 의견을 개진하는 것이 아니라 무기명으로 의견을 제출하여 사회자가 발표한 후 토론을 진행한다.
④ 서베이조사는 설문조사 방식이다.

프로그램의 성과목표를 작성하는 SMART 기준에 해당하지 않는 것은?

① 구체적(Specific)
② 측정가능(Measurable)
③ 획득가능(Attainable)
④ 관계지향적(Relation-oriented)
⑤ 시관관련(Time-related)

답 ④

✅ **응시생들의 선택**

① 1%	② 1%	③ 26%	④ 54%	⑤ 18%

④ SMART 기준에서 R은 Realistic, 즉 현실성을 의미한다.

다음 예시에 해당하는 욕구유형은?

> 정부가 제시한 노인인구 천 명당 적정 병원수로 A지역의 보건의료서비스 욕구를 파악하였다.

① 규범적 욕구　　　　② 표출적 욕구
③ 비교적 욕구　　　　④ 인지적 욕구
⑤ 생존의 욕구

답 ①

✅ **응시생들의 선택**

① 53%	② 15%	③ 17%	④ 13%	⑤ 2%

① 정부나 전문가 등에 의해 정의된 욕구는 규범적 욕구에 해당한다.

다음 내용이 **왜 틀렸는지**를 확인해보자

01 대상자 집단을 선정할 때에는 **일반집단 > 표적집단 > 위험집단 > 클라이언트집단**의 순서로 좁혀간다.

> 대상자 집단 선정: 일반집단 > 위기(위험)집단 > 표적집단 > 클라이언트집단

02 대상자 선정에 있어 **클라이언트집단은 항상 표적집단보다 작은 규모로** 나타난다.

> 표적집단은 서비스를 받아야 하는 집단이며, 클라이언트 집단은 서비스를 실제로 받는 집단이다. 따라서 표적집단의 사람들이 모두 서비스를 받는다면 동일하게 나타날 수도 있다.

07-07-13

03 SMART 기준에 따라 목표를 설정할 때 목표달성을 위한 기간은 **가능한 길게 잡아야** 한다.

> SMART 기준에서 T는 Time Frame으로, 이는 시간적 구조 및 제한이 있어야 함을 의미하는 것이다.

04 문제확인 단계에서는 문제의 원인을 파악하기보다는 문제의 실태를 조사하는 데에 초점을 두어야 한다.

> 문제의 원인도 파악해야 한다.

03-07-07

05 프로그램을 설계할 때 **목표는 실현되지 못하더라도 원대하게 설정**하는 것이 좋다.

> 목표는 달성가능한 것이어야 한다.

06 지역사회 내 청소년 비행률을 10% 이상 감소시킨다. — **산출목표**에 해당한다.

> 성과목표에 해당한다.

18-07-23

07 '월 1회 요리교실을 진행한다', '10분씩 명상훈련을 실시한다' 등은 **성과목표**에 해당한다.

> 프로그램을 통해 어떤 활동을 얼마나 실시할 것인가와 관련된 목표는 활동목표에 해당한다.

빈칸에 들어갈 알맞은 말을 채워보자

01 욕구조사에 참여하는 전문가들이 서로의 의견을 알 수 없도록 이메일을 통해 의견을 취합하는 방식을
( ) 기법이라고 한다.

09-07-23

02 ( ) 기법은 비교적 짧은 시간에 이루어지면서도 집단 구성원 간의 상호 영향력을 감소시킬 수 있는
욕구조사 기법이다.

12-07-24

03 ( ) 기법의 예: 문제를 경험하는 지역주민을 중심으로 12~15명 정도의 인원을 한 자리에 모아 자유
롭게 의견을 개진하고 토론하게 하여 문제를 파악하였다.

 답 **01** 델파이 **02** 명목집단 **03** 초점집단

다음 내용이 옳은지 그른지 판단해보자

01 프로그램 설계는 문제 확인 → 목적 설정 → 프로그래밍 → 실행 → 평가 등의 과정으로 이루어진다.

11-07-01

02 목표설정에서는 SMART 기준에 따라 구체성, 측정가능성, 획득가능성, 현실성, 시간제한성 등을 살
펴본다.

03 위기집단은 반드시 개입이 이루어져야 하는 인구집단을 의미한다.

13-07-16

04 브래드쇼가 제시한 욕구 유형이 중첩적으로 나타날수록 프로그램화의 필요성은 낮다.

07-07-03

05 브래드쇼가 제시한 욕구 중 표현적 욕구는 대기자의 명단(리스트)을 통해 파악할 수 있다.

답 **01** ○ **02** ○ **03** × **04** × **05** ○

해설 **03** 위기집단(위험집단)은 문제를 겪은 혹은 겪고 있는 인구집단을 의미한다. 문제를 겪고 있어도 개입 없이 문제해결이 가능할 수 있기 때
문에 위기집단이라고 해서 반드시 개입이 이루어져야 하는 것은 아니다.
　04 브래드쇼가 제시한 욕구 유형이 중첩적으로 나타날수록 프로그램화의 필요성은 높다.

사회복지조직의 책임성과 평가

이 장에서는

사회복지 시설평가에 관한 내용이 가장 많이 출제되었다. 평가의 목적, 원칙 등과 함께 사회복지사업법상 시설 평가에 관한 규정을 살펴봐야 한다. 그 밖에 사회복지조직의 책임성과 관련된 내용이나 성과관리와 관련된 내용 들도 간헐적으로 출제되곤 했다.

10년간 출제분포도

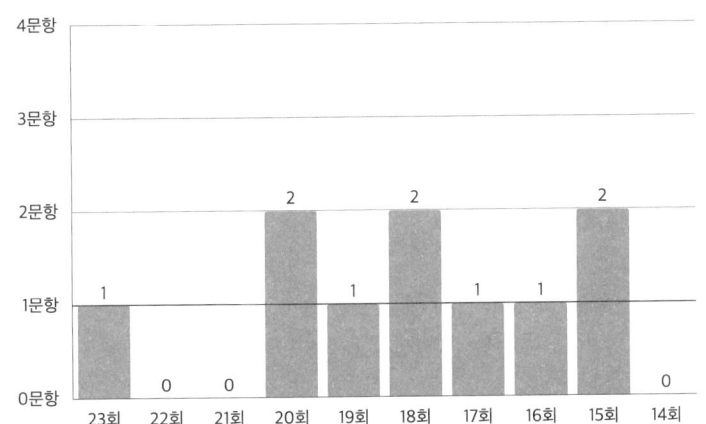

평균 출제문항수

사회복지 시설평가

강의 QR코드

최근 10년간 **5문항** 출제

이론요약

 20회 기출 19회 기출

도입 배경

- 서비스 공급 확대에 따른 **책임성 검증** 요구
- 사회복지기관의 **개방성·투명성·효율성 확보**에 대한 요구
- 1997년 사회복지사업법 개정으로 1999년 1기 평가 시작

주요 내용

- 3년마다 1회 실시
- 종사자 처우개선의 일환으로 우수시설에 대해서는 직원에 대한 역량개발비 지급 등의 인센티브 지원 가능
- 평가결과 하위시설에 대해서는 컨설팅 지원 가능

기본개념
사회복지행정론
pp.225~

평가의 목적

- **기관운영 개선**
- **서비스 질적 수준 제고**
- 시설 운영수준의 균형화
- 효과성 및 효율성 검증
- 전문성, 책임성 확보
- 시설의 운영상태에 대한 정보 제공으로 클라이언트의 선택권 보장

평가의 원칙

- 평가는 운영의 개선 및 질 제고를 유도하기 위한 수단이어야 한다.
- 평가기준은 누구나 쉽게 이해할 수 있도록 구성되어야 한다.
- **평가기준과 평가과정은 사전에 공개함으로써 평가절차의 투명성을 확보해야 한다.**
- 평가대상 기관이 평가과정에 참여함으로써 기관의 문제점을 스스로 인식하고 개선할 수 있도록 해야 한다.
- **사회복지기관이 전체적으로 최저수준 이상을 확보할 수 있도록 유도하는 것을 목표로 한다.**
- 이용자 중심의 평가가 되도록 해야 한다.
- **시설의 유형에 따라 적절하게 평가 영역 및 기준을 마련해야 한다.**

평가영역

- 서비스 최저기준 적용 사항: 시설 이용자의 인권, 시설의 환경, 시설의 운영, 시설의 안전관리, 시설의 인력관리, 지역사회 연계, 서비스의 과정 및 결과, 그 밖에 서비스 최저기준 유지에 필요한 사항(※보건복지부장관은 이 사항들을 고려하여 시설평가의 기준을 정함)
- 시설 및 환경, 재정 및 조직운영, 인적자원관리, 이용자의 권리, 지역사회관계, 프로그램 및 서비스, 시설운영전반 등을 평가(구체적인 평가영역 및 배점은 시설평가 시행 회차마다 바뀜)

기출문장 CHECK

01 (20-07-16) 시설의 환경, 시설의 안전관리, 시설의 인력관리, 시설 이용자의 인권 등은 사회복지관에서 제공해야 하는 서비스 최저기준의 적용 사항에 해당한다.

02 (19-07-23) 사회복지 시설평가는 3년마다 실시되며, 평가 결과는 시설 지원에 반영할 수 있다.

03 (18-07-11) 시설평가의 근거는 1997년 개정된 사회복지사업법이다.

04 (18-07-11) 평가의 목적은 시설운영의 효율화 등이다.

05 (18-07-11) 개별 사회복지시설의 고유성이 반영되지 못하는 점은 시설평가의 한계점으로 여겨진다.

06 (18-07-11) 평가지표 선정 시 현장의견수렴 절차가 필요하다.

07 (16-07-17) 보건복지부장관이 시설의 서비스 최저기준을 고려하여 평가기준을 정한다.

08 (15-07-20) 평가는 책무성을 강조한다.

09 (15-07-20) 평가는 기관의 외부자원 확보에 영향을 미친다.

10 (13-07-22) 시설 이용자의 인권, 서비스의 과정 및 결과, 지역사회 연계, 시설의 인력관리 등은 사회복지시설 평가에 포함된 서비스 최저기준의 적용 사항에 해당한다.

11 (11-07-26) 사회복지 시설평가는 시설 운영의 객관적 기준을 제시하기 위한 것이다.

12 (11-07-26) 사회복지 시설평가의 기대효과로 시설 운영의 책임성 강화를 꼽을 수 있다.

13 (11-07-26) 사회복지 시설평가를 통해 사회복지 시설의 투명성을 제고할 수 있다.

14 (08-07-20) 시설평가는 3년마다 1회 실시한다.

15 (08-07-20) 시설의 평가에 따른 결과는 향후 시설 지원을 위한 자료로 반영될 수 있다.

16 (04-07-29) 시설평가는 기관을 일정 수준 이상으로 끌어올리는 데에 초점을 둔다.

대표기출 확인하기

19-07-23 난이도 ★★☆

우리나라의 사회복지시설 평가제도에 관한 설명으로 옳은 것은?

> ㄱ. 3년마다 평가 실시
> ㄴ. 5년마다 평가 실시
> ㄷ. 평가 결과의 비공개원칙
> ㄹ. 평가 결과를 시설 지원에 반영

① ㄱ, ㄷ   ② ㄱ, ㄹ
③ ㄴ, ㄷ   ④ ㄴ, ㄹ
⑤ ㄷ, ㄹ

 알짜확인

- 시설평가는 1997년 사회복지사업법 개정으로 도입되어 1999년 1기 평가가 시작되었고, 3년마다 1회 의무적으로 실시된다는 점 등은 기본적으로 알아두어야 한다.
- 시설평가는 투명성 확보를 위해 공개적으로 실시한다는 점, 시설의 최저수준을 확보하기 위해 진행된다는 점, 시설의 유형에 따라 구체적인 평가기준은 다르다는 점 등도 꼭 기억해두자.

답 ②

✅ **응시생들의 선택**

① 2%	② 86%	③ 1%	④ 10%	⑤ 1%

사회복지 시설평가는 3년마다 진행된다. 평가 결과는 해당 기관의 홈페이지 등에 게시하도록 하고 있다.

관련기출 더 보기

20-07-16 난이도 ★★☆

사회복지관에서 제공해야 하는 서비스의 최저기준에 포함되지 않는 것은?

① 시설의 환경
② 시설의 규모
③ 시설의 안전관리
④ 시설의 인력관리
⑤ 시설 이용자의 인권

답 ②

✅ **응시생들의 선택**

① 4%	② 44%	③ 4%	④ 14%	⑤ 34%

② 시설의 규모는 시설의 종류에 따라 관련 법령에서 각기 다른 기준으로 제시되며 그 기준을 충족해야 설립이 가능하다.

16-07-17 난이도 ★★★

사회복지사업법상 사회복지 시설평가에 관한 설명으로 옳은 것은?

① 보건복지부장관이 시설의 서비스 최저기준을 고려하여 평가기준을 정한다.
② 1997년에 처음으로 시행되었다.
③ 보건복지부장관과 시·군·구의 장이 시설평가의 주체이다.
④ 4년마다 한번 씩 평가를 실시한다.
⑤ 시설평가 결과를 공표할 수 없으나 시설의 지원에는 반영할 수 있다.

답 ①

✅ **응시생들의 선택**

① 30%	② 41%	③ 14%	④ 10%	⑤ 5%

② 1997년에 사회복지사업법 개정으로 관련 규정이 마련되었으며, 실제 1기 평가는 1999년에 이루어졌다.
③ 시설평가의 주체는 보건복지부장관 및 시·도지사이다.
④ 시설평가는 3년마다 실시한다.
⑤ 시설평가의 결과를 해당 기관의 홈페이지 등에 게시하도록 규정하고 있다.

다음 내용이 **왜 틀렸는지**를 확인해보자

01 사회복지 시설평가는 「사회보장급여의 이용·제공 및 수급권자 발굴에 관한 법률」에서 규정하고 있다.

> 사회복지사업법에서 규정하고 있다.

15-07-20

02 평가결과는 **기관의 변화를 반드시 수반**한다.

> 결과가 좋지 않은 경우 개선에 따른 변화가 일어나겠지만, 결과가 좋은 경우 변화보다는 유지에 초점을 둘 수도 있다.

03 시설평가에서 **평가기준과 평가과정은 사전에 공개되지 않도록** 해야 한다.

> 평가의 투명성을 확보하기 위해 평가기준 및 평가과정을 사전에 공개하고 있다.

04 보건복지부장관과 시·도지사는 시설평가의 결과를 시설 지원에 반영할 수는 있지만 **시설 거주자를 다른 시설로 보내는 조치를 할 수는 없다.**

> 해당 법령의 규정에 따라 시설 거주자를 다른 시설로 보내는 등의 조치를 할 수 있다.

04-07-29

05 사회복지기관 유형에 관계없이 **평가항목이나 초점은 일정**해야 한다.

> 기관의 유형에 따라 갖춰야 할 조건이 다를 수밖에 없기 때문에 평가항목이나 초점이 조금씩 다르다.

06 시설평가에 따른 **결과는 공개하지 않는 것을 원칙**으로 한다.

> 보건복지부장관과 시·도지사는 평가의 결과를 해당 기관의 홈페이지 등에 게시하여야 한다.

11-07-26

07 시설평가는 사회복지시설의 **서열화를 유도**하기 위한 것이다.

> 사회복지 시설평가는 기관 간 경쟁을 유도하거나 줄 세우기식의 서열화를 목적으로 이루어지는 것은 아니다.

18-07-11

08 이용자의 권리에 관한 지표의 경우 **생활시설에 한해서** 적용하여 평가한다.

시설 및 환경, 재정 및 조직운영, 인적자원관리, 이용자의 권리, 지역사회관계, 프로그램 및 서비스 등은 생활시설 및 이용시설을 막론하고 모두 동일하게 적용되는 평가영역이다.

09 시설평가에는 시설의 자체평가를 **포함하지 않는다.**

시설평가에는 시설의 자체평가를 포함한다.
시설평가는 자체평가 → 평가위원의 현장평가 → 이의신청 및 결과분석 → 확인평가 및 결과 확정 → 평가종료의 과정으로 진행된다.

10 시설평가의 주체는 **한국사회복지협의회**이다.

시설평가의 주체는 보건복지부장관과 시 · 도지사라고 할 수 있으며, 현재 시행기관은 중앙사회서비스원이다.

13-07-22

11 사회복지사업법령상 서비스 최저기준의 적용 사항에는 시설 이용자의 인권, 서비스의 과정 및 결과, 지역사회 연계, 시설의 인력관리, **시설의 마케팅 역량** 등이 포함된다.

서비스 최저기준의 적용 사항에는 시설 이용자의 인권, 시설의 환경, 시설의 운영, 시설의 안전관리, 시설의 인력관리, 지역사회 연계, 서비스의 과정 및 결과, 그 밖에 서비스 최저기준 유지에 필요한 사항 등이 규정되어 있다.

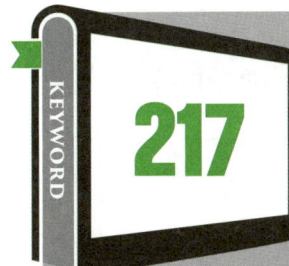

217 사회복지조직의 책임성

강의 QR코드

1회독 월 일 **2회독** 월 일 **3회독** 월 일

최근 10년간 **3문항** 출제

복습 1 이론요약

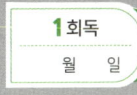 

23회 기출 20회 기출

정의

- **활동 과정의 정당성, 결과에 대한 책임감, 프로그램의 효과성·효율성 등을 포괄**
- 조직 내부에서의 책임성과 조직 외부(지역사회 등)와의 관계에서의 책임성을 모두 포함
- 도의적 책임(공익 증진), 법적 책임, 책무적 책임(직업윤리, 전문적 기준) 등을 고려

기본개념

사회복지행정론
pp.218~

주체 및 대상

- 주체: 정부, 민간 사회복지조직, 사회복지 전문직, **클라이언트, 국민 모두**
- 대상: 클라이언트에 대한 책임(자기결정권 존중, 개인정보/사생활 보호, 이용자 중심의 서비스 전달), 사회에 대한 책임(사회적 공동 목표 추구, 공평성 확보 등)

사회복지조직의 책임성에 영향을 미친 요인들

- 내부적 요인: 서비스의 다양성, 기술의 복잡성, 목표의 불확실성
- 외부적 요인: 공급주체의 다원화, 민영화 경향, 시설평가제 시행

기출문장 CHECK

01 (23-07-22) 사회복지 공급주체가 다양해지면서 책임성 요구가 늘어나고 있다.

02 (23-07-22) 사회복지시설 민간위탁으로 책임성 요구가 커졌다.

03 (23-07-22) 「사회복지사업법」 개정으로 사회복지시설 평가는 법으로 제도화되었다.

04 (20-07-12) 책임성은 업무수행 결과에 대한 책임뿐만 아니라 업무과정에 대한 정당성을 의미한다.

05 (20-07-12) 책임성을 위해서는 지역사회와의 관계뿐만 아니라 조직 내 상호작용에서도 정당성을 확보해야 한다.

06 (18-07-13) 사회복지예산 수립에 주민참여제도를 시행하는 것 역시 책임성을 확보하기 위한 노력의 일환이다.

07 (11-07-12) 조직의 책임성 증진을 위한 노력: 재정 집행의 투명성을 높인다. 이해관계자들의 조직운영 참여를 늘린다. 리더십 역할을 통해 조직혁신을 강조한다. 전문적이고 체계적인 평가제도를 운용한다.

대표기출 확인하기

23-07-22
난이도 ★★★

사회복지조직 책임성에 관한 설명으로 옳지 않은 것은?

① 획일적 기준으로 책임성을 규명하기 어렵다.
② 사회복지 공급주체가 다양해지면서 책임성 요구가 늘어나고 있다.
③ 사회복지시설 민간위탁으로 책임성 요구가 커졌다.
④ 「사회복지사업법」 개정으로 사회복지시설 평가는 법으로 제도화되었다.
⑤ 책임성 요구가 증가하면서 사회복지서비스에 대한 질적 평가는 제외되었다.

 알짜확인

• 책임성의 주체 및 대상을 비롯해 책임성이 강조된 배경, 책임성을 제고하기 위한 노력, 책임성에 영향을 미치는 요인 등을 살펴봐야 한다.

답 ⑤

✔ **응시생들의 선택**

① 6%	② 0%	③ 2%	④ 1%	⑤ 91%

⑤ 책임성 요구가 증가하면서 사회복지서비스에 대한 평가도 중요시되고 있다. 평가는 양적 차원뿐 아니라 질적 차원의 평가도 중요한데, 특히 사회복지서비스는 원료가 사람이고, 인간의 삶의 질 향상과 연결되므로 정량평가뿐 아니라 비정량적 요소의 평가도 매우 중요하다. 따라서 사회복지서비스의 질적 평가에 대한 요구는 꾸준히 증가하고 있으며, 평가는 양적 차원과 질적 차원이 모두 포함되는 방향으로 발전해야 한다.

관련기출 더 보기

20-07-12
난이도 ★★★

사회복지조직의 책임성에 관한 설명으로 옳지 않은 것은?

① 업무수행 결과에 대한 책임뿐만 아니라 업무과정에 대한 정당성을 의미한다.
② 책임성 이행측면에서 효율성을 배제하고 효과성을 극대화해야 한다.
③ 지역사회와의 관계뿐만 아니라 조직 내 상호작용에서도 정당성을 확보해야 한다.
④ 정부 및 재정자원제공자, 사회복지조직, 사회복지전문직, 클라이언트 등에게 책임성을 입증해야 한다.
⑤ 클라이언트 집단의 욕구를 충족시키고 당면한 사회문제를 해결하고 있다는 증거를 보여줘야 한다.

답 ②

✔ **응시생들의 선택**

① 1%	② 92%	③ 2%	④ 2%	⑤ 3%

② 책임성은 효율성과 효과성을 모두 포괄한다.

10-07-22
난이도 ★★☆

사회복지행정의 책임성의 기준으로 옳은 것을 모두 고른 것은?

ㄱ. 명문화된 법적 기준이 있어야 한다.
ㄴ. 사회복지행정 이념이 전제되어야 한다.
ㄷ. 공익이 고려되어야 한다.
ㄹ. 고객의 요구를 반영해야 한다.

① ㄱ, ㄴ, ㄷ
② ㄱ, ㄷ
③ ㄴ, ㄹ
④ ㄹ
⑤ ㄱ, ㄴ, ㄷ, ㄹ

답 ⑤

✔ **응시생들의 선택**

① 17%	② 4%	③ 8%	④ 30%	⑤ 41%

사회복지행정 활동은 책임성 확보를 위해 공익, 고객의 요구, 명문화된 기준, 직업윤리, 전문적 기준에 따라 이루어져야 한다.

다음 내용이 옳은지 그른지 판단해보자

11-07-12
01 사회복지조직이 책임성을 증진하기 위해서는 조직에 대한 외부간섭을 배제해야 한다.

02 책임성은 단순히 윤리적, 법적 책임을 다한다는 의미에 한정되는 것은 아니다.

04-07-27
03 사회복지조직은 공급자 중심의 서비스 제공을 강조한다는 점에서 책임성이 더욱 중요하게 인식되고 있다.

04 조직의 관리자는 책임성을 확보하기 위해 일선 실무자들의 업무수행을 파악하며 조직의 목표를 달성할 수 있도록 리더십을 발휘해야 한다.

05 사회복지에 있어 책임성의 주체는 서비스의 제공자인 각 기관 및 정부를 의미한다.

08-07-24
06 사회복지 부문에서 민간위탁이 증가함에 따라 책임성에 대한 요구도 확대되었다.

18-07-13
07 사회복지조직이 책임성을 확보하기 위해서는 후원금 사용 정보를 미공개하여 개인정보를 보호해야 한다.

답 01 × 02 ○ 03 × 04 ○ 05 × 06 ○ 07 ×

해설 **01** 사회복지조직은 대부분의 자원을 외부에서 얻고 외부와 다양한 연결성을 맺기 때문에 외부간섭을 완전히 배제할 수는 없다. 따라서 외부환경과 좋은 관계를 맺으면서도 조직의 독립성과 신뢰성을 확보하기 위한 전략을 수립해야 한다.
03 사회복지서비스는 공급자 중심이 아닌 이용자 중심의 서비스 제공을 지향한다.
05 책임성의 주체는 정부, 사회복지조직, 관련 전문가, 클라이언트, 국민 모두이다.
07 후원금의 투명한 사용을 위해 후원금의 수입 및 사용내용을 후원자에게 알리도록 하고 있으며, 후원금의 수입 및 사용결과에 대해 공개하도록 하고 있다. 다만 후원자의 성명 등은 공개하지 않는다.

1회독	**2**회독	**3**회독
월 일	월 일	월 일

최근 10년간 **2문항** 출제

복습
1

이론요약

 23회 기출 22회 기출 21회 기출 20회 기출 19회 기출

개념 및 특징

- 성과는 조직이 목표를 달성하기 위해 투입된 자원에 대한 결과이다.
- 성과평가는 효과성, 효율성을 모두 포괄한다.
- 활동 그 자체보다 결과에 초점을 둔다.

기본개념

사회복지행정론
pp.228~

성과수준의 결정

- 성과평가를 위해서는 다음 사항을 고려하여 달성 정도를 평가하기 위한 기준선이 되는 성과수준을 결정해야 한다.
- 성과수준은 현실적으로 달성한 정도에서 정한다.
- 성과수준은 초과달성의 여지를 두고 설정한다.
- 성과수준은 기대가 충족되었을 때의 상태를 기술해야 한다.
- 성과의 수량, 품질, 비용, 효과, 방식 또는 행동의 방법 등이 구체적으로 측정가능하게 표현되어야 한다.

성과관리에서 유의할 점

- 성과평가의 결과는 직원의 상벌을 위한 것이 아니라 조직에서 제공하는 서비스의 개선을 목적으로 한다.
- 성과의 결과는 다음 사업의 기획 및 예산 확보를 위한 자료로 활용한다.
- 성과를 지나치게 강조하여 기준행동이 발생하지 않도록 경계해야 한다. 이때 기준행동은 실제 효과성, 효율성과 상관없이 높은 점수를 받는 데만 관심을 쏟는 것을 말한다. 즉 성과평가의 목록을 기준으로 행동하게 되는 현상을 의미한다.

기출문장
CHECK

01 (17-07-22) 기준행동: 평가지표 충족에만 관심이 집중되어 서비스 효과성이 낮아질 수 있다. 사회복지서비스 평가로 인해 발생 가능한 부정적 현상이다. 양적 평가지표가 많을 때 증가되기 쉽다.

02 (12-07-25) 성과수준을 결정할 때에는 현실성, 달성가능성을 고려하여 수량, 품질 등을 측정할 수 있도록 하며 목표가 달성되었을 때의 상태를 기술한다.

대표기출 확인하기

사회복지조직의 성과평가에서 성과수준을 결정할 때 고려할 사항이 아닌 것은?

① 성과수준은 현실적이어야 한다.
② 성과수준은 달성할 수 있어야 한다.
③ 성과수준은 목표가 달성되었을 때의 상태를 기술해야 한다.
④ 성과수준은 수량, 품질 등으로 표현되어야 한다.
⑤ 성과수순은 측정을 전제로 하는 것은 아니다.

 알짜확인

• 성과관리의 개념 및 성과관리를 위한 성과기준 설정 등에 관한 내용을 살펴보자.

답 ⑤

✅ **응시생들의 선택**

① 1%	② 3%	③ 21%	④ 40%	⑤ 35%

⑤ 성과는 구체적인 방법으로 측정할 수 있어야 한다.

관련기출 더 보기

사회복지서비스 성과평가의 내용으로 옳은 것을 모두 고른 것은?

> ㄱ. 아동의 자아존중감 향상 정도를 평가한다.
> ㄴ. 유사한 취업프로그램의 1인당 취업비용을 비교한다.
> ㄷ. 프로그램 참여자의 취업률을 측정한다.

① ㄱ　　　　　　　　② ㄴ
③ ㄱ, ㄷ　　　　　　④ ㄴ, ㄷ
⑤ ㄱ, ㄴ, ㄷ

답 ⑤

✅ **응시생들의 선택**

① 12%	② 1%	③ 70%	④ 5%	⑤ 12%

제시된 내용은 모두 성과평가의 내용에 해당한다.

➕ **덧붙임**

성과평가를 효과성의 차원으로만 생각해서 점수를 놓친 수험생들이 많았는데, 성과평가는 효과성만을 의미하는 것이 아니라 효과성과 효율성을 모두 포괄한다는 점 기억해두자.

다음 내용이 **왜 틀렸는지**를 확인해보자

01 성과관리에서 성과수준을 결정할 때에는 다소 어려움 이 있더라도 <u>달성가능한 최대한의 수준으로 설정</u>해야 한다.

> 성과수준은 초과 달성의 여지가 있도록 설정되어야 한다.

`11-07-18`

02 성과평가에서 양적 지표 사용에 따른 부작용으로, 업무자들이 서비스 효과성 자체보다는 지표관리에만 치중하게 되는 현상을 **매몰비용**이라고 한다.

> 기준행동이라고 한다.
> 매몰비용은 한번 사용하면 회수할 수 없는 비용을 말한다. 현재의 업무형태나 상황을 개발하고 유지하기 위해 직원들이 투입하는 시간과 노력 등을 포함한다.

`15-07-19`

03 유사한 취업프로그램의 1인당 취업비용을 비교하는 것은 **성과평가와 무관**하다.

> 성과평가는 효과성과 효율성의 측면을 포괄적으로 살펴본다.

---

04 성과관리는 조직의 활동과 과정에 관심을 두어 **결과에 대한 관심이 낮다**.

> 성과관리는 조직의 활동과 과정이 조직의 목표에 부합되도록 하기 위한 것이다. 조직의 활동과 과정에도 관심을 두기는 하지만 목표했던 결과를 도출하였는지에 더 초점을 둔다.

홍보와 마케팅

CHAPTER 12

이 장에서는

비영리조직에서 마케팅을 진행함에 있어 고려해야 할 점을 사회복지서비스의 특성과 연결하여 파악하고, 다양한 마케팅 기법들을 살펴봐야 한다. 마케팅 믹스 4P(상품, 가격, 유통, 촉진)도 심심치 않게 등장하고 있으므로 각 요소가 의미하는 바까지 정리해야 한다.

10년간 출제분포도

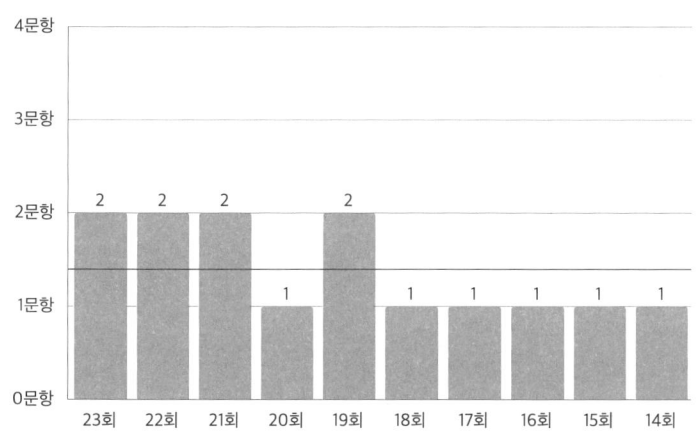

1.4 문항

평균 출제문항수

1 회독	2 회독	3 회독
월 일	월 일	월 일

최근 10년간 **9문항** 출제

복습 **1** **이론요약**

23회 기출 　22회 기출 　21회 기출 　19회 기출

사회복지 마케팅의 필요성

- **기관의 재정 확보**, 기관의 책임성 제고
- **클라이언트, 자원봉사자, 후원자 등에 대한 고객관리**
- 외부환경의 변화에 대한 대응적 서비스 개발 및 보급

기본개념

사회복지행정론
pp.241~

마케팅에서 고려해야 할 사회복지서비스의 특징

- 서비스의 무형성
- 서비스의 다양성, 복잡성
- 서비스의 소멸성
- 생산과 소비의 동시 발생

홍보의 최근 경향

- 단발적 홍보에서 지속적 홍보
- 즉흥적 홍보에서 계획적 홍보
- 일방적 홍보에서 쌍방적 홍보
- 소극적 · 수비적 홍보에서 적극적 · 공격적 홍보

기관환경 분석-SWOT

- 기관의 내 · 외부 환경을 분석하기 위한 방법
- 조직 내부의 강점(Strength)과 약점(Weakness) 요인 분석
- 조직 외부의 기회(Opportunity)와 위협(Threat) 요인 분석

기부시장 분석(STP 설계)

- 시장 세분화: 후원자의 특성, 비슷한 욕구 등에 따라 여러 개의 하위시장으로 분류
- 표적 시장선정: 세분화된 시장 중 매력도가 높은 시장(후원가능성이 높은 시장)을 선정
- 시장 포지셔닝: 선정한 표적시장에 대해 마케팅 믹스를 통해 다른 기관과 차별성 있는 위치 정립

마케팅 믹스(4P) 구축

- **상품(Product) 전략**: 어떤 상품을 제공할 것인가
- **가격(Price) 전략**: 가격을 어떻게 결정할 것인가
- **유통(Place) 전략**: 어떻게 판매, 전달할 것인가
- **촉진(Promotion) 전략**: 어떻게 홍보할 것인가

기출문장 CHECK

01 (23-07-21) 비영리조직 마케팅은 비영리조직의 책임성과 효과성이 강조되면서 중요성이 커졌다.

02 (23-07-21) 비영리조직의 마케팅은 클라이언트, 자원봉사자, 지역주민 모두를 마케팅의 대상으로 보고 있다.

03 (23-07-25) 사회복지마케팅전략은 생산과 소비의 동시성을 고려한다.

04 (22-07-21) 사회복지서비스 마케팅 과정: 고객 및 시장 조사 → STP 전략 설계 → 마케팅 믹스 → 고객관계관리(CRM)

05 (21-07-21) 마케팅믹스 4P에서 제품(Product)은 고객의 욕구를 충족시키기 위하여 제공하는 재화나 서비스를 의미한다.

06 (21-07-21) 마케팅믹스 4P에서 유통(Place)은 고객이 서비스를 쉽게 이용할 수 있도록 하는 조직적 활동과 관련된다.

07 (19-07-21) 비영리조직의 마케팅은 공익사업과 수익사업의 적절한 운영을 위하여 필요하다.

08 (17-07-21) 마케팅 믹스 4P: 상품(Product), 가격(Price), 촉진(promotion), 유통(Place)

09 (14-07-16) 촉진(promotion)은 사회복지 마케팅 믹스(marketing mix)의 4P에 해당한다.

10 (11-07-21) 사회복지기관의 마케팅은 서비스 이용자의 선택권 확대라는 측면에서 강조되고 있다.

11 (08-07-10) 사회복지 마케팅은 소비자 만족, 품질관리, 비영리조직의 사명을 중요하게 고려한다.

12 (06-07-12) 마케팅 4P에서 서비스를 알리고 더 많은 기금을 확보하기 위한 전략은 촉진 전략이다.

13 (06-07-23) 사회복지 마케팅에서 조직의 내·외부 환경 및 자원을 분석하기 위해 조직의 강점, 약점, 기회, 위협 등의 요인을 분석하는 기법은 SWOT 기법이다.

대표기출 확인하기

23-07-21   난이도 ★★★

비영리조직 마케팅에 관한 설명으로 옳은 것은?

① 고객 욕구충족보다는 판매에 집중한다.
② 이윤을 남기는 것이 최우선 목표이다.
③ 비영리조직의 책임성과 효과성이 강조되면서 중요성이 커졌다.
④ 후원자에게만 초점이 맞춰져 있다.
⑤ 비영리조직 마케팅 목적은 프로그램을 알리는 것이지 재정 확충은 아니다.

 알짜확인

• 마케팅에 있어 고려해야 할 사회복지서비스의 특징을 1장에서 학습했던 사회복지조직의 특성을 바탕으로 살펴보자.
• 마케팅 믹스 4P에 해당하는 요소 및 각 요소가 무엇을 의미하는지에 관한 문제도 심심치 않게 출제되므로 꼼꼼히 확인해두기 바란다.

답 ③

응시생들의 선택

① 0%	② 1%	③ 89%	④ 1%	⑤ 9%

① 영리조직의 마케팅과 달리 비영리조직의 마케팅은 판매보다는 고객의 욕구충족에 집중한 클라이언트 중심 서비스에 초점을 둔다.
② 영리조직의 마케팅은 소비자 판촉을 통해 이윤을 남기는 것이 최우선 목표이지만, 비영리조직의 마케팅은 복지 소비자의 만족과 후원자 개발 등 다면적인 목표를 가지고 있다.
④ 비영리조직의 마케팅은 후원자에게만 초점을 두어 모금만 중시하는 것이 아니다. 클라이언트, 자원봉사자, 지역주민 모두를 마케팅의 대상으로 보고 있다. 이는 사회복지조직이 지역사회로부터의 인정과 지지를 받을 때 존립의 정당성을 확보하기 때문이다.
⑤ 비영리조직의 마케팅 목적은 프로그램을 알리는 것 외에도 재정 확보의 측면, 책임성 측면, 대상자 관리의 측면, 서비스 개발의 측면 등 다양한 목적과 필요성을 가진다.

관련기출 더 보기

23-07-25   난이도 ★★★

사회복지마케팅전략에 관한 설명으로 옳은 것은?

① 생산과 소비의 동시성을 고려한다.
② 세분화(segmentation)는 시장을 임의로 구분한다.
③ 클라이언트 집단은 마케팅 전략의 대상이 될 수 없다.
④ 시장조사를 하지 않는다.
⑤ 영리마케팅에 비하여 상품의 내구성을 고려한 전략을 수립한다.

답 ①

응시생들의 선택

① 83%	② 4%	③ 1%	④ 1%	⑤ 11%

② 사회복지마케팅에 있어 시장 세분화는 시장을 임의로 구분하는 것이 아니라 체계적이고 논리적인 기준에 따라 목표시장을 식별하는 과정이다. 즉, 비슷한 욕구나 행위의 특징에 따라 소비자(또는 후원자)를 작은 그룹으로 분류하는 것이다. 이를 통해 보다 효과적으로 특정 소비자(또는 후원자) 그룹을 타겟팅하여 맞춤형 마케팅 전략을 개발할 수 있다.
③ 사회복지마케팅의 대상에는 클라이언트 집단도 포함된다. 사회복지 마케팅의 대상은 후원자뿐만 아니라 클라이언트 집단도 포함된다.
④ 사회복지마케팅의 과정에는 기관 환경 분석, 시장욕구 분석을 위한 시장조사가 포함된다.
⑤ 상품의 내구성이란 상품이 외부의 물리적 · 환경적 요인에도 일정기간 동안 본래의 기능과 성능을 유지하며 사용할 수 있는 정도를 의미한다. 사회복지조직의 상품은 주로 서비스나 프로그램을 의미하므로 일반기업의 상품과는 그 속성이 다르다. 따라서 상품의 내구성을 고려한 전략 수립은 사회복지마케팅보다는 물질적인 상품을 판매하는 영리마케팅에서 더욱 중요하다.

사회복지서비스 마케팅 과정을 옳게 연결한 것은?

> ㄱ. STP 전략 설계
> ㄴ. 고객관계관리(CRM)
> ㄷ. 마케팅 믹스
> ㄹ. 고객 및 시장 조사

① ㄱ - ㄴ - ㄷ - ㄹ   ② ㄱ - ㄹ - ㄴ - ㄷ
③ ㄷ - ㄹ - ㄱ - ㄴ   ④ ㄹ - ㄱ - ㄴ - ㄷ
⑤ ㄹ - ㄱ - ㄷ - ㄴ

답 ⑤

✔ 응시생들의 선택

① 1%	② 11%	③ 2%	④ 24%	⑤ 62%

ㄹ. 고객 및 시장 조사: 기관에서 관심을 두고 있는 문제에 대해 지역사회에서도 공감을 하고 있는지, 주민들은 어떤 의견을 가지고 있는지 등을 살펴본다.
ㄱ. STP 전략 설계: 시장 세분화, 표적 시장, 시장 포지셔닝 등 기부시장을 분석한다.
ㄷ. 마케팅 믹스: 상품, 가격, 유통, 촉진(홍보) 등의 부문에 대한 전략을 세우는 것이다.
ㄴ. 고객관계관리(CRM): 클라이언트와 지속적인 관계를 유지하면서 맞춤형 마케팅을 추진하는 방법이다.

마케팅믹스 4P에 관한 설명으로 옳은 것을 모두 고른 것은?

> ㄱ. 유통(Place): 고객이 서비스를 쉽게 이용할 수 있도록 하는 조직적 활동
> ㄴ. 가격(Price): 판매자가 이윤 극대화를 위하여 임의로 설정하는 금액
> ㄷ. 제품(Product): 고객의 욕구를 충족시키기 위하여 제공하는 재화나 서비스
> ㄹ. 촉진(Promotion): 판매 실적에 따라 직원을 승진시키는 제도

① ㄱ, ㄴ   ② ㄱ, ㄷ
③ ㄱ, ㄴ, ㄷ   ④ ㄴ, ㄷ, ㄹ
⑤ ㄱ, ㄴ, ㄷ, ㄹ

답 ②

✔ 응시생들의 선택

① 3%	② 42%	③ 28%	④ 5%	⑤ 22%

ㄴ. 가격(Price): 가격을 어떻게 결정할 것인가. 단순히 이윤만 고려하는 것은 아니며 다른 경쟁상품의 가격, 가격에 대한 부담감 등 여러 요소를 고려하게 된다. 특히 비영리조직에서는 비용 외에 시간, 노력, 부담감, 불안감 등 비금전적 요인이 중요하다.
ㄹ. 촉진(Promotion): 어떻게 홍보할 것인가

비영리조직 마케팅의 특성으로 옳지 않은 것은?

① 이윤추구보다는 사회적 가치 실현에 수안섬을 눈다.
② 마케팅에서 교환되는 것은 유형의 재화보다는 무형의 서비스가 대부분이다.
③ 영리조직에 비해 인간의 태도나 행동을 변화시키는 것이 어렵다.
④ 서비스의 생산과 소비의 동시성을 고려한다.
⑤ 조직의 목표달성과 측정이 용이하다.

답 ⑤

✔ 응시생들의 선택

① 3%	② 6%	③ 33%	④ 5%	⑤ 53%

⑤ 사회복지서비스는 다양하고 추상적인 목적이 혼재되어 있기 때문에 목적과 관련된 목표를 구체화하지 못할 때가 있다. 그렇기 때문에 목표달성의 기준이 명확하지 않거나 목표를 수치화하여 측정할 수 없는 경우도 있다.

마케팅 믹스(Marketing mix)의 4P에 해당하지 않는 것은?

① 제품(Product)
② 가격(Price)
③ 판매촉진(Promotion)
④ 입지(Place)
⑤ 성과(Performance)

답 ⑤

✔ 응시생들의 선택

① 1%	② 2%	③ 12%	④ 27%	⑤ 58%

마케팅 믹스의 4P
• 상품(Product) 전략
• 가격(Price) 전략
• 유통(입지, Place) 전략
• 촉진(Promotion) 전략

다음 내용이 왜 틀렸는지를 확인해보자

08-07-10

01 사회복지조직의 마케팅은 <u>생산자 관점을 강화하는 데에 초점</u>을 둔다.

> 사회복지기관 마케팅은 소비자인 클라이언트의 관점을 강조한다.

02 <u>사회복지서비스는 표준화하여 대량생산하기에 용이하다</u>는 점에서 마케팅의 강점이 있다.

> 사회복지서비스는 사람을 대상으로 하기 때문에 개별 클라이언트마다 다른 서비스가 필요하다. 이로 인해 표준화하기가 어렵고 대량생산이 불가능하다.

03 사회복지 마케팅은 <u>일회적, 단발적으로 진행되는 활동을 선호</u>한다.

> 일회적, 단발적 마케팅보다 이용자 혹은 후원자와의 지속적 관계 유지를 위한 마케팅이 강조되고 있다.

07-07-01

04 비영리조직의 모금은 <u>사회복지공동모금회를 필두로 중앙정부에서 대행하고 관리</u>하는 추세이다.

> 사회복지공동모금회는 민간기관이며 비영리조직의 모금을 중앙정부에서 대행하고 관리하고 있지도 않다.

19-07-21

05 비영리조직의 마케팅은 <u>재정자립을 목표로 하지 않는다.</u>

> 비영리조직의 마케팅은 이용자 모집 외에 후원금품을 모집하기 위해 마케팅을 실시하기도 하며, 이는 재정자립이라는 목표와 연결된다.

06-07-12

06 마케팅 4P에서 서비스를 알리고 더 많은 기금확보를 하기 위해 전략을 세우는 것은 <u>유통(Place) 전략</u>이다.

> 촉진(promotion) 전략에 해당한다.
> 유통(Place) 전략은 서비스를 전달하는 방법을 고려하는 것이다.

07 마케팅 믹스(marketing mix) 4P: 가격(Price), 촉진(promotion), 유통(Place), <u>성과(Performance)</u>

> 마케팅 믹스 4P: 상품(Product), 가격(Price), 촉진(promotion), 유통(Place)

08 SWOT 방식은 <u>내부환경을 분석하여 조직의 강점을 발견하고, 외부환경을 분석하여 조직의 약점을 찾아내는</u> 분석방법이다.

> SWOT는 내부환경을 분석하여 조직의 강점과 약점을 발견하고, 외부환경을 분석하여 기회와 위협 요인을 찾아내는 분석방법이다.

다음 내용이 옳은지 그른지 판단해보자

`01-03-02`

01 사회복지기관의 마케팅은 서비스 이용자의 선택권 확대라는 측면에서 강조되고 있다. ◎ ⊗

`05-07-20`

02 사회복지 마케팅에서는 생산과 소비의 동시성을 고려해야 한다. ◎ ⊗

`21-07-20`

03 비영리조직의 마케팅은 이윤추구보다 사회적 가치 실현에 주안점을 둔다. ◎ ⊗

04 시장 포지셔닝은 기관이 시장에서 우위를 점하기 위해 다른 기관의 활동을 방해하는 것이다. ◎ ⊗

05 서비스를 포지셔닝하는 과정에서는 마케팅 전략의 수립이 요구된다. ◎ ⊗

↻ **답** 01○ 02○ 03○ 04× 05○

해설 **04** 시장 포지셔닝은 다른 기관과의 차별화를 바탕으로 시장에서 위치를 점하는 것이다.

220 마케팅 기법

강의 QR코드

최근 10년간 **5문항** 출제

복습 1 이론요약

 22회 기출   20회 기출

주요 전략

기본개념

사회복지행정론
pp.243~

- **기업연계 마케팅(공익연계 마케팅): 기업의 이미지를 높여 주어 기업의 상품 판매에 긍정적으로 영향을 미치면서 동시에 사회복지기관의 후원자 개발에도 기여하는 방식**
- 고객관계관리 마케팅: 기존 후원자 관리, 신규 후원자 개발, 잠재적 후원자 개발을 위해 그들의 욕구를 파악하여 이른바 '맞춤 서비스' 제공
- 다이렉트 마케팅: DM 발송. 우편을 이용하여 상품과 조직 정보 전달. 잠재적 후원자에게 현재 기관의 운영현황이나 서비스/프로그램에 대한 정보 전달
- 데이터베이스 마케팅: 고객의 지리적·인구통계적·심리적 특성, 생활양식, 행동양식이나 구매기록 같은 개인적인 정보를 데이터베이스화하여 구축함으로써 수익공헌도가 높은 고객에게 마일리지와 같은 차별적 서비스 제공
- 인터넷 마케팅: 인터넷을 통해 고객에게 정보 전달. 전자우편이나 홈페이지 등을 통하여 이익 극대화. 배너 교환이나 이메일링 서비스 등
- 사회 마케팅: 정부나 지방자치단체, 시민과 지역사회를 위한 공중의 행동변화를 위한 마케팅기법으로 공익 실현을 위한 집단적·조직적 노력
- 기타
  - 인터넷 모금, ARS 모금, 캠페인 모금, 이벤트 모금 등
  - 아웃리치: 기관에의 접근성이 떨어지는 잠재적 클라이언트를 직접 찾아가는 것으로 서비스 제공을 위해서도 실시하며, 홍보의 목적으로 활용하기도 한다.

01 (22-07-22) 기업연계 마케팅은 명분마케팅이라고도 한다.

02 (22-07-22) 데이터베이스 마케팅은 이용자에 대한 각종 정보를 수집, 분석하여 활용하는 방식이다.

03 (22-07-22) 사회 마케팅은 대중에 대한 캠페인 등을 통해 행동변화를 유도하는 방식이다.

04 (22-07-22) 고객관계관리 마케팅은 개별 고객특성에 맞춘 서비스를 지속적으로 제공하는 방식이다.

05 (18-07-18) 다이렉트 마케팅: 사회복지관에서 우편으로 잠재적 후원자에게 기관의 현황이나 정보 등을 제공하여 후원자를 개발하는 마케팅 방법

06 (16-07-20) 공익연계마케팅을 통해 참여 기업과 사회복지조직 모두 혜택을 얻을 수 있다.

07 (15-07-01) 공익연계 마케팅은 고객들이 A기업의 물품을 구입할 경우 A기업이 그 수입의 일정비율을 B복지관에 기부하는 방식이다.

08 (08-17-16) K시 노인보호전문기관의 사회복지사는 농촌 지역에 살고 있는 노인들에게 기관의 프로그램을 알려야 한다. 이 과정에서 외부에 쉽사리 드러나지 않는 노인의 문제외 욕구의 특성을 고려해야 한다. 이러한 상황에서는 가정방문이 효과적일 수 있다.

09 (07-07-02) ○○복지관은 한국어 구사능력이 능숙하지 못한 결혼이주민을 대상으로 외국인 가정의 위기개입 프로그램을 실시할 계획이다. 이를 위해 표적효율성이 높도록 프로그램 대상자를 발굴하려고 한다. 이때에는 아웃리치를 실시하는 것이 좋다.

10 (05-07-19) 인터넷모금: 인터넷을 통해 후원을 호소하는 내용을 알린다.

11 (04-07-22) 사회복지기관이 특정한 이슈와 관련해 TV, 신문 등 대중매체를 활용하는 것은 기관에 대한 인지도를 높이고 기부금을 조성하는 데에 도움이 될 수 있다. 또한 문제가 확산되는 것을 방지하거나 정책입안자에게 압력으로 작용될 수 있다는 이점이 있다.

12 (03-07-15) ARS 모금방식은 전화를 걸어 1통화 당 일정액의 후원금이 자동으로 전화요금에 부과되는 방식이다.

13 (02-07-30) 아웃리치는 서비스 이용자들이 스스로 찾아오길 기다리는 것이 아니라 기관이나 담당자들이 적극적으로 클라이언트를 찾아 나서는 시도를 말한다.

대표기출 확인하기

사회복지 마케팅 기법에 관한 설명으로 옳지 않은 것은?

① 다이렉트 마케팅은 방송이나 잡지 등 대중매체를 활용하는 방식이다.
② 기업연계 마케팅은 명분마케팅이라고도 한다.
③ 데이터베이스 마케팅은 이용자에 대한 각종 정보를 수집, 분석하여 활용하는 방식이다.
④ 사회 마케팅은 대중에 대한 캠페인 등을 통해 행동변화를 유도하는 방식이다.
⑤ 고객관계관리 마케팅은 개별 고객특성에 맞춘 서비스를 지속적으로 제공하는 방식이다.

 알짜확인

• 사회복지조직에서는 기관이나 서비스를 홍보하고, 자원봉사자 모집 및 후원금 모금 등을 위해 세우는 다양한 마케팅 전략들을 살펴보자.

답 ①

✓ **응시생들의 선택**

① 67%	② 22%	③ 3%	④ 3%	⑤ 5%

① 다이렉트 마케팅은 기관의 소식지나 홍보책자 등을 우편으로 발송하는 것이다.

관련기출 더 보기

다음에서 설명하는 마케팅 방법은?

> A초등학교의 학부모들이 사회복지사에게 본인들의 자녀와 연령대가 비슷한 아이들을 돕고 싶다고 이야기하였다. 이에 사회복지사들은 월 1회 아동문화체험 프로그램을 기획하여 이들을 후원자로 참여할 수 있도록 요청하였다.

① 사회 마케팅
② 공익연계 마케팅
③ 다이렉트 마케팅
④ 데이터베이스 마케팅
⑤ 고객관계관리 마케팅

답 ⑤

✓ **응시생들의 선택**

① 19%	② 17%	③ 20%	④ 8%	⑤ 36%

⑤ 고객관계관리 마케팅: 고객의 특성에 맞춘 마케팅

① 사회 마케팅: 금연운동과 같이 특정 행동을 장려
② 공익연계 마케팅: 기업과의 연계를 통한 마케팅
③ 다이렉트 마케팅: DM 발송
④ 데이터베이스 마케팅: 기관 이용자의 정보를 토대로 진행

사회복지관에서 우편으로 잠재적 후원자에게 기관의 현황이나 정보 등을 제공하여 후원자를 개발하는 마케팅 방법은?

① 고객관계 관리 마케팅
② 데이터베이스 마케팅
③ 다이렉트 마케팅
④ 소셜 마케팅
⑤ 클라우드 펀딩

답 ③

✓ **응시생들의 선택**

① 20%	② 23%	③ 44%	④ 8%	⑤ 5%

③ 다이렉트 마케팅은 우편을 이용하여 상품과 조직의 정보를 전달하고, 잠재적 후원자에게 현재 기관의 운영현황이나 서비스에 대한 정보를 전달하는 것이다.

다음 내용이 왜 틀렸는지를 확인해보자

01 기관의 프로그램을 홍보하기 위한 방법으로 **가정방문은 적절하지 않다.**

> 만약 프로그램의 표적집단이 거동이 불편하거나 정보수집에 취약한 집단인 경우 가정방문을 고려해볼 수 있다.

02 고객관계관리 마케팅은 **신규 후원자를 개발하는 데에는 적합하지 않다.**

> 고객관계관리 마케팅은 클라이언트의 욕구에 따라 맞춤 서비스를 제공하는 기법으로 신규 후원자를 개발하는 데에도 활용된다.

03 비영리조직의 마케팅은 **한 번에 여러 가지를 사용해서는 안 된다.**

> 여러 방법을 동시에 사용하는 경우가 더 많다.

빈칸에 들어갈 알맞은 말을 채워보자

15-07-01

01 ( ) 마케팅은 고객들이 A기업의 물품을 구입할 경우 A기업이 그 수입의 일정비율을 B복지관에 기부하는 방식이다.

05-07-19

02 ( ) 마케팅은 대량으로 우편물을 보내 홍보자료를 배포하는 방식이다.

03-07-15

03 ( ) 모금은 전화를 걸면 1통화 당 일정액의 후원금이 자동으로 전화요금에 부과되는 방식이다.

답 **01** 공익연계 **02** 다이렉트(DM) **03** ARS

다음 내용이 옳은지 그른지 판단해보자

12-07-15

01 사회 마케팅은 아동학대 예방 운동과 같이 대중의 행동 변화를 통해 공익을 실현하기 위한 마케팅 기법이다.

02-07-30

02 서비스 이용자들이 스스로 찾아오길 기다리는 것이 아니라 기관이나 담당자들이 적극적으로 클라이언트를 찾아나서기 위한 홍보 전략으로 아웃리치를 실시한다.

03 사회복지기관은 재정을 확보하고 기업은 브랜드 이미지 상승을 꾀할 수 있는 전략은 고객관계관리 마케팅이다.

04 다이렉트 마케팅은 기관을 홍보하고 모금하기 위한 자료로 활용될 뿐 잠재적 클라이언트를 모집하는 데에는 적절하지 않다.

 **01** ○ **02** ○ **03** × **04** ×

해설 **03** 기업연계 마케팅에 해당하는 설명이다.

04 다이렉트 마케팅은 리플렛, 카탈로그 등을 우편 발송하여 소비자에게 직접 접근하는 방식이다. 후원금 모금, 클라이언트 모집 등을 위해 실시한다.

CHAPTER
13

환경관리와 정보관리

이 장에서는

환경의 영향을 받을 수밖에 없는 사회복지조직의 현실적 상황에 대한 이해를 바탕으로 일반환경과 과업환경을 구분하여 살펴보고, 조직이 환경의 영향에 어떻게 대처해야 하는지를 생각해본다. 사회복지 부문에 새로운 이슈가 있거나 정책적 변화가 많이 일어날 때에는 시기적 상황을 반영하여 환경변화의 흐름을 살펴보는 문제도 출제되곤 한다.

10년간 출제분포도

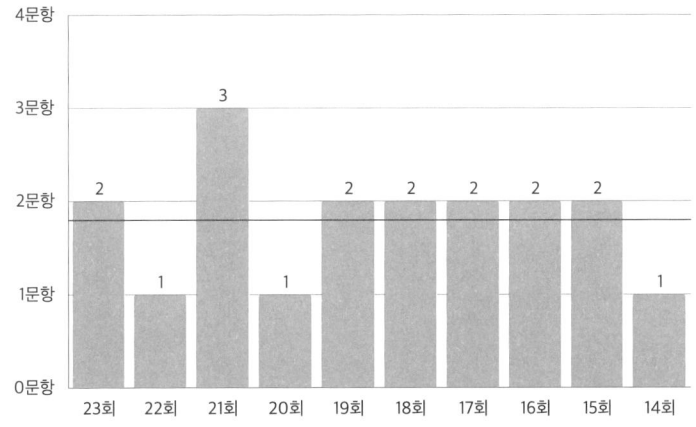

1.8
문항

평균 출제문항수

환경변화의 흐름 및 대응

강의 QR코드

1 회독	2 회독	3 회독
월 일	월 일	월 일

최근 10년간 **11문항** 출제

복습 **1**

이론요약

23회 기출 / 22회 기출 / 21회 기출 / 20회 기출 / 19회 기출

최근 경향

- 탈시설화
- **지역사회에 기반을 둔 복지실천**
- **소비자 주권주의, 이용자 중심의 서비스**
- **품질관리, 성과 등의 강조**
- **욕구충족을 넘어 수요충족으로 확대**
- 시설의 개방화 및 투명한 운영
- 원조 중심의 서비스에서 자립 및 자활을 강조하는 서비스로 전환
- 사회복지서비스의 **민영화, 시장화**
- **사회적 기업 등 사회복지서비스를 제공하는 다양한 조직형태 출현**
- **기업경영론의 확산**(조직이론, 리더십론, 마케팅론 등 기업경영을 위해 개발된 이론들의 도입)
- 민간 위탁, 민·관 협력 등 전달체계의 다양화
- 지방분권화에 따라 지역별 현안에 맞는 서비스 제공

기본개념

사회복지행정론
pp.251~

환경관리 전략

- 협동적 전략
  - 계약: 두 조직 간에 지원 혹은 서비스의 교환을 통해 협상된 공식적, 비공식적 합의
  - 연합: 여러 조직들이 사업을 위해 합동하여 자원을 합하는 전략
  - 흡수: 과업환경 내 주요 조직의 대표자들을 조직의 정책수립기구에 참여시키는 전략
- 경쟁적 전략: 다른 조직보다 인적, 물적 자원을 증가시켜 서비스의 질과 절차, 행정절차 등에서 우위를 점할 수 있도록 하는 전략
- 권위주의 전략: 권력을 사용하여 다른 조직의 행동을 이끌고 명령을 내리는 전략
- 방해 전략: 경쟁적 위치에 있는 다른 조직의 활동을 방해하거나 세력을 약화시키는 전략

변화에 대한 수용과 저항

- 과거의 경험을 바탕으로 직원들이 변화에 대해 어떠한 성향을 가지고 있는지를 파악해야 함

- 직원들의 매몰비용이 클수록 변화에 대한 저항이 클 수 있음(※ 매몰비용: 한 번 지출되면 회수할 수 없는 비용으로 직원들의 시간과 노력을 포함)
- 조직이 꾀하는 변화가 현재의 비공식적인 규범과 다를 때 저항이 커질 수 있음
- 기존의 권력 구도나 의사결정 구도가 변화할 경우 저항이 크게 나타날 수 있음
- 변화의 내용이 잘못 알려지거나 잘못 이해될 때에 저항의 가능성이 높아짐

사회복지조직의 혁신

▶ 개념
- 조직혁신: 행정체계를 개선을 통한 **목표지향적, 의도적, 인위적, 계획적 활동**
- 조직혁신을 위해서는 혁신풍토 조성 필요

▶ 사회복지조직의 혁신모델
- 위로부터의 혁신: 변혁적 리더십
- 아래로부터의 혁신: 직원 주도의 조직변화

기출문장 CHECK

01 (23-07-23) 최근 사회복지행정의 환경변화에 있어서 기업경영 방식 활용이 늘어나고 있다.

02 (23-07-23) 사회복지조직의 책무성 및 평가제도의 강화와 더불어 성과(outcome) 중심 평가와 성과관리에 대한 요구가 증가하고 있다.

03 (22-07-25) 무사안일주의, 비전의 영향력에 대한 과소평가, 비전에 대한 불충분한 의사소통, 변화를 막는 조직구조나 보상체계의 유지 등은 조직혁신의 방해 요인이 된다.

04 (21-07-23) 조직혁신은 목표를 더 효과적으로 달성하기 위한 인위적이고 계획적인 활동이다.

05 (19-07-25) 지방자치단체에서는 주민참여를 활성화하고 있다.

06 (18-07-08) 하센필드의 소식환경 대응전략: 권위주의 전략, 경쟁진략, 협동진략, 빙해진략

07 (18-07-14) 사회서비스 공급의 주체로서 영리부문의 참여가 나타나고 있다.

08 (18-07-14) 사회적 경제 기업의 증가에 따라 비영리조직은 시장경쟁력을 강화할 필요성이 대두되고 있다.

09 (17-07-02) 최근 사회복지행정은 지역사회를 중심으로 한 서비스 통합, 민간부문과 공공부문의 협력 강조, 영리기관의 전달체계 참여 증가 등의 양상이 나타나고 있다.

10 (13-07-25) 직원들의 매몰비용이 크면 조직이 혁신과 변화를 시도할 때 저항이 클 수 있다.

11 (08-07-25) 사회복지에서는 이용자 중심주의가 강조됨에 따라 품질관리에 대한 관심도 높아졌다.

12 (07-07-27) 사회복지 환경은 지역중심, 품질관리, 성과, 수요 충족 등에 대한 관심이 증가하고 있다.

13 (03-07-02) 경쟁적 전략은 크리밍(creaming) 현상이나 서비스의 중복 및 누락을 발생시킬 수 있다.

14 (03-07-02) 계약 전략은 서비스 활용에 유리하다.

15 (03-07-02) 정부조직은 권위주의적 전략을 유리하게 사용할 수 있다.

16 (03-07-03) 시설평가가 강화되고 있으며, 지방정부의 책임이 강화되고 있다.

대표기출 확인하기

23-07-23
난이도 ★★☆

최근 사회복지행정환경 변화에 관한 설명으로 옳은 것은?

① 기업경영 방식 활용이 늘어나고 있다.
② 국가가 직접 제공하는 서비스가 늘어나고 있다.
③ 성과(outcome) 중심 평가에서 산출(output) 중심 평가로 전환되고 있다.
④ 사회복지행정의 이론적 준거틀이 필요 없게 되었다.
⑤ 사회복지서비스가 다양화되면서 전문가 활용이 감소하고 있다.

 알짜확인

• 환경변화의 흐름을 파악해두고, 사회복지조직이 어떻게 대응해 나가야 하는지를 살펴보자.
• 사회복지조직이 타 조직과의 관계에서 취할 수 있는 다양한 전략들에 대해 알아두자.

답 ①

✔ **응시생들의 선택**

① 75%	② 3%	③ 19%	④ 1%	⑤ 2%

② 정부는 계약이나 위탁 등 다양한 방식으로 민간과의 파트너십을 증가시키고 있으며, 정부가 직접 제공하는 서비스는 감소하고 있다.
③ 사회복지조직의 책무성 및 평가제도의 강화와 더불어 성과 중심 평가와 성과관리에 대한 요구가 증가하고 있다.
④ 환경변화가 빠르게 변화한다 하더라도 사회복지행정의 이론적 준거틀은 여전히 필요하다. 이론적 토대 없이 행정이 즉흥적, 일시적, 단기적인 차원에서 진행된다면 비효율적 운영과 비효과성의 문제가 증가하고 이는 책임성의 문제로 이어진다.
⑤ 사회복지서비스가 다양화될수록 전문성에 대한 사회적 요구는 더욱 증가하며, 이에 따라 전문적 자격을 갖춘 전문가 활용 역시 증가한다.

관련기출 더 보기

22-07-25
난이도 ★☆☆

사회복지조직 혁신의 방해 요인으로 옳지 않은 것은?

① 무사안일주의
② 비전의 영향력을 과소평가
③ 비전에 대한 불충분한 의사소통
④ 핵심리더의 변화노력에 대한 구성원의 공개 지지
⑤ 변화를 막는 조직구조나 보상체계의 유지

답 ④

✔ **응시생들의 선택**

① 1%	② 2%	③ 3%	④ 92%	⑤ 2%

④ 핵심리더의 변화노력에 대한 구성원의 공개 지지는 조직의 혁신에 긍정적 요인이다.

➕ **덧붙임**

최근 시험에서 출제되기 시작한 조직혁신은 환경변화에 대한 수동적·소극적 변화가 아닌 개혁적 변화이기 때문에 구성원들의 저항이 크게 나타날 수 있음을 고려해야 하며, 이와 관련하여 매몰비용의 개념도 확인해두기 바란다.

사회복지조직의 혁신에 관한 설명으로 옳은 것은?

① 변혁적 리더십은 부하 직원의 변화를 필요로 하지 않는다.
② 혁신은 목표를 더 효과적으로 달성하기 위한 인위적이고 계획적인 활동이다.
③ 사회환경 변화와 조직 혁신은 무관하다.
④ 조직 내부환경을 고려하지 않고 변화를 추진할 때 혁신이 성공한다.
⑤ 변혁적 리더십은 조직보다는 개인의 사적 이익을 강조한다.

답 ②

✔ **응시생들의 선택**

① 1%	② 92%	③ 3%	④ 1%	⑤ 3%

① 변혁적 리더십은 조직을 변화시키고 개혁하는 과정에서 부하 직원의 신뢰와 지지, 동참을 강조한다.
③ 사회환경의 변화에 맞춰 조직도 변화해야 할 필요가 있다.
④ 조직 내부환경을 고려하지 않고 변화를 추진할 때 혁신은 성공하기 어렵다. 혁신을 이루고자 할 때에는 내부환경에 어떤 문제가 있는지, 변화에 방해가 되는 요소는 무엇인지 등과 함께 조직 구성원들이 변화의 필요성을 인식하고 있는지를 확인해야 한다.
⑤ 변혁적 리더십은 개인의 사적 이익을 넘어 집단의 이익과 목적을 강조한다.

최근 사회복지조직의 환경변화로 옳은 것을 모두 고른 것은?

ㄱ. 사회복지 공급주체의 다양화
ㄴ. 행정관리능력 향상으로 거주시설 대규모화
ㄷ. 성과에 대한 강조와 마케팅 활성화
ㄹ. 기업의 경영관리 기법 도입

① ㄱ, ㄴ
② ㄱ, ㄷ
③ ㄴ, ㄹ
④ ㄱ, ㄷ, ㄹ
⑤ ㄴ, ㄷ, ㄹ

답 ④

✔ **응시생들의 선택**

① 4%	② 11%	③ 2%	④ 81%	⑤ 2%

ㄴ. 대규모의 생활시설 대신 소규모의 그룹홈, 지역사회보호 등이 더 강조되고 있다. 특히 장애인 거주시설은 폐쇄적 운영 및 입소자들에 대한 처우 문제 등이 제기되면서 탈시설화가 추진되고 있다.

최근 사회복지행정의 환경변화에 관한 설명으로 옳지 않은 것은?

① 사회서비스 공급에서 영리부문의 참여가 감소되고 있다.
② 사회복지조직관리에 기업경영기법이 도입되고 있다.
③ 품질관리를 통한 이용자 중심 서비스가 요구되고 있다.
④ 사회서비스의 시장화 경향성이 뚜렷해지고 있다.
⑤ 서비스 이용자의 권리가 강조되고 있다.

답 ①

✔ **응시생들의 선택**

① 77%	② 7%	③ 1%	④ 14%	⑤ 1%

① 공공영역이 충분한 사회서비스를 제공하지 못하는 상황에서 민영화가 촉진되었고, 사회서비스 역시 서비스로서 욕구에 따라 구매할 수 있다는 자유시장 원리 및 이용자의 선택권 강화라는 주장에 힘입어 영리부문의 진출이 활발해지고 있다.

다음 내용이 왜 틀렸는지를 확인해보자

01 최근에는 <u>지역복지보다 시설복지가 더 강조</u>되고 있다.

> 지방분권화 이후 지역복지가 더 강조되고 있다.

02 민간 부문은 <u>지방분권화에 따라 지방자치단체와 경쟁해야 한다</u>는 숙제를 떠안았다.

> 지방분권화 이후 민간 부문과 지방자치단체의 연계 · 협력이 강조되고 있다.

`03-07-03`

03 최근에는 <u>민간자원동원에 대한 정부의 규제가 강화</u>되고 있다.

> 민간자원동원에 관한 규제는 약화되고 있으며, 오히려 후원이나 자원봉사를 독려하는 추세이다.

`07-07-27`

04 서비스 제공에 있어 <u>수요 충족보다 욕구 충족이 강조</u>되고 있다.

> 욕구 충족을 넘어 수요 충족에 대한 관심도 증가하고 있다.

`17-07-02`

05 최근 사회복지행정은 <u>이용시설보다 생활시설 중심의 보호가 강조</u>되는 추세이다.

> 우리나라 사회복지의 발달은 한국전쟁을 겪으며 부모를 잃은 아동들을 위한 생활시설 위주로 발전하다가 최근에는 이용시설, 지역사회복지 중심의 서비스 제공으로 옮겨가고 있다.

`18-07-14`

06 복지다원주의 패러다임이 등장하면서 <u>국가 주도의 복지 서비스 공급이 강조</u>되고 있다.

> 복지다원주의는 복지 서비스가 국가뿐만 아니라 민간기관, 기업, 자원봉사자 등의 다양한 부문에 의해 다원적으로 공급됨을 의미한다. 즉 복지다원주의 패러다임의 등장으로 국가의 역할 외에 다양한 부문의 역할 확대가 강조되고 있다.

07 권위주의적 전략은 정부조직에서는 사용하면 안 되는 전략이다.

권위주의 전략은 조직이 보유한 자원을 토대로 다른 조직과의 관계에서 우위를 점해 명령을 내리는 방식이 된다. 이로 인해 정부조직과 같이 충분한 자원과 권위를 가진 조직에서 활용할 수 있는 전략이다.

03-07-02

08 방해 전략은 사회복지조직에 가장 적합한 전략이다.

방해 전략은 말 그대로 다른 조직의 활동을 방해하거나 다른 조직이 가진 힘을 약화시키는 전략이다. 이에 대한 윤리적 혹은 법적 문제가 발생할 수 있으므로 주의가 필요한 전략이다.

09 협동적 전략 중 하나로 두 조직 간에 지원이나 서비스의 교환을 통해 이루어지는 전략은 연합 전략이다.

계약 전략에 해당한다. 연합 전략은 여러 조직들이 사업의 진행을 위해 자원을 합하는 전략이다.

10 사회복지조직이 다른 조직과 협력을 추진할 때 크리밍 현상이 나타날 수 있다.

크리밍 현상은 조직이 성공 가능성이 낮은 클라이언트를 거부하거나 반대로 성공 가능성이 높은 클라이언트를 선별적으로 받아들이려는 현상을 말한다. 조직이 다른 조직과의 관계에서 경쟁에 놓여있을 때 크리밍 현상이 발생할 위험이 높아진다.

11 환경변화에 따른 조직의 변화에 있어 구성원들의 비공식적 규범을 살펴볼 필요는 없다.

비공식적 규범은 구성원들 사이에 암묵적으로 형성된 규칙, 관행으로 조직의 의사소통 방식이나 조직문화에 영향을 미친다. 따라서 조직의 변화를 꾀할 때에는 이러한 비공식적 규범들을 살펴보는 것도 필요하다.

다음 내용이 옳은지 그른지 판단해보자

17-07-02

01 최근 한국 사회복지행정은 지역사회 중심의 서비스 통합이 강조되고 있다.

02 한국의 사회복지 부문에서는 영리기관의 참여를 인정하지 않고 있다.

18-07-14

03 한국 사회복지행정은 지역사회보장협의체를 통해 민 · 관 협력체계를 구축하고 있다.

04 정보통신기술의 발달에 영향을 받아 사회복지 부문에서도 정보관리시스템 구축, 인터넷 플랫폼을 통한 홍보, 빅데이터 활용 등에 대한 관심이 높아지고 있다.

05 읍 · 면 · 동 단위에 행정복지센터가 설치되면서 민간기관의 사업영역이 축소되고 있다.

06 최근 한국에서는 행정비용 감소 및 서비스 제공에 있어서의 형평성 · 효율성 등이 강조됨에 따라 대규모 거주시설의 확대에 대한 요구가 커지고 있다.

 답 **01** ○ **02** × **03** ○ **04** ○ **05** × **06** ×

해설 **02** 우리나라 사회복지 부문에서도 영리기관의 전달체계 참여가 증가하고 있다.
05 행정복지센터가 민간기관이 해오던 사업을 대신하기 위해 설치된 것은 아니므로 틀린 설명이다.
06 시설운영의 투명성, 이용자 인권, 지역사회보호 등이 강조되면서 탈시설화에 대한 요구가 커지고 있다.

222 일반환경과 과업환경

강의 QR코드

1회독 월 일 2회독 월 일 3회독 월 일

최근 10년간 **4문항** 출제

1 이론요약

19회 기출

조직을 둘러싼 환경은 일반환경과 과업환경으로 구분해볼 수 있는데, 이 구분은 어떤 조직, 어떤 상황에서 동일하게 적용되는 절대적 구분은 아니다. 다시 말해 어떤 조직에서는 과업환경이던 것이 어떤 조직에서는 일반환경이 될 수 있다는 것이다.

기본개념
사회복지행정론
pp.248~

일반환경

- 정치적·법적 조건, 경제적 조건, 인구사회학적 조건, 문화적 조건, 기술적 조건 등
- 일반환경은 조직에게 주어진 조건이기 때문에 조직이 일반환경에 큰 영향을 주거나 변화시키기는 어렵다.

과업환경

- **재정지원 제공자**: 정부, 보건복지부, 공적/사적 사회단체, 외국 민간단체, 개인 등
- **합법성과 권위 제공자**: 사회복지사업법, 보건복지부, 시·도청, 시·군·구청, 한국사회복지협의회, 한국사회복지사협회
- **클라이언트의 제공자**: 서비스를 제공받는 개인, 가족, 클라이언트를 의뢰하는 타조직, 집단·개인 등 으로 학교, 경찰, 청소년단체, 교회, 사회복지관 등
- **보충적 서비스의 제공자**: 타 기관들과의 공식·비공식적 협조체계
- **조직이 산출한 것을 소비·인수하는 자**: 클라이언트, 가족 등 클라이언트와 관계된 자, 교정기관, 아동복지시설, 학교 등
- **경쟁조직들**: 클라이언트나 다른 자원들을 놓고 경쟁

01 (19-07-08) 사회인구적 특성은 사회문제와 밀접한 관계가 있다.

02 (19-07-08) 과학기술의 발전은 사회복지기관의 서비스에도 영향을 미친다.

03 (19-07-08) 경제적 상황은 서비스 수요에 영향을 미친다.

04 (19-07-08) 법적 규제가 많을수록 서비스에 대한 클라이언트의 접근이 제한된다.

05 (16-07-03) 조직환경은 조직과 상호작용하는 외부요소를 총칭한다.

06 (16-07-03) 경제적 조건은 조직의 재정적 기반 마련과 관련이 있다.

07 (16-07-03) 조직 간의 의뢰·협력체계는 보충적 서비스 제공 역할을 한다.

08 (16-07-03) 법적 조건은 조직의 활동을 인가하는 기준이 된다.

09 (15-07-14) 클라이언트, 재정자원 제공자, 보충적 서비스 제공자, 경쟁조직 등은 과업환경이 된다.

10 (11-07-03) 사회복지조직은 외부환경에 의존적이다.

11 (11-07-03) 사회복지조직이 직접 상호작용하는 외부 집단들을 과업환경(task environment)이라 한다.

12 (11-07-03) 시장 상황에서 활동하는 사회복지조직은 경쟁조직을 중요한 환경요소로 다룬다.

13 (11-07-03) 사회복지사업법은 사회복지조직의 정당성과 권위를 제공하는 외부환경 중 하나이다.

14 (07-07-24) 공동모금회, 주민, 정부, 사회복지재단 등은 과업환경 중 재정자원의 제공자에 해당한다.

15 (05-07-07) 클라이언트 제공자, 경쟁조직, 보충적 서비스 제공자, 재원과 합법성의 제공자 등은 사회복지조직의 과업환경이 된다.

16 (02-07-04) 클라이언트 제공자, 재정자원 제공자, 경쟁조직 등은 과업환경에 해당하며, 법·제도적 규범은 일반환경에 해당한다.

대표기출 확인하기

19-07-08   난이도 ★★★

사회복지조직의 환경에 관한 설명으로 옳지 않은 것은?

① 다른 기관과의 경쟁은 고려하지 않는다.
② 과학기술의 발전은 사회복지기관의 서비스에도 영향을 미친다.
③ 사회인구적 특성은 사회문제와 밀접한 관계가 있다.
④ 경제적 상황은 서비스 수요에 영향을 미친다.
⑤ 법적 규제가 많을수록 서비스에 대한 클라이언트의 접근이 제한된다.

▶ **알짜확인**

• 환경 요소를 일반환경과 과업환경으로 구분하여 각각의 특징을 살펴보도록 하자. 과업환경은 조직과 직접적인 영향을 주고받으며, 일반환경은 조직이 변화시키거나 영향을 미치기 어렵다는 점에 대해 이해해두어야 한다.
• 과업환경의 요소들에 대해서도 자세히 봐둘 필요가 있다. 어떤 체계가 어떤 요소에 해당하는지를 파악할 수 있어야 하며, 이와 함께 자원을 제공받는 환경체계뿐만 아니라 경쟁하게 되는 환경체계도 과업환경에 포함된다는 점을 유의하기 바란다.

답 ①

✔ **응시생들의 선택**

① 94%	② 1%	③ 0%	④ 1%	⑤ 4%

① 사회복지조직은 이용자 모집뿐만 아니라 후원금이나 자원봉사자 모집에 있어서도 다른 기관과 경쟁에 놓이게 된다.

관련기출 더 보기

17-07-08   난이도 ★★☆

사회복지조직의 환경에 관한 설명으로 옳은 것을 모두 고른 것은?

> ㄱ. 인구사회학적 조건은 사회문제와 욕구를 가늠할 수 있게 한다.
> ㄴ. 빈곤이나 실업에 대한 사람들의 태도는 정책 수립과 실행에 영향을 미친다.
> ㄷ. 과학기술 발전정도는 사회복지조직 운영에 영향을 미친다.
> ㄹ. 조직에 미치는 영향에 따라 일반환경과 과업환경으로 구분할 수 있다.

① ㄷ, ㄹ   ② ㄱ, ㄴ, ㄷ
③ ㄱ, ㄴ, ㄹ   ④ ㄴ, ㄷ, ㄹ
⑤ ㄱ, ㄴ, ㄷ, ㄹ

답 ⑤

✔ **응시생들의 선택**

① 1%	② 12%	③ 13%	④ 10%	⑤ 64%

ㄱ. 지역사회의 인구사회학적 조건을 통해 문제와 욕구를 가늠해볼 수 있다. 이를 테면 지역사회에 노인인구가 급증한다면 이에 관련한 사회문제와 욕구가 증가할 수 있음을 예상할 수 있다.
ㄴ. 지역주민들이 빈곤이나 실업에 관하여 어떤 관점을 갖고 있는지는 정책 수립과 실행에 영향을 미친다. 이 때문에 설문조사나 포럼, 인터뷰 등을 통해 주민들의 의견을 파악한다.
ㄷ. 대표적인 예를 들면, 컴퓨터의 발달이 사회복지조직의 운영체계나 정보관리체계에 변화를 가져왔다.
ㄹ. 지역사회의 인구사회적 조건, 법적 조건, 경제적 조건 등의 일반환경은 조직에 주어지는 환경으로 조직이 변화시키기는 어렵다. 과업환경은 조직과 상호간에 영향을 주고받을 수 있는 요소들이다.

사회복지 조직환경에 관한 설명으로 옳지 않은 것은?

① 조직과 상호작용하는 외부요소를 총칭한다.
② 경제적 조건은 조직의 재정적 기반 마련과 관련이 있다.
③ 조직 간의 의뢰·협력체계는 보충적 서비스 제공 역할을 한다.
④ 법적 조건은 조직의 활동을 인가하는 기준이 된다.
⑤ 정치적 조건은 과업환경으로서 규제를 통해 사회적 기반을 형성한다.

답 ⑤

✅ **응시생들의 선택**

① 12%	② 3%	③ 16%	④ 18%	⑤ 51%

⑤ 정치적 조건은 일반환경에 해당한다.

사회복지조직의 과업환경에 해당하지 않는 것은?

① 클라이언트
② 재정자원 제공자
③ 보충적 서비스 제공자
④ 문화적 조건
⑤ 경쟁조직

답 ④

✅ **응시생들의 선택**

① 11%	② 2%	③ 8%	④ 53%	⑤ 26%

④ 경제적, 인구통계적, 문화적, 정치적, 법적, 기술적 조건들은 일반환경에 해당한다.

우리나라 사회복지조직의 과업환경으로 볼 수 없는 것은?

① 정부의 재정보조금
② 자원을 놓고 경쟁하는 조직
③ 한국사회복지협의회, 한국사회복지사협회
④ 학교, 경찰, 청소년단체, 교회
⑤ 1인당 GDP, 실업률, 헌법 제34조

답 ⑤

✅ **응시생들의 선택**

① 7%	② 21%	③ 10%	④ 21%	⑤ 41%

⑤는 일반환경 요소이다.

우리나라의 사회복지관의 과업환경 구성요소가 바르게 연결된 것은?

ㄱ. 합법성과 권위의 제공자 – 한국사회복지협의회
ㄴ. 클라이언트 제공자 – 서비스를 받는 개인
ㄷ. 보충적 서비스 제공자 – 지역사회 내외의 전문복지기관
ㄹ. 재정자원 제공자 – 보건복지부, 후원자, 법인 전입금

① ㄱ, ㄴ, ㄷ
② ㄱ, ㄷ
③ ㄴ, ㄹ
④ ㄹ
⑤ ㄱ, ㄴ, ㄷ, ㄹ

답 ⑤

✅ **응시생들의 선택**

① 15%	② 19%	③ 27%	④ 8%	⑤ 31%

우리나라 사회복지관의 과업환경 구성요소에 관한 내용으로 모두 옳은 내용이다.

다음 내용이 **왜 틀렸는지**를 확인해보자

01 사회복지조직에 있어 사회복지사업법은 <u>조직의 정당성과 권위를 제공하는 일반환경</u>이다.

> 사회복지조직에 있어 사회복지사업법은 조직의 정당성과 권위를 제공하는 과업환경이다.

02 경제불황, 인구분포의 변화 등과 같은 **지역사회의 상황적 조건들은 과업환경**으로서 지역주민의 욕구에 영향을 미친다.

> 과업환경이 아닌 일반환경에 해당한다.

`16-07-03`

03 사회복지조직을 둘러싼 환경 중 **정치적 조건은 과업환경**으로서 규제를 통해 사회적 기반을 형성한다.

> 정치적 조건은 일반환경에 해당한다.

04 경쟁하는 조직은 과업환경으로, **연계 · 협력하는 조직은 일반환경**으로 분류할 수 있다.

> 경쟁하는 조직과 연계 · 협력하는 조직 모두 과업환경의 유형이다.

다음 내용이 옳은지 그른지 판단해보자

01 일반환경은 사회복지조직이 변화시킬 수 있는 외부환경이다.

16-07-03
02 사회복지조직의 외부환경 중 경제적 조건은 조직의 재정적 기반 마련과 관련이 있다.

04-07-08
03 사회복지조직에 영향을 미치는 인구사회학적 요인, 법적·정치적 요인, 클라이언트 제공자 등은 일반환경에 해당한다.

04 경쟁조직이 클라이언트 제공자나 재정자원 제공자가 될 수는 없다.

19-07-08
05 사회복지조직은 다른 기관과의 경쟁을 고려하지 않는다.

답 01 ✕   02 ○   03 ✕   04 ✕   05 ✕

해설 **01** 조직의 입장에서 일반환경은 주어진 조건이기 때문에 조직이 일반환경을 변화시키기는 어렵다.
03 클라이언트 제공자는 과업환경에 해당한다.
04 경쟁조직은 클라이언트나 자원을 놓고 경쟁하게 되는 조직들을 말하는데, 보통 대상 집단이나 제공하는 서비스가 유사한 시설들이 경쟁조직이 된다. 한편 이러한 시설들은 연계나 의뢰를 통해 클라이언트 제공자가 되기도 하며, 상호간에 필요한 설비를 빌려 쓰거나 작업공간을 공유하는 방식 등으로 재정자원 제공자가 되기도 한다.
05 사회복지조직은 이용자 모집, 후원금이나 자원봉사자 모집 등에 있어 다른 기관과의 경쟁에 놓이게 되며, 이러한 경쟁 조직들은 과업환경의 한 요소이다.

223 사회복지조직의 정보관리

강의 QR코드

1 회독	2 회독	3 회독
월 일	월 일	월 일

최근 10년간 **3문항** 출제

복습 **1**

이론요약

 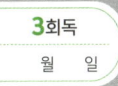
23회 기출 21회 기출

정보관리의 의의 및 필요성

기본개념

사회복지행정론
pp.258~

- 서비스의 통합적 제공을 위한 **정보 공유**가 용이해짐
- 산재된 **정보의 체계적 관리**
- 성과관리
- **불필요한 행정업무 감소**로 업무효율 상승
- 기관의 책임성 확보를 위한 노력

정보관리에서 고려할 사항

- 모든 정보가 전산화되어야 하는 것은 아님
- 전산화에 따른 개인정보 유출 문제
- 정보관리 프로그램에서 제시한 문제해결 방법이 갖는 한계 인식
- 시스템의 관리 및 유지를 위한 지속적인 노력
- 복지정보체계 구축 시 고려사항
  - 강력한 리더십
  - 정보화 사업과 행정개혁의 연계
  - 직무분석, 직무재설계
  - 정보 공유 마인드

정보관리시스템(MIS)의 정의

공식적인 전산화를 통해 정보를 경영활동에 다양하게 활용할 수 있도록 구축한 종합적인 체계

정보관리시스템의 분류

- 자료처리응용단계: 월급명세서 자동처리, 이용자 명부관리, 영수증 자동발급 등 반복 사무처리
- 관리정보체계단계: 정형화된 구조에 따라 다양한 자료들을 수집, 저장, 처리하여 유용한 정보로 전환
- 지식기반시스템
  - 자료, 정보, 지식의 구조 그 이상의 의미로 복잡하고 어려운 처리 기술 요구
  - 전문가 시스템, 사례기반추론 시스템, 자연음성처리 시스템

- 의사결정지원 시스템: 효과성과 의사결정의 특성을 탐구하는 것
- 업무수행지원시스템: 현장에서의 업무수행능력을 향상시키기 위해 개발된 통합적인 정보제공시스템

정보관리체계 설계를 위한 정보 유형
- 지역사회 정보: 인구통계학적 정보, 사회적·경제적 특성에 관한 자료 등
- 클라이언트 정보: 클라이언트의 현존 문제, 서비스 수혜 유형, 서비스 기간, 기타 인적 사항 등
- 서비스 정보: 기관의 서비스 단위, 서비스를 이용하는 클라이언트 수, 서비스 활동들에 대한 설명 등
- 직원 정보: 사업수행에 참여한 시간, 도움을 준 클라이언트 수, 서비스 제공의 양 등
- 자원할당 정보: 전체비용, 특수한 유형의 서비스 비용, 예산 및 결산보고서를 위해 필요한 자료 등

기출문장 CHECK

01 (23-07-19) 사회복지조직에서 정보관리가 중요하게 된 것은 사회복지조직의 효과성을 높이고, 종사자의 전문성을 강화할 수 있기 때문이다.

02 (21-07-19) 정보화에 따라 조직의 업무효율성을 증대시킬 수 있다.

03 (21-07-19) 정보화에 따라 사회복지행정가가 정보를 체계적으로 다룰 수 있다.

04 (21-07-19) 정보화에 따라 대상자 관리의 정확성, 객관성을 확보할 수 있다.

05 (21-07-19) 정보화로 인해 클라이언트에 대한 사생활침해 가능성이 높아졌다.

06 (14-07-21) 정보관리시스템은 사회복지전문가가 복잡한 의사결정을 쉽게 할 수 있도록 지원한다.

07 (14-07-21) 정보관리시스템 구축을 통해 필요한 정보를 통합·제공하여 업무처리가 향상될 수 있다.

08 (14-07-21) 정보관리시스템에 저장된 사례들을 기반으로 이론을 발전시킬 수 있다.

09 (13-07-21) 정보관리체계는 상시적인 평가와 환류에 도움이 된다.

10 (13-07-21) 정보관리체계를 통해 서비스 질에 대한 모니터링이 수월해질 수 있다.

11 (12-07-10) 지식기반시스템(Knowledge-Based System)은 전문가시스템, 사례기반추론, 자연음성체계 등이 있다.

12 (12-07-13) 지식기반시스템(Knowledge-Based System)을 활용하기 위해서는 상황별·유형별 다양한 정보의 축적이 필요하다.

13 (10-07-19) 포괄적인 의미에서 정보관리체계는 사람·절차·기술의 집합체이다.

14 (07-07-12) 정보관리체계의 도입으로 클라이언트에 대한 정보를 체계적으로 관리할 수 있게 되었다.

15 (07-07-12) 사회복지 정보관리체계의 구축으로 사회복지기관의 효과성이 더욱 증대되었다.

16 (05-07-21) 정보관리를 위해 전산화가 반드시 요구되는 것은 아니다.

17 (05-07-21) 지역사회 정보: 지역사회의 인구통계적 자료 등

18 (05-07-21) 클라이언트 정보: 클라이언트의 개인력, 고용상태 등

19 (05-07-21) 서비스 정보: 서비스를 받은 클라이언트의 수, 구체적인 활동에 관한 내용 등

20 (05-07-21) 직원 정보: 도움을 준 클라이언트의 수, 진행에 참여한 시간, 제공한 서비스의 양 등

21 (04-07-23) 정보관리가 강조됨에 따라 정보처리에 유능한 사람이 선발 및 승진에 유리하게 되었다.

22 (04-07-23) 사회복지조직에서 정보관리시스템의 도입은 업무수행 방법에도 변화를 가져왔다.

대표기출 확인하기

23-07-19 | 난이도 ★★☆

사회복지조직에서 정보관리가 중요하게 된 이유에 관한 설명으로 옳지 않은 것은?

① 사회복지조직의 책임성을 강화할 수 있기 때문이다.
② 사회복지조직에서 정보관리가 최우선이기 때문이다.
③ 업무수행을 위한 적절한 정보체계를 구축할 수 있기 때문이다.
④ 종사자의 전문성을 강화할 수 있기 때문이다.
⑤ 사회복지조직의 효과성을 높이기 때문이다.

 알짜확인

• 사회복지조직에서 정보관리의 필요성 및 전산화를 통한 정보관리에 있어 주의해야 할 점들에 대해 생각해보자.

답 ②

✓ **응시생들의 선택**

① 3%	② 65%	③ 1%	④ 21%	⑤ 10%

② 현대사회에서 정보관리의 중요성이 커진 것은 사실이지만, 사회복지조직에서 정보관리가 최우선인 것은 아니다. 사회복지조직은 클라이언트 서비스 관리, 인적 자원관리, 재정관리, 조직관리, 프로그램 관리, 정보관리, 외부 환경관리 등 여러 차원의 관리가 필요하다.

관련기출 더 보기

21-07-19 | 난이도 ★☆☆

사회복지정보화에 관한 설명으로 옳지 않은 것은?

① 조직의 업무효율성을 증대시킬 수 있다.
② 대상자 관리의 정확성, 객관성을 확보할 수 있다.
③ 클라이언트에 대한 사생활침해 가능성이 높아졌다.
④ 학습조직의 필요성이 감소하였다.
⑤ 사회복지행정가가 정보를 체계적으로 다룰 수 있다.

답 ④

✓ **응시생들의 선택**

① 1%	② 2%	③ 13%	④ 83%	⑤ 1%

④ 실무자들에게 정보시스템에 대한 이해와 활용을 위한 학습이 이루어져야 하기 때문에 사회복지정보화는 학습조직의 필요성을 더욱 강조하게 되었다.

11-07-11 | 난이도 ★★☆

사회복지 기관의 정보관리에 관한 설명으로 옳지 않은 것은?

① 정보관리의 용도가 의사결정의 질을 높이는 방향으로 확장되고 있다.
② 정보관리를 위해서는 전산화가 필수조건이다.
③ 정보관리 시스템 설계에 현장 서비스 인력의 참여가 중요하다.
④ 정보관리에서 조직 간 수준의 개방성이 강조되고 있다.
⑤ 클라이언트 정보의 통합시스템을 대표하는 예가 트래킹 시스템(tracking system)이다.

답 ②

✓ **응시생들의 선택**

① 10%	② 43%	③ 11%	④ 16%	⑤ 20%

② 전산화를 통해 업무의 효율성을 기할 수 있지만 반드시 전산화를 해야 정보관리가 되는 것은 아니다.

다음 내용이 옳은지 그른지 판단해보자

01 정보관리시스템의 도입은 모든 정보를 모든 직원과 공유하는 것을 전제로 한다.

07-07-12
02 정보관리체계의 도입으로 인해 클라이언트의 개인정보 유출의 위험이 높아졌다.

03 정보관리시스템 도입에 따라 클라이언트를 획일적으로 구분하여 표준화된 서비스를 제공할 수 있게 되었다.

11-07-11
04 사회복지조직에서의 정보관리를 위해서는 전산화가 필수조건이다.

13-07-21
05 사회복지시설의 정보관리시스템 구축은 유관기관 간 서비스 연계에도 도움이 된다.

06 우리나라는 사회복지통합관리망 및 사회보장정보시스템 구축으로 공공 사회복지의 정보관리체계를 도입하였다.

10-07-19
07 관리정보체계(MIS)는 지식기반체계(KBS)를 보완하기 위해 개발되었다.

05-07-21
08 클라이언트 정보는 클라이언트의 문제, 서비스 수혜 유형, 서비스 기간 등을 다룬다.

09 한국사회복지사 윤리강령에 따라 사회복지사는 사회복지실천에 필요한 정보통신 관련 지식과 기술을 습득하기 위해 노력해야 한다.

답 **01** ✕ **02** ○ **03** ✕ **04** ✕ **05** ○ **06** ○ **07** ✕ **08** ○ **09** ○

해설 **01** 모든 정보가 모든 직원들에게 공유되어야 하는 것은 아니다. 사회복지기관은 클라이언트, 자원봉사자, 후원자 등에 대한 개인정보를 수집하게 되기 때문에 기관마다 공유되는 정보의 내용과 범위, 접근 가능한 직원 등에 대한 제한을 두기도 한다.
03 정보관리시스템의 도입은 정보를 더 효율적으로 활용하여 클라이언트에게 더 효과적이고 적절한 서비스를 제공하기 위한 것이다. 사회복지실천에서는 클라이언트의 개별화가 강조되며, 사회복지행정도 이러한 실천원칙을 바탕으로 하기 때문에 표준화된 서비스 제공을 목적으로 하지 않는다.
04 전산화가 필수조건은 아니다. 정보의 내용이나 성격 등에 따라 전산화하지 않기도 한다.
07 관리정보체계는 보고를 목적으로 다양한 자료들을 수집, 저장, 처리하여 유용한 정보로 전환하는 것이며, 지식기반체계는 의사결정을 지원하기 위한 것이다. 따라서 관리정보체계가 지식기반체계를 보완하기 위해 개발되었다고 보는 것은 적절하지 않다.